D0263504

Zu diesem Buch

Gäbe es in Südafrika freie Wahlen, wäre heute ein Mann Staatsoberhaupt des Landes, der trotz seiner über zwanzig Jahre andauernden Gefangenschaft für die Schwarzen das Symbol ihres Kampfes gegen die Politik der Apartheid geblieben ist: Nelson Mandela.

Am 18. Juli 1918 in Umtata in der Transkei als Sohn eines Häuptlings geboren, gründete er, zusammen mit Oliver Tambo, der heute im Exil lebt, und Walter Sisulu, der mit Mandela 1964 verurteilt und nach Robben Island gebracht wurde, die Jugendliga des ANC, die zur gewaltfreien Mißachtung der Rassengesetze aufrief. Als Rechtsanwalt war Mandela viele Jahre konfrontiert mit dem, was die Apartheid im alltäglichen Leben seiner schwarzen Leidensgenossen anrichtete.

Unter dem Einfluß der kompromißlosen Jugendliga, deren Sekretär Mandela seit 1947 war, kam es zu Massenboykotts, Streiks und Demonstrationen, zu der großen «Verweigerungskampagne». Der Höhepunkt dieser Kampagne war der Entwurf der Freiheitscharta – bis heute das Grundsatzprogramm des ANC –, deren Präambel mit dem berühmten Satz beginnt «Südafrika gehört allen, die darin leben, Schwarzen und Weißen».

1961, nach den Schüssen von Sharpeville, wurde der ANC verboten, Mandela ging in den Untergrund, von dem aus er einen dreitägigen Generalstreik organisierte, der blutig von Pretoria niedergeschlagen wurde. Auch für Mandela war damit die Phase des gewaltfreien Widerstands vorbei. Er gründete den militärischen Flügel des ANC, der aufrief zu Sabotageaktionen gegen das Apartheid-Regime. 1962 wurde Mandela verhaftet und 1964 zu lebenslänglicher Haft verurteilt.

Angesichts der Zuspitzung der internen Konfrontation und dem Druck der weltweiten Sanktionsdrohungen bot Präsident Botha Ende Januar 1985 die Freilassung an unter der Bedingung, daß Mandela auf Gewalt als politisches Mittel der Auseinandersetzungen verzichtet. Mandela lehnte ab: es sei an der Regierung, die Gewalt zu beenden: «Zu viele sind gestorben, seit ich ins Gefängnis kam. Zu viele haben für die Liebe zur Freiheit gelitten. Ich schulde es ihren Witwen und Waisen, ihren Müttern und Vätern, die um sie getrauert und geweint haben. Nicht nur ich habe während dieser langen, einsamen und vergeudeten Jahre gelitten. Ich liebe das Leben nicht weniger als ihr. Aber ich kann mein Geburtsrecht nicht verkaufen, ebensowenig wie ich bereit bin, das Geburtsrecht des Volkes auf Freiheit zu verkaufen. Ich kann und will keine Versprechungen machen, solange ich und ihr, wir, das Volk, nicht frei sind. Eure Freiheit und meine sind untrennbar. Ich komme wieder.»

Mary Benson, geboren in Pretoria, Südafrika, wurde 1957 Sekretärin des Fonds zur Unterstützung des Hochverratsprozesses in Johannesburg; später interviewte sie Mandela im Untergrund und berichtete 1964 dem UNO-Ausschuß über Apartheid über die Angeklagten im Rivonia-Prozeß. Sie ist seit diesen Jahren eine enge Freundin der Mandelas.

Mary Benson

Nelson Mandela – die Hoffnung Südafrikas

Aus dem Englischen übersetzt
von Erica und Peter Fischer

Rowohlt

rororo aktuell – Herausgegeben von Freimut Duve

Redaktion Ingke Brodersen
Deutsche Erstausgabe

Veröffentlicht im Rowohlt Taschenbuch Verlag GmbH,
Reinbek bei Hamburg, August 1986
Die Originalausgabe erschien unter dem Titel
«Nelson Mandela»
1986 bei Penguin Books Ltd., Harmondsworth

Umschlagentwurf: Werner Rebhuhn
Foto von idaf (International Defence & Aid Fund for Southern Africa)
Satz: Garamond (Linotron 202)
Gesamtherstellung Clausen & Bosse, Leck
Printed in Germany
1080-ISBN 3 499 15887 6

Inhalt

Allen jenen,
die für die Geburt Südafrikas
gestorben sind

«Er kann mit Königen und er kann mit Bettlern»

Über Nelson Mandela

Wie kam es dazu, daß ein Mann, der seit mehr als zwei Jahrzehnten eingesperrt ist – und der von den südafrikanischen Medien nicht zitiert werden darf –, zur Personifikation des Befreiungskampfs in diesem Land und zum lebenden Symbol einer neuen Gesellschaft werden konnte? Was hat bei seinen Mithäftlingen, besonders aber auch bei jenen, die nicht seine Anhänger, sondern Mitglieder rivalisierender Organisationen waren, solche «Verehrung» für Mandela ausgelöst?

Eddie Daniels, Mitglied der aufgelösten Liberalen Partei Südafrikas, hat einmal über Mandela gesagt: «Nelson Mandela ist ein guter Mann. Er kann mit Königen und er kann mit Bettlern. Wenn Staatspräsident Pieter Botha je mit Nelson Mandela sprechen sollte, dann möchte ich ihm sagen, daß er mit einem einsichtigen Mann spricht, nicht mit einem gewaltsamen Mann – mit einem der freundlichsten, ehrlichsten und friedliebendsten Menschen. Nelson Mandela hat sich der Gewalt zugewandt, nicht weil er es wollte, sondern weil die Gesetze dieses Landes uns dorthin getrieben haben.» Und Fikile Bam, ein Anwalt und Mitglied der Unity Movement (Einheitsbewegung), sagte: «Wenn man einmal einen Menschen ‹lebenslänglich› eingesperrt hat, kann man ihm nichts mehr antun – außer natürlich, ihn umzubringen. Er wird zu einer eigenständigen Macht. Je länger Mandela im Gefängnis ist, desto mehr wird er zum Kristallisationspunkt all unserer Träume. Er und der African National Congress (Afrikanischer Nationalkongreß) haben sich nie vor Verhandlungen gefürchtet. Wenn die Regierung sich weigert, mit ihm zu sprechen, so geht sie ein Risiko ein, leider nicht nur für sich selbst, sondern für alle Südafrikaner.»

Das sind südafrikanische Ansichten. Aber warum ist Mandela auch für die übrige Welt schon zu Lebzeiten zu einer Legende geworden? Er und seine Frau Nomzamo Winnie Mandela sind mit Ehren aus Ost und West überhäuft worden. Seit 1962 seiner Freiheit beraubt, ist er von den Städten Rom, Glasgow, Olympia und Aberdeen ausgezeichnet worden. In Grenoble gibt es einen Mandela-

Platz und in Camden Town in London eine Mandela-Straße. Anläßlich seines 65. Geburtstages zeichnete ihn die Deutsche Demokratische Republik mit dem Stern der Internationalen Freundschaft aus. Ehrendoktorate der Rechte wurden ihm von den Universitäten von Lesotho bis New York verliehen. In Venezuela wurde ihm zusammen mit dem König von Spanien, Juan Carlos, der Simon-Bolivar-Preis für seine Verdienste um Freiheit und Demokratie verliehen. Als er von der Anwaltsvereinigung von Bordeaux die Auszeichnung für Menschenrechte erhielt, wurde sein Schicksal mit dem von Dreyfus verglichen, der des «Hochverrats» schuldig gesprochen und ebenfalls auf einer Insel, der Teufelsinsel, eingesperrt war.

Winnie Mandela, die seit 1962 ohne Unterlaß verfolgt, aber nie müde wird, sich dagegen zur Wehr zu setzen, sagt von ihrem Mann und seinen Mithäftlingen: «Mandelas Seele ist unberührt und unzerstört geblieben wie die all der anderen inhaftierten Männer. Sie geben sich voll und ganz der Sache hin. Sie sind vollkommen frei. Eine Regierung im Exil.»

Im Alter von neunzehn Jahren

«Der Stolz der afrikanischen Nation»

1918–1940

«Damals lebte unser Volk friedlich unter der demokratischen Herrschaft ihrer Könige und deren Berater und zog ohne jede Behinderung frei und ohne jede Furcht landauf und landab. Damals gehörte das Land uns.»

Nelson Rolihlahla Mandela verbrachte seine Kindheit in einem fruchtbaren Tal in den sanften Hügeln der Transkei. Der Familienkral aus weißgetünchten Hütten lag unweit vom Fluß Mbashe, der an Maisfeldern und einer Rutenplantage vorbeifloß, vorbei an Weideland, auf dem das Vieh graste, und dann ostwärts zum Indischen Ozean. Hier entstand Mandelas Liebe zu seinem Land und zu seinen Leuten. Er wurde am 18. Juli 1918 in Qunu in der Nähe von Umtata geboren, dem Hauptdorf des «Reservats» Transkei. Als Mitglied der königlichen Familie der Thembu war seine Erziehung traditionell, und er wuchs mit einem ausgeprägten Verantwortungsbewußtsein heran. Sein Vater, Henry Gadla Mandela, war Chefberater des Obersten Häuptlings der Thembu, einem Verwandten, und hatte sich mit ihm während des Ersten Weltkriegs zur südafrikanischen Armee gemeldet, um die Deutschen in Südwestafrika zu bekämpfen. Henry Mandela war auch Mitglied des Generalrats der Transkei-Territorien, bekannt als Bunga – einem Gremium von Afrikanern und Europäern zur Beratung der Regierung in Pretoria in Fragen von lokaler Bedeutung. Der Polygamist Mandela hatte vier Frauen. Nelsons Mutter Nonqaphi (im allgemeinen als Nosekeni bekannt) war eine Frau mit einer ausgeprägten Persönlichkeit und Würde. Keiner der beiden Eltern hatte im westlichen Sinn eine Bildung genossen, aber die Namensgebung ihres Sohnes läßt einen gewissen kolonialen Einfluß vermuten – der Name eines nahen Verwandten, Kaiser Matanzima, ist ein weiteres Beispiel für diese vorübergehende Mode. Nelsons Xhosa-Name Rolihlahla bedeutet «Unruhestifter».

In ihrem Kral in Qunu führten sie ein behütetes Leben, und Nelson und seine Schwestern erfüllten gewisse Aufgaben, wie die Rinder und Schafe zu hüten oder beim Pflügen zu helfen. Aber Nelson sehnte sich nach einem abenteuerlichen Leben; nachts lauschte er fasziniert den Stammesälteren, bärtigen alten Männern, die sich um eine riesige Feuerstelle versammelten und von der «guten alten Zeit vor der Ankunft des weißen Mannes» redeten. Er erinnerte sich gerne an diese Anlässe, die seine weitere politische Entwicklung beeinflußten:

> «Damals lebte unser Volk friedlich unter der demokratischen Herrschaft ihrer Könige und deren Berater und zog ohne jede Behinderung frei und ohne jede Furcht landauf landab. Damals gehörte das Land uns ... wir besaßen das Land, die Wälder, die Flüsse; wir entnahmen der Erde Mineralien und nutzten alle Reichtümer dieses schönen Landes für uns selbst. Wir bestellten unsere eigene Regierung, wir hatten die Kontrolle über unsere Heere, und wir organisierten unseren eigenen Handel.
>
> Die Alten erzählten Geschichten über Kriege, die unsere Vorfahren zur Verteidigung unserer Heimat geführt hatten, und über die mutigen Taten von Generälen und Soldaten in den vergangenen Tagen. Es fielen die Namen Dingane und Bambata bei den Zulus, Hintsa, Makana, Ndlambe bei den AmaXhosa und Sekukhuni und andere im Norden; sie waren der Stolz und der Ruhm der gesamten afrikanischen Nation.»

Als Nelson die Missionsschule besuchte, wurde er in eine neue Welt eingeführt. Es war für ihn ein Schock, als er las, daß es in den Geschichtsbüchern nur weiße Helden gab, Schwarze als Wilde und Rinderdiebe beschrieben und die Kriege zwischen den AmaXhosa und den Briten als «Kaffernkriege» abgewertet wurden.

Seine Schwester Mabel erinnerte sich Jahre später, daß er die abgelegten Kleider seines Vaters tragen mußte, deren Ärmel und Hosenbeine gekürzt wurden; es machte ihm nichts aus, dem Gelächter seiner Mitschüler preisgegeben zu sein, denn er wollte um alles in der Welt vor allem eines: lernen.

Zu Hause hörte er von Ereignissen, die in der Geschichtsstunde nicht vorkamen: Wie Premierminister General Smuts 1921 eine Armee aussandte, die im nahegelegenen Bulhoek im Ostkap 163 Männer, Frauen und Kinder abschlachtete, die Mitglieder einer israelitischen Sekte waren und sich geweigert hatten, aus dem «gemeinsamen» Land wegzuziehen, auf dem sie siedelten. Und wie bald darauf Smuts mit Flugzeugen die Leute von Bondelswarts im Mandatsgebiet von Südwestafrika bombardieren ließ und dabei mehr als hundert Menschen tötete, weil sie eine Hundesteuer nicht bezahlen konnten. «Bulhoek» und «Bondelswarts» waren Namen, die sich schmerzhaft in sein Gedächtnis gruben.

1930 erkrankte Henry Mandela schwer. Als er erkannte, daß er sterben würde, ließ er den Obersten Häuptling kommen, zeigte ihm seinen Sohn und sagte: «Ich gebe dir diesen Diener Rolihlahla. Er ist mein einziger Sohn. An der Art, wie er mit seinen Schwestern und Freunden spricht, kann ich erkennen, daß er das Zeug in sich hat, etwas für die Nation zu tun. Ich möchte, daß du ihn so formst, wie du ihn gerne hättest; erziehe ihn, er wird deinem Beispiel folgen.» Mabel, die dabei war, hörte, wie der Häuptling einwilligte. Im Alter von 12 Jahren wurde Nelson David Dalindyebos Mündel und zog nach seines Vaters Tod zum Häuptling nach Mqekezweni. «Der Häuptling kaufte ihm Kleider, und mein Bruder wurde ein Mensch», erinnerte sich Mabel. Mit sechzehn Jahren war Nelson bereit für die Beschneidung und verbrachte mehrere Wochen in den Bergen, zusammen mit jungen Männern seiner Altersgruppe; ihre Gesichter waren weiß bemalt, ihre Körper mit Grasröcken bekleidet, und die Stammesältesten führten sie durch die rituelle Initiation und Belehrung, die sie auf ihr Mannestum und auf ihre Teilnahme an Stammesräten vorbereiten sollten. Zu dieser Zeit studierte Nelson in einem nahegelegenen College in Clarkebury.

Während der Ferien hörte er zu, wie der Oberste Häuptling über Fälle zu Gericht saß, die ihm von den untergeordneten Häuptlingen vorgelegt wurden. Obwohl die südafrikanische Regierung viele Häuptlinge zu bezahlten Funktionären für die weiße Bürokratie reduziert hatte, erhielt sich der Oberste Häuptling nicht nur die Achtung seiner Leute, sondern auch gewisse Vollmachten. Für Nelson war es eine ergreifende Erfahrung: die Anklage und danach die Verteidigung, das Kreuzverhör der Zeugen und schließlich das Urteil, das nach Konsultation mit seinen Beratern vom Häuptling gefällt wurde. Der Jugendliche träumte davon, Anwalt zu werden, und erkannte nicht, daß er dazu ausersehen war, Häuptling zu sein.

Als sich Nelson Mitte der dreißiger Jahre in einer methodistischen Sekundarschule in Healdtown auf das Abitur vorbereitete, waren die Gedanken der meisten Schüler eher bei der Politik als beim Examen: Eine Krise, die ihr Volk in ganz Südafrika betraf, wirkte sich für die Afrikaner in der Kapprovinz ganz besonders schlimm aus.

Seit 1854 hatten afrikanische Landbesitzer im Ostkap, einschließlich der Transkei und der Ciskei, das Wahlrecht; ein Ergebnis des liberalisierenden Einflusses der Missionare, die die westliche

Erziehung so weit verbreitet hatten, daß eine nicht unbeträchtliche Anzahl von Afrikanern eine Bildung genoß, viele von ihnen in gemischtrassigen Schulen. Mandelas Urgroßvater Ngubengcuka hatte einer Missionssekundarschule Land geschenkt. Die Afrikaner wurden im Glauben bestärkt, daß Bildung ihnen das Tor zu allen staatsbürgerlichen Rechten öffnen würde. Aber die Entdeckung von Diamanten im britisch regierten Kimberley im Jahre 1867 und von Gold in der Burenrepublik Transvaal im Jahre 1886 stürzte das Land Hals über Kopf in eine industrielle Revolution. Als Kapital und europäische Einwanderer hereinströmten, war die Nachfrage nach billigen Arbeitskräften unersättlich, und Afrikaner, die schon durch die Siedlerinvasionen Land verloren hatten, sahen sich aufgrund der hohen Steuern gezwungen, in den Minen zu arbeiten. Ein schwarzes Proletariat entstand. Das den Afrikanern vorbehaltene Land, wie die Transkei und die Ciskei, wurde zu Reservoiren für Wanderarbeiter. Die Buren (Südafrikaner holländischer, hugenottischer und deutscher Abstammung), die in den dreißiger Jahren – empört über die Abschaffung der Sklaverei – auf der Flucht vor der britischen Herrschaft im Kap nordwärts getreckt waren, fühlten sich erneut von den Briten bedroht, und so brach 1899 der sogenannte Burenkrieg aus.

Als Mandela sich mit der Geschichte dieses Konflikts auseinandersetzte, erkannte er, welch bitteres Erbe ein Bürgerkrieg hinterläßt. Er lernte, daß sich die beiden weißen Gruppen, wie groß auch immer ihre gegenseitige Feindschaft war, stets zusammenschlossen, wenn sie mit dem «Eingeborenenproblem», der «swart gevaar» (schwarze Gefahr) konfrontiert wurden; so auch 1910, als Großbritannien trotz weitverbreiteter Proteste sowohl von afrikanischen Führern als auch von Priestern und Liberalen die Schwarzen Südafrikas zu einer rein weißen Minderheitsregierung verurteilte. An Warnungen fehlte es nicht; die wohl eindringlichste kam von Olive Schreiner, einer Schriftstellerin und Feministin, die ein Szenario der kommenden Katastrophe für ein Südafrika entwarf, in dem der weiße Mann, «vom Augenblicksvorteil geblendet», den Afrikaner, nachdem er ihm sein Land genommen und ihn seiner Staatsbürgerschaft beraubt hat, «millionenfach und auf Dauer in die Locations*,

* Wohnsiedlung der Afrikaner in ländlichen Gebieten.

Wohnheime und Slums unserer Städte zwingt, und so billige Arbeitskräfte bekommt.»*

Trotz des Aufflammens einer unter einer All-African Convention (Gesamtafrikanischen Versammlung) geeinten Opposition von afrikanischen politischen, sozialen, religiösen und anderen Gruppen wurde den Afrikanern 1936 noch einmal die Tür zu einer einheitlichen Staatsbürgerschaft zugeschlagen. Das ausschließlich weiße Parlament in Kapstadt stimmte mit 169 gegen 11 Stimmen für den Ausschluß der schwarzen Wahlberechtigten aus dem allgemeinen Wahlrecht. Damit waren die im Kap lebenden Afrikaner – die bis dahin einzigen schwarzen Wahlberechtigten in ganz Südafrika – ihres Wahlrechts beraubt und nur mehr berechtigt, drei «Eingeborenenvertreter» (alle weiß) und vier Senatsmitglieder (alle weiß) zu wählen. Sie sollten auch einen Beirat für Eingeborenenfragen und Stadträte bekommen, alles rein beratende Gremien.

Und die Paßgesetze sollten nun ebenso wie in den Provinzen Transvaal, Natal und im Oranje-Freistaat auch im Kap angewendet werden. Seit 1910 waren bereits 36 Rassentrennungsgesetze verfügt worden, von denen kein einziges ohne Protest von der sogenannten nichteuropäischen Bevölkerung in Kraft trat; aber das meistgehaßte Gesetz, das die Bewegungsfreiheit und das tägliche Leben der Afrikaner einer totalen Kontrolle unterstellte, war das Paßsystem. Ein Afrikaner brauchte einen Paß, um Arbeit zu suchen, um zu reisen und um in der Nacht nach der Ausgangssperre unterwegs zu sein.** Konnte man ihn auf Anforderung nicht vorweisen, mußte man mit einer Geldstrafe oder, was üblicher war, mit einer Haftstrafe rechnen. Priester, Rechtsanwälte, Ärzte und andere aus der afrikanischen Mittelschicht waren nur bedingt ausgenommen, auch sie mußten ein Dokument mit sich tragen, das ihre Ausnahmestellung bewies. Das brutale Vorgehen der Polizei, um dieses Gesetz durchzusetzen, schürte die Wut der Schwarzen nur noch.

Die «Segregations»-Gesetze von 1936, die von Premierminister

* Olive Schreiner, *Closer Union*, Fifield, 1909.

** Ein solcher Paß konnte von jedem Weißen ausgestellt werden, selbst von einem Kind.

Hertzog – einem Afrikaander*-Nationalisten – mit der Unterstützung seines alten Feindes General Smuts verabschiedet worden waren, wurden von einem ehemaligen Richter des Obersten Gerichtshofs, Sir James Rose-Innes, als Gesetze mit «reiner faschistischer Ausdünstung» beschrieben.

Grund und Boden, die einzige Quelle der Sicherheit für die Afrikaner, waren unter dem Natives' Land Act von 1913 rücksichtslos geplündert worden. Jetzt war der Anteil an Land, das den acht Millionen Afrikanern zur Verfügung stand, mit 12,7 Prozent festgelegt, was den zwei Millionen Weißen 87 Prozent überließ.

Die Welle der Agitation im ganzen Land erreichte auch die Studenten, und Nelson Mandelas erwachender Nationalismus erfuhr weiteren Auftrieb im Fort Hare College, wo er für den akademischen Grad eines Bachelor of Arts zu studieren begann. Fort Hare, im Dorf Alice im Ostkap, war 1916 gegründet worden und hatte bereits eine stolze Liste von politischen Führern nicht nur in Südafrika, sondern auch in Ost- und Zentralafrika, aufzuweisen.

Ein Kommilitone, der ein enger Freund Nelsons wurde, war Oliver Tambo; er war ein Jahr älter und stammte ebenfalls aus der Transkei, allerdings aus Bizana in Pondoland, nordöstlich von Thembuland. Als Sohn eines Kleinbauern erwies sich Oliver nach Absolvierung einer lokalen anglikanischen Missionsschule als brillanter Schüler von St. Peter's bei Johannesburg – der von der Community of the Resurrection errichteten Sekundarschule, die als afrikanisches Eton galt. Nachdem er 1938 sein Abitur mit Auszeichnung bestanden hatte, erhielt er vom Bunga der Transkei ein Stipendium und studierte nun Naturwissenschaften.

Oliver beobachtete, daß Nelson zwar auf Beleidigungen oder Bevormundung empfindsam reagierte, gleichzeitig aber sanftmütig und beliebt war. Ihre Freundschaft brach durch Nelsons abrupten Abgang vom College jäh ab: Als Mitglied der Studentenvertretung,

* Die ursprünglichen Buren werden im Englischen «Afrikaner» genannt. Die meisten südafrikanischen Freiheitskämpfer bezeichnen die Schwarzen als «Africans». Die auf die Hautfarbe bezogene Bezeichnung «schwarz» wird als Sammelbegriff für alle «Nichtweißen» verwendet. Um im Deutschen Verwechslungen zu vermeiden, verwende ich in diesem Buch für die afrikaanssprechende, weiße Bevölkerungsgruppe Südafrikas das Afrikaans-Wort *Afrikaander*, mit dem entsprechenden Eigenschaftswort *afrikaanse* (Anm. d. Übers.).

deren Rechte die Behörden beschnitten, hatte er sich einem Protestboykott angeschlossen und wurde deshalb vom Studium suspendiert.

Als er nach Mqekezweni heimkehrte, befahl ihm der Oberste Häuptling, das Ultimatum des College anzunehmen, um sein Studium wiederaufnehmen zu können. Er hätte wohl gehorcht, wenn nicht eine unerwartete Entwicklung ihn davor bewahrt hätte, jenen Kompromiß einzugehen, der den Verlauf seines Lebens hätte ändern können. Er beschrieb es später so: «Mein Vormund meinte, daß es an der Zeit für mich sei zu heiraten. Er liebte mich sehr und kümmerte sich um mich mit derselben Fürsorge wie mein Vater. Aber er war kein Demokrat und fand es nicht der Mühe wert, mit mir über meine zukünftige Ehefrau zu sprechen. Er wählte ein dikkes und würdevolles Mädchen aus; der *lobola* (Brautpreis) wurde bezahlt, und man begann die Hochzeit vorzubereiten.»

Nelson beschloß zu fliehen. Seine Ablehnung der vorgesehenen Hochzeit symbolisierte aber auch einen tieferen Widerstand, denn inzwischen hatte er begriffen, daß er auf die Rolle eines Häuptlings vorbereitet wurde, und er hatte sich geschworen, niemals über ein unterdrücktes Volk zu herrschen. Im Alter von 22 Jahren machte er sich auf den Weg nach Johannesburg.

1952 in Johannesburg, bei der Planung der Verweigerungskampagne, in der Mitte Walter Silulu

«Wir werden den ANC auf Touren bringen»

1941–1951

«Jahr für Jahr haben die Afrikaner ihre Stimmen erhoben, um die zermürbende Armut, die niedrigen Löhne, den akuten Mangel an Land, die unmenschliche Ausbeutung und die gesamte Politik der weißen Vorherrschaft zu verdammen. Aber anstatt mehr Freiheit zu gewinnen, haben sie nur noch mehr Repression erfahren.»

1941 war Mandela, ein beeindruckender, athletisch aussehender junger Mann mit einer natürlichen Autorität, einer von Tausenden, die nach Johannesburg strömten. Zwei Jahre zuvor war Südafrika unter der Führung von General Smuts an der Seite Großbritanniens und seiner Alliierten in den Krieg gegen Hitlerdeutschland und Italien eingetreten, und in der Kriegsindustrie bestand ein massiver Arbeitskräftebedarf.

In einem Landautobus und dann im Zug, in einem Waggon mit der Aufschrift NON-EUROPEANS, fuhr Mandela nordwärts durch Natal und hinein in das Hochland von Transvaal, bis die gelben Sandhalden der Minen die Vororte von Egoli ankündigten, der Goldstadt. Er wurde abrupt in eine neue Welt von hohen Gebäuden, tosendem Verkehr und verwirrenden Menschenmengen aller Rassen gestürzt. Die ganze Stadt und die geräumigen weißen Vorstädte rochen nach Reichtum, aber die Afrikaner – die «Eingeborenen» – waren in gedrängten Locations und Barackensiedlungen zusammengepfercht. Diese Slums waren überfüllt, unhygienisch und hatten weder Elektrizität noch geteerte Straßen noch Telefone. Sie wurden ständig von der Polizei gestürmt, auf der Suche nach Leuten, die die Paß- und Alkoholgesetze verletzten. Unruhen flammten auf, das Familienleben zerfiel, und die Kriminalität stieg an. Für landlose Afrikaner war das der Alltag unter dem System der Rassentrennung. Mandelas politische Bildung hatte begonnen.

Von Kindheit an auf Respektabilität, Status und Geborgenheit getrimmt, wurde er nun in den Schmelztiegel des Überlebens in der Stadt geworfen. Als erstes mußte er Arbeit suchen, und die Minen waren das Nächstliegende. Viele Jahre später erinnerte er sich daran mit Belustigung: Er wurde in den Crown Mines als Polizist aufgenommen, mit dem Versprechen, daß er bald einen Büroposten erhalten würde. Mit einem *knobkerrie* (einem schweren knorrigen Stock) und einer Trillerpfeife ausgerüstet, bewachte er das Tor zum Wohnheim, in dem die schwarzen Bergleute untergebracht waren. Aber nach ein paar Tagen hatte ihn ein Vertreter des Obersten Häuptlings ausfindig gemacht, und er mußte wieder fliehen.

In Alexandra, einer ausgedehnten Township* am Nordost-Rand von Johannesburg, fand er ein Zimmer. Dort schlug ein Bekannter vor, daß er «einen gewissen Walter Sisulu» kennenlernen sollte, der immer einen nützlichen Rat wußte. Sisulu, der mehrere Jahre älter war als er und ebenfalls aus der Transkei stammte, hatte eine strenge und religiöse Erziehung genossen. Er wußte genau, was es bedeutete, als «Eingeborener» klassifiziert zu werden: In einer Mine hatte er mit Picke und Schaufel eine Meile untertag geschuftet; er war «Küchenjunge» in einem weißen Haushalt gewesen; und er hatte in einer Reihe von Fabriken gearbeitet, wo er mit ungerechten Chefs aneinandergeriet. Dazwischen hatte er in einem Fernstudium seinen Hauptschulabschluß gemacht und lebte bei seiner Mutter, die für weiße Familien Wäsche zum Waschen heimbrachte. Als ihn Mandela kennenlernte, leitete er eine kleine Grundstücksvermittlung in der Stadt, die das bißchen Grund und Boden verkaufte, das für Schwarze noch zugänglich war, und er bot dem Neuling prompt einen Job zu zwei Pfund im Monat an plus Provision.

Als Mandela ihm seinen schon früh gehegten Wunsch anvertraute, Jura zu studieren, stellte ihm Sisulu die finanziellen Mittel zur Verfügung, damit er im Fernstudium den Grad eines Bachelor of Arts erwerben konnte. Er lieh Nelson auch das Geld, um sich für die festliche Titelverleihung einen eleganten neuen Anzug kaufen zu können, und stellte ihn dann einer Kanzlei von weißen Anwälten vor, wo er eine Lehre absolvieren konnte, während er als Werkstudent an der Universität von Witwatersrand weiterstudierte.

Dort hatte Mandela seinen ersten direkten Kontakt mit «Europäern», wie die Weißen damals genannt wurden. In der Transkei waren sie Richter, Händler und Lehrer gewesen; jetzt arbeitete er für sie und mit ihnen. Als er in der Kanzlei eingestellt wurde, erklärte ihm die Chefsekretärin: «Also, Nelson, wir haben hier keine Rassentrennung. Wenn der Teejunge den Tee bringt, dann kommst du und holst dir deinen Tee vom Tablett. Wir haben für dich und Gaur

* Den Afrikanern zugewiesenes Wohngebiet an den Rändern der Städte. Hier dürfen nur Personen wohnen, die über eine Aufenthaltsgenehmigung verfügen.

zwei neue Tassen gekauft. Du darfst nur *diese* benützen. Sag es Gaur. Und nimm dich vor ihm in acht, er übt einen schlechten Einfluß aus.»

Gaur Radebe, ein Angestellter der Kanzlei und ein kleiner Mann mit einer ziemlich herablassenden Art, war ein Radikaler, und als ihm Mandela die Sache mit den beiden neuen Tassen erklärte, sagte er sofort: «Du schaust, was ich mache, und dann machst du es genauso.» Als der Tee kam, übersah Radebe die beiden neuen Tassen und wählte demonstrativ eine der alten. Mandela hatte weder Lust, mit ihm noch mit der Sekretärin zu streiten, also gab er vor, keinen Tee zu mögen.

Eine andere Sekretärin bat ihn immer um Arbeit, wenn sie nichts zu tun hatte. Einmal, als er ihr diktierte, betrat ein weißer Klient die Kanzlei, und das Mädchen, dem es offensichtlich peinlich war und das zeigen wollte, daß Mandela nicht ihr Vorgesetzter war, nahm eine Münze aus der Geldtasche und befahl: «Nelson, kannst du bitte zur Drogerie gehen und mir ein Shampoo kaufen.»

Das Augenzwinkern, mit dem er solche Vorfälle erzählte, war typisch für seine Reaktion auf die Vorurteile und die Ignoranz der Weißen, wenn sie sich gegen ihn selbst richteten; wendeten sie sich gegen wehrlose Leute, wurde er sehr böse.

Als Student heiratete er Evelyn Ntoko Mase, eine hübsche, sanfte Krankenschwester im City Deep Mine Hospital. Sie unterstützte großzügig sein Studium. Sie bezogen ein Haus in Orlando, einem der rasch wachsenden Townships aus einheitlichen Streichholzschachteln in einer öden Landschaft und 10 Meilen südwestlich von Johannesburg (ein Gebiet, das später Soweto genannt wurde, die Abkürzung für south-western townships). Nebenan wohnten Sisulu und seine Frau Albertina, ebenfalls eine Krankenschwester. Und auch Oliver Tambo war nach Johannesburg gekommen, um in der St. Peter's School Naturwissenschaften und Mathematik zu unterrichten.

Mandelas Teilzeitstudium an der Universität von Witwatersrand war mühsam; außerdem fehlten ihm die richtigen Studienunterlagen, er mußte lange Fahrten mit der Eisenbahn zurücklegen, und überdies existierte die 23-Uhr-Ausgangssperre. Einer der Anwälte der Kanzlei, in der er arbeitete, ein polnischer Jude, dem er sich wegen seiner Freundlichkeit immer verpflichtet fühlte, unterstützte ihn, wo er konnte, und drängte ihn, sich darauf zu konzentrieren, ein guter Anwalt zu werden, wodurch er «die Achtung aller Bevölkerungsschichten» gewinnen könne. Aus der Politik sollte er sich heraushalten.

Aber Mandela konnte sich mit einer solchen Beschränkung nicht zufriedengeben; er betrachtete sich immer mehr als afrikanischen Nationalisten und nicht als Thembu und fühlte sich zum Afrikanischen Nationalkongreß hingezogen. Walter Sisulu war bereits Mitglied und drängte Tambo und Mandela, sich ebenfalls dieser ausdauerndsten und konsequentesten der schwarzen politischen Organisationen anzuschließen. Aber 1942 hatte der ANC nach einer Periode der Schwäche Mitglieder verloren, die absprangen und die Afrikanische Demokratische Partei gründeten. Die drei Freunde hielten das – wie Tambo später sagte – für falsch; sie sahen es als ihre Pflicht an, im ANC zu bleiben und ihren Ideen zum Durchbruch zu verhelfen. Sie sollten sich als historisches Team erweisen, das gemeinsam mit anderen jungen Leuten daran ging, den Kongreß zu aktivieren.

Der ANC war (ursprünglich unter dem Namen South African Native National Congress) am 8. Januar 1912 gegründet worden, zwei Jahre bevor die Afrikaander ihre Nationalpartei bildeten. Vier junge Anwälte unter der Führung von Pixley ka Izaka Seme, der selbst eben erst von seinem Studium an der Universität von Columbia, in Oxford und am Inns of Court heimgekehrt war, riefen zu einer Konferenz in der Location von Bloemfontein auf. Ihr Ziel war es, ihr Volk zu einen. Stammesdifferenzen, sagte Seme, seien Verirrungen, die an der Wurzel all ihrer Sorgen, ihrer Rückständigkeit und ihrer Ignoranz lägen. «Wir müssen in weiteren politischen Kategorien denken», predigte er, «denn wir sind ein einziges Volk.»

Dieses Treffen von Häuptlingen und ihrer Anhängerschaft, von Führern politischer Vereine, von Priestern, Lehrern, Journalisten und Anwälten war außergewöhnlich. Aus allen Teilen Südafrikas, aber auch aus British Bechuanaland, Basutoland und Swasiland angereist, überwanden sie die trennenden Grenzen von Stamm und Sprache, von Stadt und Land. Reverend John Dube, ein Pädagoge, wurde zum Generalpräsidenten gewählt, Seme wurde Schatzmeister und Sol T. Plaatje, ein autodidaktischer Zeitungsherausgeber und Schriftsteller, wurde zum Generalsekretär bestellt. Die Organisation folgte dem Vorbild des amerikanischen Kongresses und enthielt Elemente der britischen Parlamentsstruktur und -geschäftsordnung, wie etwa einen Sprecher und ein Oberhaus der Häuptlinge. Ihr Ziel war es, für die Beseitigung der Rassentrennung im Parlament, im Bildungswesen, in der Industrie und in der Verwaltung zu kämpfen. «Wir träumten von Veränderung», erinnerte sich einer der Delegierten ein halbes Jahrhundert später. «Wir träumten von dem Tag, an dem die Afrikaner im Parlament sitzen würden und Land erwerben könnten.»

Sie waren zwar afrikanische Nationalisten, aber den Weißen keineswegs feindlich gesonnen. Es war auch nicht so, daß sie persönlich aufgrund ihrer Bildung unbedingt eine Rolle in dem politischen System der Weißen spielen wollten: Der Widerstand gegen den weißen Rassismus beinhaltete bereits eine Weigerung, mit schwarzem Rassismus zu antworten. Auch im Laufe der kommenden Jahrzehnte ist der ANC niemals von dieser Position der Ablehnung des Rassismus abgewichen.

Diese erste ehrwürdige Versammlung war mit einem Gebet und mit einer Hymne des Xhosa-Komponisten Enoch Sontonga eröffnet worden: «Nkosi Sikelel' iAfrika» (Gott segne Afrika). Sie wurde zur Hymne des ANC und der Schwarzen Südafrikas, in den sechziger Jahren wurde sie von einer Reihe unabhängiger Staaten übernommen. 1925 legte sich der ANC eine Fahne zu: Schwarz für das Volk, Grün für das Land und Gold für die Ressourcen.

Es folgten Jahre des Protestes gegen die fortdauernde und zunehmende Ungerechtigkeit – eine Protestbewegung, die in Demonstrationen und Versammlungen, in Delegationen und Petitionen ihren Ausdruck fand –, gewaltloser Protest, auf den das Regime mit noch mehr Repression und Polizeigewalt reagierte. In den dreißiger Jahren war der ANC – wie es ein Kritiker formulierte – zu einer reinen Diskussionsrunde degeneriert. Das war die Zeit, als ein anglikanischer Priester, James Calata aus Cradock im Ostkap, sich trotz schwerer Krankheit und Armut daranmachte, die Organisation zu neuem Leben zu erwecken. Er wurde zum Generalsekretär ernannt, und die Wahl eines neuen Generalpräsidenten – Dr. A.B. Xuma – besiegelte diese Erneuerung. Zu Xuma, einem weitgereisten und gebildeten Arzt mit einer regen Praxis in Johannesburg, gesellten sich andere eindrucksvolle Intellektuelle, darunter Z.K.

Matthews, Dozent für Sozialanthropologie, Naturrecht und Verwaltung in Fort Hare, der sich bereits in pädagogischen Kreisen im Ausland einen Namen gemacht hatte. Durch die Rassentrennungsgesetze von Hertzog 1936 politisiert, sollte Matthews eine bedeutende Rolle im ANC spielen, ebenso wie fähige junge Männer vom Schlage Mandelas und Tambos, die sich in Fort Hare in der Studentenpolitik engagiert hatten, die weitere Entwicklung zu beeinflussen begannen.

Es war eine Zeit des Umbruchs, in der die gigantische industrielle Expansion einen raschen Anstieg von Auslandsinvestitionen brachte, deren hohe Profite von billiger Arbeitskraft abhängig waren. Die Löhne der schwarzen Arbeiter lagen im allgemeinen unter dem Existenzminimum, und die afrikanischen Gewerkschaften wurden militanter. Sobald aber die Arbeiter das System herauszufordern begannen, verbündeten sich Unternehmer und Staat, um die Schraube anzuziehen: Eine Reihe von Streiks im Jahre 1942 wurde mit Smuts' War Measure 145 (Kriegsmaßnahme) beantwortet, die den Afrikanern das Streiken verbot. Trotzdem wurden die Streiks illegal weitergeführt; in Alexandria streikten die Leute gegen eine unakzeptable Erhöhung der Bustarife. In der bitteren Kälte des Hochland-Winters legten Tausende von Männern und Frauen die zehn Meilen von und zu ihrer Arbeit zu Fuß zurück. Nach neun Tagen kapitulierte die Busgesellschaft. Und als ein Jahr später, 1944, die Tarife wieder erhöht wurden, nahmen sie den Boykott erneut auf. Diesmal gingen die Leute sieben Wochen lang zu Fuß, ehe sie einen Sieg verbuchen konnten.

Der Krieg gegen den Nazi-Faschismus ließ die Ideen von Freiheit und Selbstbestimmung wieder aufflammen. Die afrikaanse Extremisten mochten nazifreundlich eingestellt gewesen sein, die afrikanischen Führer in Südafrika aber fühlten sich als Teil der weiten Welt, in der die kolonisierten Völker Asiens und Afrikas für ihre Unabhängigkeit kämpften. Der ANC unter Xuma und Matthews brachte ein Dokument mit den «Forderungen der Afrikaner» heraus, in dem der Wunsch nach «vollkommener Beseitigung aller Formen von Herrschaft einer Rasse über eine andere in allen Ländern» und nach einem aktiven Kampf um «Selbstbestimmung der kolonisierten Völker» ausgedrückt wird. Zusätzlich zu anderen Forderungen, wie der Abschaffung der Paßgesetze und der Rassentren-

nung am Arbeitsplatz sowie der Einführung von kostenloser Schulpflicht, verlangten sie volle Bürgerrechte, einschließlich des Wahlrechts.

Alle diese Ereignisse und Einflüsse sowie die Weigerung der Regierung, ihre Reformversprechen einzulösen, forderten in Mandela und anderen jungen Nationalisten einen neuen Widerstandsgeist heraus. «Wir waren nie richtig jung», sagte Oliver Tambo über jene Zeit. «Es gab keinen Tanz, kaum ein Kino, nur Versammlungen und Diskussionen, Abend für Abend, Wochenende für Wochenende.» Mandela allerdings bewahrte sich seine physische Fitness und war ein ausgezeichneter Boxer geworden. Sie trafen einander in Privathäusern oder Büros, um ihre politische Philosophie zu formulieren.

Einer von ihnen war der gebildete und magnetisch anziehende Anton Muziwakhe Lembede, Sohn von Zulu-Landarbeitern, die so arm waren, daß sie sich in Säcke kleideten, und so entschlossen, ihrem Kind eine Bildung angedeihen zu lassen, daß es ihnen auch irgendwie gelang, das Geld für eine Volksschule zusammenzukratzen. Aus eigener Kraft war er dann Lehrer und später Anwalt geworden. Lembede und A. P. Mda, ebenfalls ein Lehrer, der später Anwalt wurde, gründeten zusammen mit Mandela, Sisulu, Tambo und anderen eine Youth League (Jugendliga). Sie zogen aus, um den ANC «auf Touren zu bringen», den sie als «Symbol und Verkörperung des Willens der Afrikaner» anerkannten, «allen Formen von Unterdrückung eine geeinte Front entgegenzusetzen», der aber in ihren Augen organisatorisch schwach war, weil er sich als «Gremium von Herren mit sauberen Händen» betrachtete und nicht in der Lage war, eine positive Führungsrolle zu übernehmen. Die Jugendliga sollte den Kritikern die Zuversicht wiedergeben, daß der «Kampf und die Opfer ihrer Väter» nicht vergebens gewesen waren. Sie sollte «das Gehirn und die Energiequelle des Geistes afrikanischen Nationalismus» sein und den politischen Bewußtwerdungsprozeß vorantreiben. «Ausländische Führer» wurden ebenso abgelehnt wie der «unhinterfragte Import ausländischer Ideologien», obwohl man durchaus bei solchen Ideologien Anleihen machen konnte, sollten sie sich als nützlich erweisen.

Lembede, Sisulu, Mandela und Tambo wandten sich an Dr. Xuma, der ihren Vorschlag mit Zurückhaltung annahm, daß die

Jugendliga Teil des ANC werden sollte. Er hatte recht mit seinen Vorbehalten; ihre Tätigkeit sollte die Organisation radikal verändern.

Im April 1944 wurde Lembede zum Präsidenten der Liga und Tambo zu ihrem Sekretär gewählt. Mandela, der an der Schlußabfassung eines von Mda entworfenen politischen Grundsatzdokuments beteiligt gewesen war, brachte die Kritik der Liga an der Führung des ANC vor, die seiner Meinung nach der Frage der Umstrukturierung des Kongresses zu einer Massenorganisation keine Bedeutung beigemessen habe. Mandela und andere wollten mit Hilfe der Liga die Entwicklung einer mächtigen nationalen Befreiungsbewegung auf der Grundlage des afrikanischen Nationalismus in die Wege leiten. Ihr Ziel war «echte Demokratie», und deshalb würde die Liga für die Beseitigung von diskriminierenden Gesetzen und für den Zugang der Afrikaner zu «vollen Bürgerrechten» kämpfen, damit diese «im Parlament direkt vertreten» sind. Das Land sollte unter Farmern und Bauern aller Nationalitäten im Verhältnis zu ihrer Anzahl neu aufgeteilt werden. Gewerkschaftliche Rechte dürften nicht angetastet werden; die kostenlose Schulpflicht für Kinder sollte durch ein Erwachsenenbildungsprogramm für die Massen ergänzt werden, und die afrikanische Kultur würde die besten Elemente der europäischen und anderer Kulturen integrieren. So sollten Bedingungen geschaffen werden, die es Afrika ermöglichen, «seinen eigenen Beitrag zu Fortschritt und Glück der Menschheit zu leisten».

In der Zwischenzeit hatte Dr. Xuma mit den Führern der Kommunistischen Partei und dem South African Indian Congress (SAIC) eine gemeinsame Kampagne gegen die Paßgesetze eingeleitet. (Die Kommunistische Partei war 1921, der Indian Congress 1894 von Mohandas Gandhi gegründet worden.) Diese Kampagne wurde beschleunigt, nachdem die Regierung eine Initiative im Parlament zur Rücknahme der Paßgesetze ablehnte und Massenverhaftungen von Gesetzesübertretern anordnete. Eine Flut von Protesten schwappte über das Land; ein anglikanischer Bischof erklärte die Gesetze zu «Hitlers Methoden in einem sogenannten demokratischen Land». Aber Demonstrationsmärsche, Petitionen und Delegationen – jede nur erdenkliche gesetzmäßige Form des Widerstands – waren vergeblich.

Trotzdem war die Stimmung des Augenblicks von Optimismus geprägt, denn nach dem Krieg und dem Ende der Nazi-Herrschaft – einem Krieg, an dem sowohl Afrikaner als auch Farbige teilgenommen hatten – würde die Veränderung unvermeidlich sein, so glaubte man. Zusammen mit anderen Organisationen feierte der ANC das Ende des Krieges im Mai 1945 mit einem Siegesmarsch. Der Aufmarsch war der größte, den man je in Johannesburg gesehen hatte; zwanzigtausend Afrikaner und ein paar Menschen anderer Rassen folgten der Blasmusik und der schwarz-grün-goldenen Fahne des ANC. Der Slogan war: «Laßt uns das Werk vollenden!» Aber der Krieg, der das Land für noch mehr Industrialisierung und Auslandsinvestitionen öffnete, hatte den Reichtum und die Macht der Weißen gestärkt.

1946 kam ein scharfer Hinweis, daß nicht nur die Afrikaner Opfer von Unterdrückung waren: Die Inder traten in die vorderste Kampffront, und zwei von Mandelas Studienkollegen an der Juridischen Fakultät von Wits – Ismail Meer und J. N. Singh – spielten eine führende Rolle, als der Indian Congress von Transvaal und Natal eine Kampagne des passiven Widerstands gegen das von Jan Smuts eingebrachte «Ghetto»-Gesetz starteten, das die Inder auf Dauer in gewisse Gebiete verbannen wollte. Obwohl sich der eigentliche Widerstand in Durban abspielte, wurde ein Großteil der Organisationsarbeit in Johannesburg geleistet.

Mandela übernachtete manchmal bei Meer, dessen karg eingerichtete Wohnung im Kholvad House in der Market Street ein beliebter Treffpunkt war, wo heftige Debatten und nächtliche Streitgespräche mit Freunden, Studenten und Aktivisten stattfanden, wie Reverend Michael Scott, einem angelikanischen Priester, der später zur Bewegung des passiven Widerstands stieß, und Ruth First, einer brillanten Achtzehnjährigen, deren Eltern – wie viele der jüdischen Einwanderer aus Lettland und Litauen – zu den mutigsten Aktivisten der Kommunistischen Partei zählten.

Mandela interessierte es sehr, von Meer, dessen Familienangehörige Moslems waren, über die indischen Menschen und ihren Kampf in Südafrika zu erfahren. Die Briten hatten die Inder 1860 als Arbeitskräfte für die Zuckerplantagen nach Natal gebracht. Gandhi hatte sich als junger Anwalt in Durban niedergelassen und hatte angesichts wiederholter Ungerechtigkeiten 1907 den passiven Widerstand – *satyagraha* oder Seelenkraft – ausgerufen. Jetzt waren die erfahrensten Führer zwei Ärzte: Monty Naicker, ein Anhänger Gandhis, in Natal, und Yusuf Dadoo, ein Kommunist, in Transvaal. Sie erhielten moralische und diplomatische Unterstützung von der indischen Regierung.

Mandela war sehr beeindruckt von den jungen indischen Freiwilligen, die 500 Meilen von Johannesburg nach Durban fuhren, wo sie sich einer möglichen Verhaftung stellten, aber politisch hielt er sich im Hintergrund. Meer und Singh gehörten zu jenen zahlreichen Indern, die meinten, daß die Kommunistische Partei eine relevante politische und wirtschaftliche Ideologie anzubieten hatte. Bitter enttäuscht von den Vertretern ihrer Gemeinschaft – konservative Händler und Kaufleute, die an eine Aussöhnung mit den weißen Behörden glaubten –, wurden sie Schüler einer erstaunlichen alten Engländerin, Dr. Mabel Palmer, einer Fabierin und Freundin von George Bernard Shaw, die gemischtrassische Vorlesungen über verschiedene Themen hielt, darunter Sozialismus und Marxismus. Trotz der geringen Mitgliederzahl hatte die Kommunistische Partei eine wesentliche organisatorische Rolle gespielt und außerdem war sie die einzige Partei, in der Rassengleichheit herrschte.

Mandela war sehr stark antikommunistisch eingestellt, nicht nur wegen seines ausgeprägten traditionellen Hintergrunds, sondern auch weil ihm seine religiöse Erziehung beigebracht hatte, in einem Kommunisten den Antichristen zu sehen. Die meisten Mitglieder der Jugendliga teilten diese Feindschaft, und als ihnen Ruth First als Sekretärin des Progressive Youth Council eine Fusion anbot, lehnten sie entschlossen ab. Bram Fischer, ein Afrikaander und Kommunist, der als Anwalt Xuma bei der Abfassung eines demokratischeren Statuts für den ANC geholfen hatte, nannte Mandela und Sisulu «Jungtürken», die nicht nur antikommunistisch waren, sondern auch nicht mit Weißen zusammenarbeiten wollten. Später sollte er sie in zwei historischen Gerichtsprozessen verteidigen.

Die Jugendliga fürchtete, daß eine solche Kooperation ihren Kampf unterminieren könnte; die weißen Kommunisten hingegen hielten den Nationalismus der Jugendliga für «chauvinistisch». Außerdem verschleierte die kommunistische Betonung der Trennung zwischen Arbeiterklasse und Kapitalisten das Hauptziel: die Einheit aller Afrikaner. Lembede, Mandela, Sisulu und Tambo versuchten afrikanische Kommunisten dazu zu zwingen, aus der Partei auszutreten, wollten sie weiterhin Mitglieder des ANC bleiben, und stellten auch bei einer Jahreskonferenz einen diesbezüglichen Antrag. Aber die meistgeachteten und aktivsten Mitglieder des Kongresses waren die Kommunisten J. B. Marks, Moses Kotane und Gaur Radebe, und der Antrag der Jugendliga wurde vom moderierten Flügel niedergeschlagen.

Was die Einstellung der Liga zu den Weißen im allgemeinen betrifft, so kreisten die Kontroversen um die Frage, ob es eines der Ziele der Liga sein sollte, «den weißen Mann ins Meer zu treiben». Mandela und seine Mitarbeiter am Entwurf des Grundsatzprogramms hatten darüber immer und immer wieder diskutiert und waren schließlich übereingekommen, daß sie der konkreten Situation in Südafrika Rechnung tragen und akzeptieren müßten, daß «die verschiedenen rassischen Gruppen» das Land nicht wieder verlassen würden. «Aber wir bestanden darauf», fügten sie hinzu, «daß eine Voraussetzung für Fortschritt und Frieden zwischen den Rassen die Abkehr von der weißen Vorherrschaft und eine grundlegende Veränderung der Struktur der südafrikanischen Gesellschaft sein muß, damit alle Beziehungen zwischen den Menschen abgeschafft werden können, die Ausbeutung und Elend hervorrufen. Deshalb ist unser Ziel die Erreichung nationaler Freiheit für das afrikanische Volk und die Schaffung einer freien Gesellschaft, in der rassische Unterdrückung und Verfolgung verboten sein werden.»

Die Liga konzedierte, daß manche Europäer Gerechtigkeit liebten und Rassenunterdrückung verurteilten, «aber ihre Stimme ist schwach und zählt letztlich nicht». Was die Inder betrifft, die auch unterdrückt und ausgebeutet waren, so unterschieden sie sich von den Afrikanern in ihrem historischen und kulturellen Hintergrund, sollten aber nicht als Eindringlinge oder Feinde gesehen werden, solange sie den Befreiungskampf der Afrikaner nicht behinderten. Farbige, deren Leid sich im Ausmaß von dem der Afrikaner unterschied, sollten selbst für ihre Freiheit kämpfen.

Aber als es zum eigentlichen Handeln kam, waren Mandela und die anderen jungen Intellektuellen der Liga noch nicht bereit. 1946 streikten afrikanische Minenarbeiter und forderten das System heraus. Ihre Führer, Marks und Radebe, hatten die Bergbaukammer schon seit langem vor der wachsenden Unruhe gewarnt. Die Lage der 308000 schwarzen Minenarbeiter war allgemein bekannt: Sie waren die wichtigsten Arbeiter im Land und wurden am stärksten ausgebeutet. Ihr Durchschnittslohn in bar betrug £3 11s. 8d. im Monat, basierend auf der Annahme, daß sie als Wanderarbeiter ihre Löhne durch ein bäuerliches Einkommen subventionieren könnten, das mit £2 10s. monatlich veranschlagt wurde. Aber in der Transkei und in der Ciskei lebten ihre Familien in absoluter Armut; Unterernährung und Krankheiten grassierten. Die Forderung der Streikenden war ein Mindestlohn von 10 Shilling täglich, «in Übereinstimmung mit den Vorstellungen der neuen Welt von einem anerkannten Lebensstandard, denen sich unsere Regierung im Rahmen der Vereinten Nationen angeschlossen hat». 70000 Männer streikten. Die Polizei trieb sie mit Gewehren, Bajonetten und Schlagstöcken zur Arbeit zurück.

Zu dieser Zeit trat der Beirat für Eingeborenenfragen, dem beratenden Gremium, das eingerichtet wurde, als die Schwarzen ihre Bürgerrechte verloren, 40 Meilen nördlich von Johannesburg, in Pretoria, zusammen. Z. K. Matthews war Vorsitzender, und ein neu gewähltes Mitglied war Häuptling Albert Lutuli aus Natal. Als die Zahl der Opfer in den Minen anstieg, meldeten die Beiratsmitglieder lautstarken, aber wirkungslosen Protest bei der Regierung an. «Sie behandeln uns wie Kinder», erklärte Dr. James Moroka, ein hochangesehener Arzt. «Ihr könnt tun, was ihr wollt», sagte ein anderes Beiratsmitglied, «ihr könnt uns erschießen, verhaften, einsperren, aber unsere Seele könnt ihr nicht brechen.» Aber ihre Proteste wurden ignoriert. Ein Mitglied meinte, der Beirat sei nichts als ein «Spielzeugtelefon».

Innerhalb einer Woche war der Streik der Bergarbeiter gebrochen, zerschlagen nicht nur vom Staat, der die Brutalität der Polizei deckte, sondern auch von der Bergbaukammer, die die Gewerkschaft der Minenarbeiter zerstörte und – nach Verstärkung der Polizeieinheiten in jeder Mine – die Bergleute nach Stämmen auf die einzelnen Wohnheime verteilte. Mindestens neun Bergleute waren getötet und 1248 verletzt worden.

In der Zwischenzeit war Premierminister Smuts, ein im Ausland hochangesehener Staatsmann, bei den Vereinten Nationen gewesen. Ein Jahr davor hatte er die Präambel der UNO-Charta mitformuliert: sie verpflichtet sich zum «Vertrauen in die grundlegenden Menschenrechte, in die Würde des Menschen, in die gleichen Rechte für Männer und Frauen». Dr. Xuma, der bei den Vereinten Nationen für die Sache der Afrikaner warb, bemerkte: «Wir fordern Brot und bekommen Schrot.»

Smuts' Stellvertreter, Jan Hofmeyr, der liberalste weiße Politiker Südafrikas und ein brillanter Denker, hatte sich mit den Protesten des Beirats für Eingeborenenfragen auseinandergesetzt. Er drückte Erstaunen aus über das, was er ihre «gewaltsamen und übertriebenen» Erklärungen nannte, und sprach vom guten Willen der Regierung und vom Wunsch nach einer Besserstellung der Eingeborenen. Smuts und Hofmeyr waren die Führer der moderierten, hauptsächlich englischsprechenden United Party. Keineswegs überraschend für Mandela und die meisten Schwarzen, unterschied sich die Politik der beiden wichtigsten Parteien kaum voneinander.

In einer seiner Redenotizen schrieb Mandela:

> «Seit 1912 und von da an Jahr für Jahr haben die Afrikaner in ihren Häusern und Wohnbezirken, bei Versammlungen in den Provinzen und auf nationaler Ebene, in Eisenbahnen und Autobussen, in den Fabriken und auf den Farmen, in Städten, Dörfern, Barackensiedlungen, Schulen und Gefängnissen die schamlosen Missetaten jener diskutiert, die das Land regieren.
>
> Jahr für Jahr haben sie ihre Stimme erhoben, um die zermürbende Armut, die niedrigen Löhne, den akuten Mangel an Land, die unmenschliche Ausbeutung und die gesamte Politik der weißen Vorherrschaft zu verdammen. Aber anstatt mehr Freiheit zu erhalten begann die Repression an Umfang und Intensität zuzunehmen.»

In anderen Teilen Afrikas war das Ziel von Kolonien, Protektoraten oder Mandatsgebieten die Unabhängigkeit. Südafrika aber war bereits ein unabhängiges Land, ein souveräner Staat, organisiert und kontrolliert von einer lokal verankerten weißen Herrschaftsminderheit, die im Laufe mehrerer Generationen von Siedlerströmen mit der Unterstützung von europäischem Kapital, Waffen und Technologie Macht angehäuft hatte. Was Mandela einen «perfekten Apparat von Gewalt und Zwang» nannte, wurde zielstrebig aufgebaut: ein ausgeklügeltes System von administrativen und wirtschaftlichen Kontrollen, um die schwarze Mehrheit zu unterjochen.

1948 wurden weiße Vorherrschaft und Rassentrennung statutarisch festgeschrieben: Apartheid. Die afrikaanse Nationalpartei kam an die Macht und ging gleich daran, ihre Apartheid-Politik umzusetzen. Ihre nazifreundlichen und antisemitischen Tendenzen wurden heruntergespielt, da sie für sich die Rolle einer «Bastion des christlichen Abendlandes» gegen die «rote Gefahr» beanspruchten. Sie hielten sich für von Gott zum Herrschen berufen, eine Illusion, die sie gegen die Außenwelt und gegen Ideen von Freiheit, Gleichheit und Gerechtigkeit immunisierte. Nicht nur die Regierung, sondern auch die Holländische Reformierte Kirche und die Universitäten, die Polizei, die Armee und der öffentliche Dienst waren bald von einem Geheimbund durchsetzt, dem Broederbond (Brüderbund). Innerhalb von wenigen Jahren sollten sie trotz massiver Proteste der weißen Wählerschaft die Verfassung hinwegfegen; durch die Aufhebung von Verfassungsbestimmungen stellten sie sicher, daß sie auf verfassungsmäßigem Weg nicht geschlagen werden konnten.

Apartheid – «diese aberwitzige Politik», wie Mandela sie nannte – war allen Vorstellungen von Menschenrechten diametral entgegengesetzt. Mit Ausnahme von Hitlers Politik gegenüber den Juden hatte es noch nie auf der Welt eine solche «Philosophie» gegeben. Im Zweiten Weltkrieg war soeben gegen eine solche Doktrin gekämpft worden. In den folgenden Jahren sollten die Regierungen Großbritanniens, Amerikas und anderer westlicher Nationen wiederholt ihre Abscheu vor dem Apartheidsystem ausdrücken, während sie gleichzeitig ihre Investitionen in Südafrika vorantrieben.*

Mehr als 100000 Afrikaner waren nun bereits in die Townships und Barackenvorstädte um Johannesburg gepfercht. Zwangsdeportationen, Polizeirazzien, Arbeitslosigkeit und andere Vorkommnisse lösten dauernd Unruhen aus; aber die schlimmste Explosion ereignete sich in Durban im Januar 1949, als sich eine Menschenmenge von Afrikanern durch einen gewaltsamen Streit zwischen einem jungen Zulu und einem Inder provoziert fühlte. Jahrelange hinuntergeschluckte Wut gegen Unterdrückung und Armut loderten auf, und der Haß der Zulus richtete sich gegen die nächstlie-

* Britische Investitionen sollten zwischen 1975 und 1981 von 4 Milliarden Pfund auf 11 Milliarden Pfund ansteigen.

gende Zielscheibe, gegen die Händler und «Ausländer», die sie als «Ausbeuter» wahrnahmen. Brandlegung, Tod, Plünderungen: unter den 147 Toten befanden sich 53 Inder und, in erster Linie wegen des Vorgehens der Polizei, 87 Afrikaner und ein Weißer. Oliver Tambo und andere ANC-Führer eilten mit Dr. Naicker, Ismail Meer und J. N. Singh in das betroffene Gebiet, um die Leute zu beruhigen und von dem Problem zu erfahren, die den Aufruhr ausgelöst hatten.

Mandela sollte dieses Zusammentreffen von afrikanischen und indischen Führern später als unvergeßliche Erfahrung erinnern. Aber nach wie vor waren er und die anderen Mitglieder der Jugendliga einer Vereinigung mit dem Indian Congress abgeneigt. Als Xuma, Dadoo und Naicker einen «Ärztepakt» für eine Zusammenarbeit zwischen ANC und SAIC im Kampf um volle Bürgerrechte schlossen, waren die jungen Nationalisten wild entschlossen, den «Alleingang» zu wagen. Der Aufbau eines afrikanischen Selbstbewußtseins hatte noch einen langen Weg vor sich.

Mda war der neue Präsident der Liga und Tambo Vizepräsident. Anton Lembede war nach langer Krankheit 1947 gestorben, ein unschätzbarer Verlust; seine Gedanken sollten seine Kollegen und Anhänger in den folgenden Jahren immer wieder inspirieren und spalten. Mandela wurde zum Sekretär gewählt; mit seinem wachsenden politischen Engagement begann er sein Jurastudium zu vernachlässigen.

Die Liga hatte ein Aktionsprogramm ausgearbeitet und war nun bereit, Dr. Xuma mit ihrer Unzufriedenheit über seine zaghafte Führung zu konfrontieren, obwohl sie zugestehen mußten, daß sein Organisationstalent und seine Integrität erreicht hatten, daß der ANC nun über eine Mitgliedschaft von mehreren tausend und über ein Bankkonto von 3000 Pfund verfügte. Obwohl er sich der Kritik anschloß, hatte Mandela von Xuma persönlich eine hohe Meinung. Kurz vor Beginn der Jahreskonferenz des ANC wurden er, Tambo und Sisulu beauftragt, bei Xuma vorzusprechen. Es wurde ein schwieriges Treffen; Xuma war entschlossen, die Kontrolle nicht zu verlieren, während die drei mehr denn je davon überzeugt waren, daß die Menschen zu handeln bereit waren. Außerdem hatte der Bergarbeiterstreik sie in ihrer Überzeugung bestärkt, daß es ohne Arbeiter – die «Massen» – keine wirksame politische

Aktion geben könne. Sie stellten ein Ultimatum: Weigerte sich Xuma, ihr Aktionsprogramm zu unterstützen, würden sie ihm bei den kommenden Wahlen zum Generalpräsidenten ihre Stimme entziehen. Er fertigte sie kurz ab.

Im letzten Augenblick einigten sie sich auf Dr. Moroka, der dem Programm zustimmte. Die alte Garde wählte fast einstimmig Xuma, die Jungen Moroka. Zu dieser Zeit hatte die Jugendliga bereits eine Mehrheit hinter sich – ihr Coup war gelungen.

Die Bestellung von Walter Sisulu zum Generalsekretär mit einer Mehrheit von einer Stimme war von großer Bedeutung: Zum erstenmal würde der ANC einen Vollzeitsekretär haben, der ein Gehalt bezog – monatlich 5 Pfund – und der ein Büro hatte, zwar kein besonders elegantes, aber immerhin in einer guten Lage im Geschäftsviertel von Johannesburg. Sisulus Frau Albertina würde sie mit ihrem Einkommen als Krankenschwester durchbringen.

Mandela war eines der neuen Mitglieder, die zusammen mit Gemäßigten, Kommunisten und anderen Vertretern der Jugendliga ins nationale Exekutivkomitee gewählt wurden. Sie waren auf eine entschlossene Durchsetzung des Aktionsprogramms eingeschworen, das von der Konferenz begeistert aufgenommen wurde.

Das Programm wurde zu einer entscheidenden Wegmarke im Kampf gegen das Apartheid-Regime. Es zielte auf «nationale Freiheit» und Selbstbestimmung ab und lehnte Apartheid und weiße Vorherrschaft ab. Es gelte, neue «Waffen» einzusetzen: Boykott, Streik, ziviler Ungehorsam, Verweigerung der Kooperation und andere Methoden, die ihnen zur Erreichung ihrer Ziele verhelfen könnten. Aber zuerst müsse eine nationale Arbeitsniederlegung geplant werden, ein Protesttag gegen die reaktionäre Politik der Regierung.

So begann der ANC mit einer gänzlich neuen Strategie auf der Grundlage von Massenaktionen. Mandela wies auf den politischen Wandel hin: Während frühere ANC-Führer «in der scheinbaren Hoffnung (handelten), mit ihrer Überzeugungskraft die Behörden dazu überreden zu können, ihre Meinung zu ändern und ihnen alle Rechte zu geben, die sie verlangten», würde man jetzt darangehen, Druck auszuüben, «um die Behörden zu zwingen, ihren Forderungen nachzugeben». Aber er anerkannte, wie er in der Zeitschrift der Jugendliga *Lodestar* schrieb, das gigantische Problem, den «vollen dynamischen Kontakt mit den Massen» aufrechtzuerhalten. «Wir haben eine machtvolle Ideologie, die fähig ist, die Phantasie der Massen zu beflügeln», sagte er. «Unsere Pflicht ist es nun, ihnen diese Ideologie voll zugänglich zu machen.»

Bevor die Jugendliga die «nationale Arbeitsniederlegung» am 1. Mai 1950 organisieren konnte, rief eine spontan gebildete Gruppe von Kommunisten, dem Indian Congress und dem ANC von Transvaal für denselben Tag zu einer Arbeitsniederlegung in der Region von Johannesburg auf, um gegen die Bannung* von Kotane, Marks und Dadoo zu protestieren. Wütend stießen Mandela und die anderen jungen Nationalisten mit den Organisatoren zusammen, störten ihre Versammlungen und attackierten die Kommunistische Partei in ihrer Zeitschrift mit heftigen Worten. Da die Arbeiter Afrikaner und in erster Linie wegen ihrer Hautfarbe unterdrückt waren, sei es klar – so der Artikel –, daß die «exotische Pflanze» des Kommunismus auf afrikanischem Boden nicht gedeihen könnte. Zweifellos sind diese Zusammenstöße für Mandelas Ruf als Hitzkopf verantwortlich.

Trotz des Widerstands der Jugendliga gegen den Protest von Johannesburg und trotz des Demonstrationsverbots durch die Regierung sowie dem Ausrücken von 2000 Polizisten am 1. Mai wurde der Streik ein beachtlicher Erfolg, und mehr als die Hälfte der Arbeiter blieben der Arbeit fern. Aber der Tag endete tragisch, als die Polizei die Versammlungen stürmte. Organisatoren und «Streikbrecher» gerieten einander in die Haare, und die Schüsse der Polizei ließen den Haß auflodern. Mandela und Sisulu hetzten durch Orlando und versuchten, die Leute zu beruhigen, sie dazu zu bringen, auseinander und in Deckung zu gehen. Achtzehn Afrikaner wurden getötet und mehr als 30, einschließlich drei Kindern, verletzt.

Den jungen Intellektuellen in der Jugendliga öffnete die Unterstützung für den Streik an der Basis die Augen. «Dieser Tag», sagte Mandela, «war ein Wendepunkt in meinem Leben; ich erlebte das brutale Vorgehen der Polizei aus erster Hand, und ich

* Bann: spezifisch südafrikanische Strafe, die besonders gegen politische Aktivisten verhängt wird. Die Strafbestimmungen variieren von Fall zu Fall und umfassen Maßnahmen wie Aufenthaltsbeschränkungen, Kontaktverbote, Verbot der politischen Betätigung und Verbot des Zitiertwerdens.

war beeindruckt von der Unterstützung des 1.-Mai-Aufrufs durch die afrikanischen Arbeiter.»

Er war auch davon beeindruckt, wie schwer die Organisatoren gearbeitet hatten: Er und Sisulu hatten zwei junge Inder beobachtet, Paul Joseph, Fabrikarbeiter, und Ahmed Kathrada, Student, die jeden Morgen und dann wieder jeden Abend loszogen, um Flugblätter zu verteilen. Jetzt schüttelten sie einander die Hände, und die beiden Männer der Jugendliga gratulierten Paul und Kathy zu ihrem Erfolg – die erste Andeutung einer Freundschaft, die ein Leben lang währen sollte.

Die Apartheid-Gesetze, deren Absicht es war, die Menschen voneinander zu trennen, führten sie zusammen: Das Gesetz zur Registrierung der Bevölkerung (Population Registration Act) klassifizierte jeden Menschen nach seiner Rasse und erzeugte unendliches persönliches Leid; Rassen und Stämme wurden aufgeteilt und in städtische und ländliche Gebiete zwangsangesiedelt, wobei besonders indische Händler enteignet wurden und sich großangelegte Zwangsumsiedlungen für alle «Nichteuropäer» ankündigten (Group Areas Act*) – die Afrikaner sollten nun Bantu genannt und neu in Stämme eingeteilt werden (Bantu Authorities Act).

Das Gesetz zur Unterdrückung des Kommunismus (Suppression of Communism Act) hatte die größte politische Auswirkung, weil es ein weit umfassenderes Ziel verfolgte, als sich nur gegen die 2000 Kommunisten zu richten: 1600 Afrikaner, 250 Inder und 150 Weiße. Während der vierziger Jahre waren Kommunisten als Delegierte für Eingeborenenfragen ins Parlament und auch in die Stadtverwaltungen von Johannesburg und Kapstadt gewählt worden; jetzt breitete sich der Kalte Krieg aus. In Südafrika verkündete der Justizminister C. R. Swart, daß er zusammen mit Sir Percy Sillitoe, dem Leiter des britischen Geheimdienstes, die Ausbreitung des Kommunismus in Afrika untersucht hatte. Die Afrikaner sahen das als einen weiteren Akt der Kollaboration zwischen den Afrikaander-Nationalisten und der britischen Regierung an, die auch bei den

* Gesetz aus dem Jahre 1950, das den verschiedenen rassischen Gruppen voneinander getrennte Wohngebiete zuweist und die dafür nötigen Durchführungsbestimmungen enthält.

UNO-Debatten über das Mandatsgebiet Südwestafrika konsequent mit Südafrika stimmte.

Das neue Gesetz richtete sich in erster Linie gegen die Afrikaner und andere unterdrückte Volksgruppen. «Kommunismus» hieß von jetzt ab alles, was darauf abzielte, «durch die Förderung von Unruhen oder Unordnung, durch unrechtmäßiges Handeln oder Unterlassungen oder durch die Androhung solcher Handlungen oder Unterlassungen, politische, industrielle, gesellschaftliche oder wirtschaftliche Veränderungen in der Union herbeizuführen», und der Justizminister wurde bevollmächtigt, alle Personen zu «benennen», die er für Kommunisten hielt, und ihnen jede weitere politische Tätigkeit zu untersagen; die Strafe für die «Unterstützung der Ziele» einer verbotenen Organisation betrug bis zu 10 Jahren Gefängnis.

Für den 26. Juni 1956 war eine nationale Protestdemonstration geplant. Die Jugendliga, der Indian Congress und die Kommunistische Partei bildeten ein gemeinsames Koordinationskomitee, das seine Arbeit in einer Atmosphäre gegenseitigen Mißtrauens begann. Aber Moses Kotane, der aus Kapstadt anreiste, um seine Funktion als Sekretär der Johannesburger KP aufzunehmen, trug dazu bei, dieses Unbehagen zu verstreuen. Mandela erkannte in ihm einen «echten Nationalisten», und sie wurden bald Freunde.

Es sollte der erste ANC-Aufruf auf nationaler Ebene sein, «nicht zur Arbeit zu gehen»; der Anfang der Konfrontation zwischen der städtischen Bevölkerung und dem Staat. «Der Protest», so verkündete die Jugendliga, «ist für uns eine Manifestation aller tiefen Gefühle von Unzufriedenheit des afrikanischen Volkes seit dem 6. April 1652», dem Tag, an dem Jan van Riebeck am Kap der Guten Hoffnung ankam, um für die holländische East India Company einen Stützpunkt zu schaffen. Mandelas Erinnerung an die Erzählungen der Stammesältesten war nur allzu deutlich aus dem Appell herauszuhören, der folgendermaßen weiterging: «... und weiter in der Zeit der sogenannten Kaffernkriege, in den Tagen von Dingana, in den Tagen von Moshoeshoe, in den Tagen von Sekukhuni ... in den Tagen des Unionspaktes der Weißen von 1910.» Die Regierung wurde gewarnt: «Keine physische Kraft der Welt kann die unbesiegbare Seele einer Nation vernichten»; das afrikanische Volk war entschlossen, Südafrika zu befreien, «Schwarze, Weiße und Gelbe».

Während Dr. Moroka, Sisulu, Tambo und die indischen Führer die Provinzzentren besuchten, um die Basis zu erweitern, übernahm Mandela die Koordination solcher Aktivitäten. Der Justizminister verkündete im Parlament, mit einem «Gefühl der Beunruhigung», daß «unter kommunistischer Führung ... eine Geheimorganisation von Eingeborenen die Wasserversorgung des Volks vergiften» und «den Menschen das Morden beibringen» wolle.

Am 26. Juni gab es totale Arbeitsniederlegungen in Port Elizabeth, Durban, Alexandra Township und in ein oder zwei anderen Gebieten; teilweise Arbeitsniederlegungen gab es in Johannesburg, Kapstadt und einigen kleineren Zentren. Aber in Teilen von Transvaal waren die Reaktionen gering, und der ANC mußte sich eingestehen, daß die Agitation nicht ausreichend gewesen war. Die Inder unterstützten das Unternehmen in eindrucksvoller Weise, besonders in Durban, wo die Leute am meisten gelitten hatten: Tausende Arbeiter wurden entlassen, wurden aber dann von den Organisatoren finanziell unterstützt.

Der ANC lernte von der organisatorischen Erfahrung der Inder und von ihrer Fähigkeit, Geld aufzutreiben, während der Indian Congress eindeutig von der engeren Zusammenarbeit mit der afrikanischen Mehrheit profitierte. Zu einer Zeit, als nur 14 der 54 Mitgliedsländer der Vereinten Nationen afro-asiatisch waren, hatten die Inder in der UNO diplomatische Unterstützung für ihre Sache organisiert.

Gegen Ende 1950 wurde Mandela zum Nationalen Präsidenten der Jugendliga gewählt, und er und Walter Sisulu diskutierten die nächste Phase ihres Aktionsprogramms: den Aufruf zum zivilen Ungehorsam. Welche Form sollte diese Phase annehmen? Mandela erinnerte sich an die disziplinierte Einsatzbereitschaft der indischen Freiwilligen, die sich 1946 nach Durban auf den Weg machten, und sprach von «passivem Widerstand». Sisulu wollte es «typisch südafrikanisch und militant». Es gab Beispiele in der Geschichte der ANC-Proteste, als passiver Widerstand spontan eingesetzt wurde. Im Oranje-Freistaat hatten schwarze Frauen 1913 gegen die Paßgesetze protestiert. Nachdem sie Säcke voller Pässe bei den Gemeindeämtern deponiert hatten, zogen es Hunderte Frauen vor, ins Gefängnis zu gehen, anstatt eine Geldstrafe zu zahlen. Von Dorf zu Dorf wurden sie in die Polizeizellen gepfercht. Als Folge der Aktion mußten die Behörden ihren lokalisierten Versuch aufgeben, den Frauen Pässe aufzudrängen, und es entstand daraus die Frauensektion des ANC. Später, 1919, hatte der ANC massenhafte gewaltfreie Demonstrationen gegen die Paßgesetze in Johannesburg und Umgebung organisiert. Trotz gewaltsamer Aktionen von Polizei und weißen Zivilisten, hatten die Proteste wochenlang angehalten, und es wurde eine ministerielle Kommission zur Abschaffung der Paßgesetze eingesetzt. (Sie wurden nicht abgeschafft.)

Sisulu meinte nun, daß alle Rassen gemeinsam an der Kampagne teilnehmen sollten, auch wenn Mandela noch immer fürchtete, daß die Afrikaner von den anderen Rassen dominiert werden könnten. Mandela dachte an die Demonstration vom 1. Mai zurück, als «das Volk» etwas unterstützt hatte, das er selbst ablehnte. Allmählich gab er nach, und nachdem er seine Position revidiert hatte, kannte er kein Zurück, und seine Kooperationsbereitschaft sowohl mit anderen Rassen als auch mit den Kommunisten war uneingeschränkt. Jetzt sah er in Afrikanern, die den «Alleingang» vorzogen, politisch naive und unreife Menschen.

Die KP ihrerseits hatte das Aktionsprogramm als unausgegoren und bar einer Vision für eine sozialistische Revolution verurteilt, war aber optimistisch, daß die Afrikaner Klassenbewußtsein entwickeln und daß die weißen Arbeiter allmählich ihre Rassenvorurteile überwinden würden. Indem die Partei anerkannte, daß Südafrika nicht einfach ein Beispiel für Klassenausbeutung war, sondern daß die Rassenunterdrückung einen integralen Bestandteil des Systems ausmachte, beschloß sie, den nationalen Kampf des ANC zu unterstützen und ihn zu einer Konzentration auf die Interessen der Arbeiter und Bauern zu führen. Sie glaubte, daß sich der Widerstand gegen Rassenunterdrückung so zu einem Widerstand gegen den Kapitalismus entwickeln würde. Noch bevor sie verboten wurde, löste sich die Partei auf; ihre Mitglieder sollten durch andere Organisationen oder später im Untergrund arbeiten.

Sisulu, Mandela und andere Mitglieder der Jugendliga setzten ihre hitzigen Streitgespräche fort: Passiver Widerstand würde das Volk kaum ansprechen; aber Gewaltlosigkeit war die einzige gangbare Methode gegen einen schwerbewaffneten gewaltsamen Staat.

Wie sollte man also die Menschen zurückhalten, die Tag für Tag Opfer dieser Gewalt werden? Es sei wesentlich, ihnen Disziplin beizubringen, sie in gewaltlosen Methoden auszubilden, den Freiwilligen zu vermitteln, daß Gewaltlosigkeit oft mehr Mut und Entschlossenheit erfordert als offene Aggression.

Im Dezember 1951 legten sie ihren Vorschlag der Jahreskonferenz des ANC in Bloemfontein vor: Massenproteste am 6. April 1952, dem 300. Jahrestag der weißen Herrschaft; die Regierung sollte gewarnt werden, daß es im ganzen Land gewaltlosen Widerstand gegen sechs besonders ungerechte Gesetze geben würde, sollten diese nicht aufgehoben werden. Die Konferenz leistete tosenden Beifall. Dr. Moroka grüßte den Kongreß mit dem Slogan *«Mayibuye!»* Die Antwort kam prompt: *«Afrika!»* (Lassen wir Afrika wiederkehren!) Die Delegierten erhoben sich und sangen «Nkosi Sikelel' iAfrika».

Die Überseepresse merkte an, daß der ANC betont hatte, daß sich sein Kampf nicht gegen eine bestimmte Rasse, sondern gegen ungerechte Gesetze richtete, «die breite Teile der Bevölkerung in permanenter Unterwerfung und Elend halten»; daß die Afrikaner für die Veränderung der Lebensbedingungen kämpften, für die Wiederherstellung von «Menschenwürde, Gleichheit und Freiheit für jeden Südafrikaner»; und daß sie sich für Gewaltlosigket entschieden hatten.

In Südafrika bannte die Regierung Kommunisten und Gewerkschafter, entzog ihren Kritikern die Reisepässe und war gerade dabei, den Farbigen ihren «privilegierten» Status als Wahlberechtigte zu nehmen. Weiße Liberale und Mahatma Gandhis Sohn Manilal, der in Natal lebte, zweifelten daran, daß es den Afrikanern gelingen würde, die Gewaltlosigkeit aufrechtzuerhalten; ihre Vorahnungen bestätigten sich, als im Rand Unruhen zwischen gesetzesfürchtigen Schwarzen und Banden und zwischen Stammesgruppen ausbrachen; 41 kamen ums Leben, und Hunderte wurden verletzt.

Der Staat stählte sich für weitere Vorstöße: Würde der ANC in der Lage sein, genügend Freiwillige zu rekrutieren und sie in eine langwierige Kampagne gewaltloser Aktion zu führen?

1952, mit Yusuf Dadoo, während der Verweigerungskampagne

«Öffne die Gefängnistore, wir wollen hinein»

1952

«Ich wurde nicht auf Grund einer Gerichtsverhandlung und eines Urteils gebannt, sondern auf Grund von Vorurteilen.»

Nelson Mandela wurde zum nationalen «Chefaktivisten» der Defiance Campaign (Verweigerungskampagne) bestellt; sein Stellvertreter war Maulvi Cachalia, dessen Vater 1907 einer der mutigsten Widerstandskämpfer an Gandhis Seite gewesen war. Mandela reiste durch das Kap, Natal und Transvaal, ging in den Townships von Haus zu Haus und erklärte den Ablauf, manchmal diskutierte er die ganze Nacht hindurch. Seine Aufgabe war es, den Leuten Selbstvertrauen zu vermitteln und das Zutrauen, ihre Unterdrükkung durch eine direkte gewaltlose Herausforderung der Regierung überwinden zu können. Manchmal wurde er von Oliver Tambo begleitet. Er war mit den üblichen Problemen konfrontiert, mit denen Schwarze zu kämpfen haben, wenn sie in kleine Städte und Dörfer reisen, die nur auf Weiße ausgerichtet sind. Es konnte sein, daß der einzig mögliche Zug spät nachts ankam: Für Afrikaner gab es weder Hotels noch Taxis, und in den Häusern der Townships existierten keine Telefone. Das bedeutete meilenweite Fußmärsche zu den schwarzen Wohngebieten, wo er an irgendeine Tür klopfte. Manchmal wurde er von einem begeisterten Fremden aufgenommen; manchmal von Vorsichtigen abgewiesen.

Dr. Moroka hatte seine gutgehende Praxis in Thaba 'Nchu praktisch aufgegeben, während Sisulu die Arbeit im Johannesburger ANC-Büro erledigte. Am 21. Januar 1952 schrieben sie an Premierminister Malan und wiesen auf die lange Geschichte des ANC im friedlichen Kampf um die berechtigten Forderungen des afrikanischen Volkes hin. Die Regierung hätte nie auf Kooperationsangebote reagiert und hätte über die Jahre die Repression so weit vorangetrieben, daß es jetzt für das Volk «um Leben oder Tod» ging.

Wenn der ANC nun schwiege, wäre das ein Vertrauensbruch. Die Gesetze, die die angespannte Lage verschärft hatten, umfaßten unter anderem die Paßgesetze, den Group Areas Act und das Gesetz zur Bekämpfung des Kommunismus. Sollte die Regierung nicht bereit sein, diese Gesetze zurückzunehmen, würde der ANC als Auftakt zu einer Kampagne des zivilen Ungehorsams am 6. April Demonstrationen veranstalten.

Der Sekretär des Premierministers schickte Sisulu eine trockene Antwort, in der er ihm vorwarf, sich nicht an den Minister für Eingeborenenfragen gewandt zu haben, und stellte seine Befugnis in Frage, im Namen des ANC zu sprechen. Es sei ein Widerspruch in sich, teilte er ihm mit, den Anspruch zu stellen, Bantus als mit Europäern gleichberechtigt zu betrachten, «besonders wenn man bedenkt, daß diese Unterschiede ewig sind und nicht von Menschen geschaffen wurden». Die Regierung hatte nicht die Absicht, die Gesetze zu widerrufen; und außerdem seien sie nicht «repressiv und menschenunwürdig», sondern dienten dem «Schutz» der Eingeborenen. Sollte der ANC seine Drohung wahrmachen, würde die Regierung Maßnahmen ergreifen, um alle Störungen zu unterbinden, und würde danach «mit den Verantwortlichen für die subversiven Aktivitäten entsprechend verfahren».

Moroka und Sisulu antworteten, daß der ANC das Ministerium für Eingeborenenfragen noch nie als den «korrekten Kanal» akzeptiert hatte. Die anstehende Frage sei überdies keine «biologische», sondern eine von «Bürgerrechten»; «was den Rassenstolz anlangt, so wird sich das afrikanische Volk niemandem unterwerfen». Genau aus diesem Grund strebten sie «fundamentale Menschenrechte in ihrem Vaterland» an. Sie schlossen, daß das Volk keine andere Alternative habe, als sich massenhaft in der Kampagne zu engagieren. «Wir möchten mit Nachdruck betonen, daß es unsere Absicht ist, diese Kampagne friedlich zu führen, und daß alle etwaigen Störungen nicht von uns angezettelt sein werden.»

Während die Weißen am 6. April das 300jährige Jubiläum der Landung der Holländer am Kap feierten, trafen sich die Afrikaner in den großen Zentren: Im Ostkap versammelten sich Zehntausende, um für Freiheit zu beten; in Johannesburg sprach Dr. Moroka vor einer riesigen Menschenmenge am Freiheitsplatz und forderte zum «feierlichen Schwur» auf, «daß wir alle unsere geistigen, körperlichen und seelischen Kräfte aufbieten werden, um dafür zu sorgen, daß diese zerstörerischen Bedingungen, unter denen wir leben, nicht länger bestehenbleiben». Er forderte 10000 Freiwillige auf, den Gesetzen zu trotzen.

Mit großer Ernsthaftigkeit gingen Mandela und Cachalia an die

Rekrutierung der Freiwilligen. Mandela sprach im Saal der Bekleidungsarbeitergewerkschaft zu etwa 200 Afrikanern und Indern sowie einigen Farbigen, unterwies und beriet sie, verhehlte aber auch nicht, daß die Behörden alles daransetzen würden, die Menschen einzuschüchtern und besonders mit den ersten Freiwilligen hart umspringen würden. Doch wie groß die Provokation auch immer sein werde, sie dürften nicht zurückschlagen. Disziplin sei ein Grundprinzip, es dürfe weder Rowdytum noch auch nur einen Anflug von Trunkenheit geben; die Freiwilligen müßten würdig, aufrecht, wachsam und sauber sein. Er fand, sagte einer der Inder, einen sofortigen Draht zu den Freiwilligen; und auch er selbst hatte gelernt, seine Wut zu bezähmen.

Mandela zog weiter nach Kapstadt. Ein weißer Südafrikaner beschrieb seine Erscheinung so: «Ich bemerkte, wie Leute sich umdrehten und auf den Bürgersteig gegenüber starrten, und ich sah diese herrliche Gestalt eines makellos gekleideten Mannes. Nicht nur Schwarze, sondern auch Weiße, einschließlich weißer Frauen, drehten sich um, um ihn zu bewundern.»

In Durban sprach Mandela am «Tag der Freiwilligen» vor mehreren tausend Menschen; sowohl Inder als auch Afrikaner ließen sich auf Freiwilligen-Listen eintragen. In seinen Worten lag eine persönliche Bedeutung: «Wir können jetzt sagen, daß die Einheit zwischen den nichteuropäischen Menschen dieses Landes lebendige Realität geworden ist.»

Der Präsident des ANC von Natal war Häuptling Lutuli, ein relativer Neuling in der ANC-Führung. Er und Dr. Naicker stellten sich in den Dienst der Kampagne. Alle spürten, daß es um ein historisches Ereignis ging, und besonders die Inder waren von der neuen Erfahrung bewegt, mit den Afrikanern gemeinsam Freiheitslieder zu singen, die jeden Freiwilligen, der sich meldete, begleiteten.

Der erste Schlag der Regierung war die Erstellung einer Liste von 500 Männern und Frauen, die unter das Gesetz zur Bekämpfung des Kommunismus fielen, wodurch diese sich nicht mehr organisieren oder vor Versammlungen sprechen durften. Marks, Kotane und Dadoo trotzten dem Gesetz und hielten weiterhin öffentliche Reden, worauf sie prompt verhaftet und auf mehrere Wochen eingesperrt wurden.

Transval Supreme Court, nach dem Urteil für die Organisierung der Verweigerungskampagne

Die Kampagne begann am 26. Juni, am Jahrestag des ANC-Aufrufs zum nationalen Streik von 1950. Sehr früh an jenem Wintermorgen zog ein Grüppchen von gutgelaunten Freiwilligen, Frauen und Männern, guten Mutes, mit ANC-Armbinden, von der Township New Brighton in Port Elizabeth mit dem Kampfruf *«Mayibuye! Afrika!»* los. Sie marschierten fröhlich durch den NUR FÜR EUROPÄER-Eingang zur Eisenbahnstation, wurden von der schon wartenden Polizei verhaftet und zur anderen Seite des Bahnhofs eskortiert, was – so stellten sie befriedigt fest – die Benützung der NUR FÜR EUROPÄER-Brücke erforderlich machte. Eine Eisenbahnladung Afrikaner ermunterte sie lautstark. Der Anführer der Gruppe wurde zu 30 Tagen Gefängnis, die anderen zu fünfzehn Tagen verurteilt.

In Transvaal, 750 Meilen weit weg, führte Nana Sita, ein Gandhi-Veteran, zusammen mit Sisulu 52 Gesetzesbrecher in eine Siedlung, für die Nichtansässige eine behördliche Bewilligung benötigten. Alle wurden verhaftet.

An jenem Abend sprach Mandela in Johannesburg bei einer Versammlung, die bis 23 Uhr dauerte: der Zeit der Ausgangssperre für Afrikaner, wonach «Sonderpässe» erforderlich waren. Er wollte eigentlich vermeiden, verhaftet zu werden, weil er seine Organisationsarbeit fortsetzen wollte, wurde aber von der Polizei aufgegriffen, die bereits andere Freiwillige verhaftet hatte. Unter Absingen ihrer Nationalhymne kletterten sie in die Polizeiwagen und wurden in die Zellen abtransportiert.

Es war Mandelas erste Erfahrung mit Polizeizellen. Später beschrieb er es so:

> «Als wir in den Gefängnishof gedrängt wurden, erhielt einer von uns von einem jungen europäischen Polizeibeamten einen so heftigen Stoß, daß er einige Stufen hinunterfiel und sich das Fußgelenk brach. Ich protestierte, worauf der junge Krieger mich in echter Cowboy-Manier gegen das Schienbein trat. Wir waren alle empört. Wir zeigten auf den Verletzten und forderten seine medizinische Betreuung. Sie sagten uns, daß wir das Ansuchen am nächsten Tag neuerlich stellen könnten. Und so mußte der Mann, Samuel Makae, vor Schmerzen stöhnend und sich windend eine gräßliche Nacht in der Zelle zubringen. Erst am nächsten Tag wurde er ins Krankenhaus gebracht.»

Nach seiner Freilassung beobachtete er die Ausbreitung der Kampagne – «wie ein Lauffeuer»: Fabrikarbeiter, Büroangestellte, Ärzte, Anwälte, Lehrer, Studenten und Priester widersetzten sich den Apartheidgesetzen. Ältere Gesetzesbrecher, die sich noch an die frühen Tage des ANC erinnerten, als sie sich noch als verantwortungsbewußte Staatsbürger erweisen wollten, waren begeistert von der neuen Welle der Konfrontation mit den Behörden, die mit der Hoffnung verbunden war, eine radikale Veränderung herbeizuführen. Freiheitslieder wurden zu einem integralen Bestandteil der Kampagne. Eines begann so: *«Thina sizwe! Thina sizwe esinsundu ...»* («Wir Afrikaner! Wir Afrikaner! Wir weinen um unser Land. Sie haben es genommen. Sie haben es genommen. Europäer. Sie sollen unser Land loslassen ...») Und ein anderes: «He Malan! Öffne die Gefängnistore, wir wollen hinein, wir Freiwilligen ...»

Als Walter Sisulu vor Gericht gebracht wurde, sprach er für 1500 Menschen, die im Juli den Gesetzen getrotzt hatten: «Solange ich das Vertrauen meines Volkes genieße und solange in mir noch ein Funken Leben und Energie ist, werde ich mutig und entschlossen für die Abschaffung der diskriminierenden Gesetze und für die Freiheit aller Südafrikaner kämpfen.» Er gehörte zu jenen, die lieber eine Woche im Gefängnis verbrachten, als eine Geldstrafe zu zahlen.

Am 30. Juli führte die Polizei im ganzen Land in Wohnhäusern und Büros Razzien durch und verhaftete Moroka, Mandela, Sisulu, Dadoo und Cachalia zusammen mit 30 anderen; die Anklage lautete auf Unterstützung der Ziele des Kommunismus. Das Verfahren wurde vertagt, aber die Verhaftungen zeugten neue Kampfgenossen. Anfang Oktober waren weitere tausend Freiwillige hinter Gefängnismauern verschwunden.

Mittlerweile hatte man Häuptling Lutuli ein Ultimatum gestellt: aus dem ANC auszutreten oder seine Stellung als Häuptling des Groutville-Gebietes in Zululand aufzugeben. Als Antwort sprach er bei einer ANC-Konferenz und erhielt warmen Beifall.

Nach vier Monaten zeichnete sich die Schlußphase der Kampagne ab: der Aufruf an die Massen, sich dem Widerstand anzuschließen. Mandela war überzeugt, daß die Regierung bestimmte Gesetze nicht mehr administrieren könnte, sollte der Aufruf erfolgreich sein. Natürlich würde es nicht einfach sein, sie zur Kapitulation zu zwingen; der Druck müßte also verstärkt werden. Die Afrikaner hatten die Initiative, und nur eines konnte sie ihnen entziehen: Gewalt.

Am 18. Oktober erschoß ein weißer Polizist an der New Brighton Eisenbahnstation zwei Afrikaner, die angeblich einen Topf Farbe gestohlen und sich der Verhaftung widersetzt hatten. Im darauffolgenden Handgemenge gab der Polizist mehr als 20 Schüsse ab, flüchtete dann und ließ eine wütende Menschenmenge zurück, die den Bahnhof angriff und einen Tumult auslöste. Sieben Afrikaner und vier Europäer (keiner von ihnen ein Polizist) wurden getötet, 27 Personen verletzt.

Sisulu eilte sofort an den Ort des Geschehens, um Nachforschungen anzustellen. Der ANC verurteilte die Gewalt und verlangte eine gerichtliche Untersuchung. Als Antwort verstärkte die Regierung die Polizeiaktivitäten, verbot alle Versammlungen in der Kapprovinz und setzte die Paßgesetze mit noch größerer Härte durch. Ein Proteststreik des ANC wurde von Arbeitgebern mit der Entlassung von Tausenden von Arbeitern beantwortet. In Kimberley und in East London brachen Unruhen aus; mindestens 25 Afrikaner wurden von der Polizei erschossen und viele verletzt. In East London richtete sich die Menge gegen die ersten Weißen, die sie erblickte, eine Nonne, die gekommen war, um den Verletzten Erste Hilfe zu leisten, und einen Versicherungsagenten; beide wurden getötet.

Die wiederholte Weigerung der Regierung, eine Untersuchungskommission einzusetzen, wie es der ANC immer wieder gefordert hatte, und die Tatsache, daß sie die Verweigerungskampagne für die Unruhen verantwortlich machte, erhärteten die Vermutung, daß Provokateure die Unruhen in New Brighton und in Kimberley vorangetrieben hatten, um einen Vorwand für eine Niederschlagung der Kampagne zu finden. Ein Beobachter von der Universität, Professor Leo Kuper, kam zum Schluß, daß es «keine Beweise für eine Verbindung zwischen der Widerstandsbewegung und den Unruhen gab» und daß «die Aktivisten der Kampagne niemals gewaltsame Aktionen befürwortet hatten».

Trotzdem ging die Kampagne weiter, und im Oktober waren 2354 Menschen verhaftet worden. Die Disziplin und der Humor der Freiwilligen ernteten im Ausland Bewunderung, und die Vereinten Nationen setzten eine Kommission zur Untersuchung des Apartheidsystems ein, der erste formelle Ausdruck internationaler Mißbilligung und somit eine Ermutigung für den ANC und seine Verbündeten. Und in Südafrika forderten weiße Liberale, darunter der neu angenommene Bischof von Johannesburg, Ambrose Reeves, «gleiche Rechte für alle zivilisierten Menschen». Eine Handvoll Weißer schlossen sich sogar der Kampagne an und nahmen dafür Gefängnisstrafen in Johannesburg und Kapstadt in Kauf.

Die Bannung auf Lebenszeit von 52 Führern und Organisatoren brachte die Kampagne zum Stillstand. Von den 10000 Freiwilligen, die zur Teilnahme aufgerufen worden waren, hatten sich 8577 beteiligt. Aber keines der Gesetze wurde aufgehoben, ja die Regierung ging daran, das Apartheidsystem immer mehr zu verschärfen. Wie der ANC zugab, hatte es schwere Organisationsfehler gegeben: zu wenig Administration und Geld sowie das Fehlen einer eigenen Zeitung. Aber viele Tausende Afrikaner waren politisiert worden, und der ANC schätzte, daß seine Mitgliedschaft von 7000 auf 100000 angestiegen war.

Ende November wurden Moroka, Mandela, Sisulu und die anderen Führer vor Gericht gebracht. Unter anderem versuchte der Staat geltend zu machen, daß die Lieder der Kampagne und die trillernden Schreie der Frauen Gewalt androhten, eine Behauptung, die von Professor Hugh Tracey, einem namhaften Musikologen, widerlegt wurde, der darauf hinwies, daß die Frauentriller ein typisch afrikanischer Ausdruck von Freude oder Trauer sind. Das Urteil stellte eine dramatische Zurückweisung der Regierungspropaganda dar: Richter Rumpff erklärte die Führer nur des «statutarischen Kommunismus» schuldig, was «nichts mit dem üblicherweise bekannten Kommunismus zu tun hat». Die Regierung hatte eine große Spannbreite von Delikten von «offener Nichtbeachtung von Gesetzen» bis zu Straftaten, die dem «Hochverrat» gleichkamen, vorgesehen, aber der Richter anerkannte das Beweismaterial, daß die Aktivisten ihre Anhängerschaft stets angewiesen hatten, «den Aktionen einen friedlichen Verlauf zu geben und jede Form von Gewalt zu vermeiden». Ihre Verurteilung zu neun Monaten Gefängnis wurde auf zwei Jahre auf Bewährung ausgesetzt.

Mandela wurde zum Präsidenten des ANC von Transvaal gewählt, um den kürzlich gebannten J. B. Marks zu ersetzen. Das war

Walter Sisulu, 1952

eine wichtige Aufgabe, und man erwartete sich viel von seiner Führung. Er strebte keine Ämter an, bemerkte sein Freund Tambo, und diente den anderen immer loyal innerhalb eines Teams. Aber er war ein geborener Führer von Massen und übte eine unwiderstehliche Anziehung auf Menschen aus. Er lobte alle, die während der Kampagne Opfer gebracht hatten: Arbeiter und Lehrer, die ihre Arbeit verloren hatten, Freiberufler, deren Praxen und Büros vernachlässigt worden waren. Die Kampagne hatte gezeigt, wie die Massen politisch agieren und eine machtvolle Methode anbieten konnten, der Empörung über die Regierungspolitik Ausdruck zu verleihen. Sie hatten die Menschen «von einer unterjochten und servilen Gemeinschaft von Jasagern zu einer militanten und kompromißlosen Schar von Kampfgenossen» radikalisiert.

Zu einem späteren Zeitpunkt führte er aus, daß die Kampagne direkt zur Bildung des Congress of Democrats (einer radikalen weißen Gruppe) geführt und die Liberalen inspiriert habe, eine gemischtrassige Liberale Partei zu gründen. Was ihren Einfluß auf die Regierung anbeträfe, so rede sie jetzt anstatt von *baasskap* (Bosstum) von «Selbstverwaltung» der Afrikaner in Bantustans. Eine Täuschung natürlich, sagte er, aber es zeuge zumindest von einer Anerkennung der Macht der Kampagne und des ANC.

Im Dezember 1952 wurde Häuptling Albert Lutuli zum Generalpräsidenten des ANC mit Mandela als seinem Stellvertreter gewählt. Lutuli war ein ehemaliger Lehrer, ein Häuptling mit siebzehnjähriger Erfahrung, seinem Volk ungewöhnlich eng verbunden und ein tiefgläubiger Christ. Sein erster Akt als Präsident war ein Besuch in Port Elizabeth, wo er von einer Menge von 35 000 Menschen begrüßt wurde. Bei seiner Ankunft im Oranje-Freistaat, einem Gebiet mit einem großen Bedarf an politischer Bildung, wurde er von der Polizei begrüßt, die ihn mit dem Bann belegte.

Auch Mandela wurde gebannt ebenso wie mehr als hundert ANC-, Indian Congress und Gewerkschaftsaktivisten und -organisatoren.

Das Bannwesen der südafrikanischen Regierung unter dem Gesetz zur Bekämpfung des Kommunismus war eine einmalige Form der Repression: Von den auf höchstens zwei Seiten formulierten Beschränkungen, die in jenen frühen Jahren erlassen wurden, sollten die Bannbestimmungen im Laufe der Zeit auf einen Text von acht bis zehn Seiten anwachsen. Keine offizielle Anklage, keine Beweismittel, keine Berufung: einfach die willkürliche Erklärung des Justizministers, daß er den Empfänger der Bannung für schuldig hält, «die Ziele des Kommunismus zu fördern»; mit einem Strafrahmen von bis zu zehn Jahren bei Übertretung.

Mandela durfte für einen Zeitraum von sechs Monaten keine Versammlungen besuchen und sich nicht von Johannesburg wegbewegen. «Ich wurde nicht auf Grund einer Gerichtsverhandlung und eines Urteils gebannt», sagte er, «sondern auf Grund von Vorurteilen oder vielleicht eines geheimen Beschlusses hinter verschlossenen Türen.»

Mehrere Zusatzgesetze wurden verfügt: Jeder, der sich eines Vergehens «als Protest oder als Unterstützung irgendeiner Kampagne gegen irgendein Gesetz» schuldig machte, konnte zu drei Jahren Gefängnis, einer Geldstrafe von 300 Pfund, zehn Peitschenhieben oder einer Kombination von zwei dieser Strafen verurteilt werden. Für jene, deren Worte oder Handlungen andere ermunterten, eine solche Straftat zu begehen, wurden diese Strafen um weitere 200 Pfund oder zwei Jahre erhöht.

«Die Kongresse sind sich dessen bewußt», erklärte Mandela, «daß diese Maßnahmen eine neue Situation schaffen ... Wir müssen die Gefahren, vor denen wir stehen, analysieren, Pläne zu ihrer Bewältigung fassen und neue Strategien politischen Kampfes entwickeln ... Unsere unmittelbare Aufgabe ist die Erhaltung unserer Organisationen und die Sammlung unserer Kräfte für die Wiederaufnahme der Offensive.»

Seine öffentliche Stimme mochte zwar zum Schweigen gebracht worden sein, aber wie bei den meisten Gebannten ging seine Arbeit hinter den Kulissen weiter.

1952, in der gemeinsam mit Oliver Tambo geführten Anwaltspraxis

«Zwischen Gewissen und Gesetz»

1953–1956

«... Ich wurde vom Gesetz her zu einem Verbrecher gemacht, nicht für das, was ich getan hatte, sondern für das, wofür ich stand.»

Nelson und Evelyn Mandela hatten drei Kinder: zwei Söhne, Thembekile (Thembi) und Makgatho, und eine Tochter, Makaziwe Pumla. Mandela liebte seine Familie sehr. Mitte der fünfziger Jahre besuchten die Knaben die Volksschule in Orlando, und Mandela war überglücklich, wenn er mit ihnen zusammensein konnte. Der kleine Makgatho war dabei, als Mandela einmal Adelaide Tsukudu, Oliver Tambos Verlobte, im Auto mitnahm. Unterwegs sahen sie einen Pferdewagen, und Mandela bremste, um Makgatho die Pferde zu zeigen und ihm von den Tieren aus seiner eigenen Kindheit zu erzählen. Adelaide spürte in seiner Erzählung, wie stark Mandelas Verbundenheit zu dieser anderen ländlichen Welt war; eine Sehnsucht, die er seinen Kindern vermitteln wollte, die in der traurigen Landschaft von Orlando inmitten von kleinen Blockhäusern, ein Haus wie das andere, und unter einer ständigen Rauchwolke leben mußten, die von den unzähligen offenen Feuerstellen herrührte.

Sobald er seine Anwaltsprüfung abgelegt hatte, machte Mandela 1952 zusammen mit Oliver Tambo eine Anwaltspraxis auf: MANDELA & TAMBO stand auf der Messingtafel an der Tür ihres Büros im zweiten Stockwerk des Chancellor House, unweit des Polizeigerichts von Johannesburg. Es war ein unaufdringliches Gebäude in indischem Besitz und eines der wenigen, in denen Afrikaner Büroräume mieten konnten.

Obwohl afrikanische Anwälte keineswegs ein Novum waren – schließlich waren mehrere der Gründer des ANC Anwälte –, sorgte ihre Partnerschaft nicht nur in ihrer unmittelbaren Umgebung, sondern auch in der Transkei für Aufregung: «Anwälte unserer Erde», rief ein Thembu aus, «wir waren sehr gerührt.»

Sowohl als Anwälte als auch in der Politik waren Mandela und Tambo einander entgegengesetzte Persönlichkeiten: Mandela ein leidenschaftlicher Mann mit viel Lebensfreude, Tambo eher nachdenklich und überlegt. Beide Männer ärgerten sich über Ungerechtigkeit, aber Mandela drückte seinen Zorn selbstbewußter aus.

«Jahrelang haben wir Seite an Seite gearbeitet», schrieb Tambo in der Einleitung zu einer Sammlung von Mandelas Schriften und Reden.*

«Der allmorgendliche Weg zu unseren Schreibtischen war für Nelson und mich ein Spießrutenlauf durch geduldige Menschenschlangen, die von den Stühlen im Warteraum auf den Korridor quollen.

Südafrika genießt den zweifelhaften Ruhm, über eine der größten Gefängnispopulationen der Welt zu verfügen. Die Gefängnisse sind zum Bersten voll mit Afrikanern, die wegen ernst zu nehmender Delikte – und Gewalttaten sind in der Apartheidgesellschaft im Ansteigen –, aber auch wegen geringfügiger Gesetzesübertretungen eingesperrt wurden, für die kein zivilisiertes Land Haftstrafen vorsehen würde. Arbeitslos zu sein ist ein Verbrechen, weil kein Afrikaner langfristig einer Verhaftung entgehen kann, wenn er in seinem Paß nicht den Stempel einer behördlich genehmigten Arbeitsstätte nachweisen kann.

Landlos zu sein kann ein Verbrechen sein, und Woche um Woche hörten wir die Klagen von Delegationen vom Wetter gegerbter Bauern, die uns erzählten, wie viele Generationen aus ihrer Familie ein kleines Stück Land bebaut hatten, von dem sie jetzt vertrieben wurden. Afrikanisches Bier zu brauen, es zu trinken oder die Einkünfte aus dessen Verkauf zur Aufbesserung des mageren Familieneinkommens zu verwenden, ist ein Verbrechen, und Frauen, die es begehen, müssen mit hohen Geld- und Haftstrafen rechnen. Einen Weißen zu betrügen kann ein Verbrechen sein. In einem falschen Gebiet zu wohnen – in einem Gebiet, das Weißen, Indern oder Farbigen vorbehalten ist – kann für Afrikaner ein Verbrechen sein. Die südafrikanischen Apartheidgesetze machen aus unzähligen unschuldigen Menschen Verbrecher.

Apartheid erzeugt in den Menschen Haß und Frustration. Junge Leute, die eine Schule besuchen oder einen Beruf erlernen sollten, streunen durch die Straßen, schließen sich Banden an und sinnen auf Rache gegen eine Gesellschaft, die ihnen nichts anderes anzubieten hat als die Sackgassen Verbrechen und Armut. Unsere braungelben Büroordner enthielten Tausende solcher Geschichten, und wenn wir vor Eröffnung unserer Anwaltskanzlei nicht schon Rebellen gegen das Apartheidsystem gewesen wären, dann hätte die Erfahrung in unserem Büro uns ganz gewiß dazu gemacht. Wir waren innerhalb unserer Gemeinschaft zu Amt und Würden aufgestiegen, aber jeder Fall vor Gericht, jeder Besuch im Gefängnis bei unseren Klienten erinnerte uns an die Demütigung und das Leiden, das unser Volk vernichtet.»

* Ruth First (Hrsg.), No Easy Walk to Freedom, Heinemann, 1965.

«Ich würde sagen», sagte Mandela später bei seinem Prozeß im Jahre 1962 vor Gericht, «daß das ganze Leben jedes denkenden Afrikaners in diesem Land ihn beständig in einen Konflikt treibt zwischen seinem Gewissen auf der einen Seite und dem Gesetz auf der anderen ... ein Gesetz, das unserer Ansicht nach unmoralisch, ungerecht und unerträglich ist.»

Manchmal mußten Mandela und Tambo sieben Fälle täglich betreuen. Das Wesen des Apartheidsystems machte aus den meisten dieser Fälle politische «Delikte», aber sie übernahmen auch Zivilrechts- und Scheidungsfälle. Ihre Position bei Gericht beschrieb Mandela so:

> «Bei Gericht wurden wir von vielen Kollegen höflich behandelt, von manchen aber auch diskriminiert, andere wieder begegneten uns mit Ablehnung und Feindseligkeit. Wir waren uns ständig bewußt, daß wir, egal wie gut, korrekt und fachlich gekonnt wir unseren Beruf ausübten, doch niemals Staatsanwälte oder Richter werden konnten. Es wurde uns bald klar, daß wir als Anwälte meist mit Kollegen zu tun hatten, deren Kompetenz und berufliche Erfahrung keineswegs besser war als unsere, die aber wegen ihrer weißen Haut immer unsere Vorgesetzten sein würden.»

Unter den von Mandela und Tambo instruierten Anwälten waren Joe Slovo und Harold Wolpe, die zusammen mit Mandela an der Juridischen Fakultät der Wits Universität studiert hatten und die als Marxisten auch politisch aktiv waren. Wenn Mandela im Namen seiner Klienten vor Gericht auftrat, wenn er sich in einem direkten Konflikt mit Polizeirichtern und Polizei befand, dann konnte er schneidend aggressiv sein. Aber man spürte auch seinen Humor, etwa als er eine afrikanische Dienstbotin verteidigte, die angeklagt war, die Kleider ihrer «Madam» gestohlen zu haben. Nach einem kurzen Blick auf die Kleidungsstücke, die als Beweismaterial vorgelegt wurden, hob er ein Höschen auf. Er zeigte es dem Gericht und fragte die «Madam»: «Gehört das Ihnen?» «Nein», antwortete die Frau, der es peinlich war, sich zu diesem Kleidungsstück zu bekennen. Der Fall wurde eingestellt.

1954 appellierte die Rechtsanwaltsvereinigung von Transvaal an den Obersten Gerichtshof, Mandela die Ausübung seines Berufes wegen seiner Verurteilung als einer der Führer der Verweigerungskampagne zu untersagen, da diese Aktivität mit den «von Mitgliedern einer ehrenhaften Profession erwarteten Verhaltensnormen» unvereinbar sei. Walter Pollock, ein angesehener Anwalt und der Vorsitzende der Johannesburger Advokatur, sagte *pro amico* für Mandela aus. Der Oberste Gerichtshof befand, daß Mandela sich keiner Standesverletzung schuldig gemacht hatte; daß es keineswegs unehrenhaft für einen Anwalt sei, sich mit seinem Volk und dessen Kampf um politische Rechte zu identifizieren, selbst wenn solche Aktivitäten die Gesetze des Landes verletzten. Das Gericht urteilte zugunsten Mandelas; die Rechtsanwaltsvereinigung wurde angewiesen, die Kosten des Verfahrens zu übernehmen.

In der Zwischenzeit ging die ANC-Arbeit weiter, und Mandela hielt in den Townships illegal Referate vor Studiengruppen. Sobald der Bann im Juni 1953 auslief, nahmen er, Sisulu und Pater Trevor Huddleston in einem großen Kino als Hauptredner an einer Protestversammlung gegen die Deportation der Bewohner von Sophiatown teil. 58 000 Menschen sollten unter dem Group Areas Act aus dieser schwarzen Vorstadt deportiert werden, die – was ganz unüblich war – über freien Grundbesitz für Afrikaner verfügte: Sie konnten dort Land kaufen. Und es war eine lebendige Gemeinde – auch wenn die Überbevölkerung Teile zu Slums gemacht hatte –, ganz anders als die charakterlose Monotonie der Townships. Die benachbarten Weißen, deren Vorstadt überquoll, beanspruchten das Land.

Bewaffnete Polizei stürmte diese legale und friedliche Versammlung. Während Mandela und Sisulu das empörte Auditorium beruhigten, setzte sich Huddleston mit der Polizei auseinander, nur um verwarnt zu werden, sich nicht einzumischen. Wie er in *Naught for your Comfort* (1956) schrieb, spürte er an jenem Tag «den grimmigen Atem von Totalitarismus und Tyrannei», der ihn nur um so entschlossener werden ließ, die Wahrheit zu verbreiten. Die Teilnehmer an der Versammlung waren so diszipliniert, daß die Buhrufe und Pfiffe bald in Freiheitslieder übergingen. Der Tod von Sophiatown war die erste der spektakulären Zwangsumsiedlungen, die in späteren Jahren so unendliches Leid verursachen sollten, und es ist bezeichnend, daß der weiße Vorort, der auf den Ruinen erbaut wurde, Triomf genannt wurde.

Im September 1953 wurde der Bann erneuert: Mandela durfte nicht nur zwei Jahre lang an keinen Versammlungen teilnehmen und sich nicht aus Johannesburg fortbewegen, er mußte auch aus dem ANC und allen ihm angeschlossenen Organisationen austreten. «Wieder ohne Anhörung», betonte er, «ohne mich mit irgendeiner Klage zu konfrontieren.» Er durfte nicht mehr an den fortgesetzten Protestaktionen in den Western Areas teilnehmen, konnte aber als Anwalt zu Fragen des Widerstandes gegen Polizeiaktionen konsultiert werden.

Da ihm die Teilnahme an der Jahreskonferenz des ANC von Transvaal somit untersagt war, wurde seine Präsidentenrede vom Exekutivkomitee verlesen. In seiner Botschaft analysierte er die neuesten Gesetze, die der Regierung die Handhabe gaben, «Bedingungen zu schaffen, welche die rücksichtslosesten und unbarmherzigsten Methoden zur Unterdrückung unserer Bewegung ermöglichen würden»; und er beschrieb einen vom nationalen Aktionskomitee ausgearbeiteten Plan, der neue Taktiken vorsah und als «M»-Plan (für Mandela) bekannt wurde.

Da es zunehmend schwierig wurde, Versammlungen auf den Straßen und an anderen öffentlichen Plätzen abzuhalten – der Kongreß mußte sowohl für die Townships als auch für die Innenstadt behördliche Genehmigungen einholen –, plante Mandela eine Organisierung von der Basis: die Rekrutierung in den Townships, in jeder Straße und in jedem Haus, wobei die Leute angehalten werden sollten, sich in Fabriken, Eisenbahnen, Bussen und in ihren Häusern zu treffen. Er warnte vor Informanten und Provokateuren, ja selbst vor Polizisten, die die Reihen von ANC infiltrieren könnten, und verkündete: «Wie in vielen Teilen der Welt bereitet sich auch hier in Südafrika eine Revolution vor; sie ist der Ausdruck des tiefen Wunsches, der Entschlossenheit und des Drangs der überwiegenden Mehrheit des Landes, die Fesseln ihrer Unterdrückung zu sprengen.» Er schloß mit einem Nehru-Zitat: «Der Weg zur Freiheit ist kein Spaziergang.»

Unter Mandelas Aktivitäten in diesen Jahren des Banns war die Abfassung einer Reihe von Artikeln für die linke Zeitschrift *Liberation*, und er war auch Redaktionsmitglied von *Fighting Talk*, einer von Ruth First herausgegebenen politischen und literarischen Monatszeitschrift. In einem 1953 verfaßten Artikel zeigte er, wie gut er über den täglichen Überlebenskampf der Menschen Bescheid wußte.

«Die Lebensbedingungen der Menschen werden immer schlimmer und unerträglicher. Ihre Kaufkraft nimmt immer weiter ab, während gleichzeitig die Lebenshaltungskosten in die Höhe schießen. Brot ist heute teurer als vor zwei Monaten. Der Preis von Milch, Fleisch und Gemüse übersteigt das Budget einer Durchschnittsfamilie ... Die Menschen können sich weder ausreichende Kleidung noch Mieten und medizinische Versorgung leisten. Weder bei Arbeitslosigkeit, Krankheit oder Invalidität noch im Alter haben sie Anspruch auf soziale Sicherheit, und wo Renten ausbezahlt werden, reichen sie nicht einmal fürs nackte Überleben. Aus Mangel an Gesundheitseinrichtungen leidet unser Volk an so gefürchteten Krankheiten wie Tuberkulose, Geschlechtskrankheiten, Lepra, Pellagra und Kindersterblichkeit ...

Das Native Labour (Settlement of Disputes) Gesetz (Gesetz zur Regelung arbeitsrechtlicher Fragen bei Eingeborenen) verbietet Streiks und Aussperrungen, wodurch den Afrikanern die einzige Waffe genommen wird, die ihnen zur Verfügung steht, um ihre Lage zu verbessern: Das Ziel dieser Maßnahmen ist es, die afrikanischen Gewerkschaften, die unter der Kontrolle der Arbeiter selbst stehen, zu zerstören ...» *

1955 schrieb er über die «Influx Control»-Gesetze (Zuzugskontrolle) und dem Wanderarbeitssystem und deren Auswirkungen auf Familien und ländliche Gebiete:

«Afrikanische Familien werden auseinandergerissen, Kinder von ihren Müttern getrennt, Häftlinge gefoltert, Afrikaner für nebensächliche Gesetzesübertretungen gewaltsam in Farmkolonien festgehalten – das sind nur einige Beispiele für das Wirken der abstoßenden und lebensfeindlichen Doktrin der Rassenungleichheit.

Für die Cliquen in der Bergbauindustrie und auf den Farmen heiligt der Zweck die Mittel, und der Zweck ist die Schaffung eines gigantischen Marktes an billigen Arbeitskräften für die Bergbaumagnaten und Farmer. Deshalb werden die Familien auseinandergerissen und die Menschen von den Städten aufs Land gebracht, um den Farmen genügend Arbeitskräfte zur Verfügung zu stellen. Deshalb werden nichteuropäische politische Widersacher der Regierung mit solcher Brutalität behandelt.

In einer solchen Konstellation sind afrikanische Jugendliche mit guten Schulerfolgen nicht eine Hoffnung für ein Land, sondern eine ernste Bedrohung der regierenden Kreise, denn sie möchten vielleicht weder in die Gedärme der Erde hinuntersteigen und sich zur Bereicherung der Bergbaumagnaten ihre Lungen aus dem Leib husten noch für jämmerliche Tagesrationen auf Farmen Kartoffeln graben.» **

* *Liberation*, 1953.
** *Liberation*, 1955.

Die Transkei stand kurz vor ihrer Erklärung zum Bantustan oder «Homeland» (Heimatland), obwohl die von der Regierung eingesetzte Tomlinson-Kommission festgestellt hatte, daß die Transkei mit ihrer rückständigen Subsistenz- und Kleinbauernwirtschaft nur ein Fünftel ihrer Bevölkerung ernähren könnte. Auf dem Hintergrund seiner großen Vertrautheit mit der Gegend beschrieb Mandela das Gebiet als «das größte zusammenhängende Reservoir an billigen Arbeitskräften im ganzen Land». Er sagte:

> «Nach offiziellen Schätzungen kommen mehr als ein Drittel aller in den Goldminen von Witwatersrand arbeitenden Afrikaner aus der Transkei ... Die Durchführung des sogenannten Rehabilitationsplanes, der die Afrikaner besteuert und ihnen die Stammesherrschaft auferlegt, verfolgt den Zweck, einen regelmäßigen Strom an Arbeitskräften sicherzustellen ... die wirkliche Absicht dieses Plans ist es, den Landhunger der bäuerlichen Massen in den Reservaten zu erhöhen und sie ins Elend zu treiben. Das Hauptziel ist die Schaffung einer riesigen Armee von Wanderarbeitern ... Indem man sie an ihren Arbeitsstätten in Wohnheime sperrt und sie auf dem Land unterbringt, wenn sie heimkehren, hofft man die Bildung eines engmaschigen, mächtigen, militanten und selbstbewußten afrikanischen Industrieproletariats zu verhindern, das sich die Rudimente politischer Agitation und politischen Kampfes aneignen könnte. Was die Herrschenden wollen, ist eine angepaßte, rückgratlose, unorganisierte und stumme Armee von Arbeitern.» *

Der Minister für Eingeborenenfragen, Dr. H. F. Verwoerd, entwickelte die Idee der Bantustans als Antwort auf die wachsende internationale Kritik. Die Bantu sollten sich in ihren eigenen Gebieten «getrennt entwickeln». In den «weißen» 87 Prozent des Landes würden drei Millionen Weiße über sechs Millionen Afrikaner, eineinhalb Millionen Farbige und eine halbe Million Inder regieren. Etwa fünf Millionen Afrikaner würden auf die 260 kleinen und voneinander getrennten ländlichen Slums verteilt werden, den sogenannten «Homelands», welche die restlichen 13 Prozent des Landes umfaßten; dort würden sie über eng begrenzte Rechte verfügen.

Verwoerd war auch der Baumeister von «Bantu Education», da die Afrikaner seiner Meinung nach «mit beiden Beinen in den Reservaten stehen» und deshalb ihre Erziehung und Bildung «im Geiste und im Wesen einer Bantu-Gesellschaft» erfolgen sollte. Sie soll-

* *Liberation*, 1956.

ten fortan ihre Volksschulausbildung in einer Stammessprache erhalten.

Der Minister, kommentierte Mandela, «befleißigte sich bei der Erklärung der Ziele einer brutalen Offenheit ... unsere Kinder sollen lernen, daß Afrikaner den Europäern unterlegen sind». Diese Politik bedeutete «ewige Unterwerfung in einer *baaskap*-Gesellschaft». Die Bildung der Afrikaner sollte jenen entzogen werden, die die Gleichheit zwischen Schwarz und Weiß lehrten. Verwoerd hatte angekündigt, daß Kirchen und Missionare abgelöst werden sollten, weil «sie bei einem Teil der Eingeborenen falsche Erwartungen weckten».

Während der frühen fünfziger Jahre betrugen die Ausgaben für die Bildung eines weißen Schülers 44 Pfund, für einen asiatischen und farbigen Schüler 19 Pfund und weniger als 8 Pfund für einen Afrikaner. Trotz empörter Proteste im In- und Ausland, bei denen namhafte Akademiker eine wichtige Rolle spielten, wurde das Bantu-Unterrichtswesen durchgezogen. Aber der Appell des ANC an die Eltern, ihre Kinder aus der Schule zu nehmen, stieß auf die bange Frage: «Wenn wir die Schule boykottieren, welche Alternative habt ihr uns anzubieten? Wir wissen, daß Bantu Education unsere Kinder zu geistigen Krüppeln machen wird, aber sollen sie auf der Straße herumlaufen?» Der Bischof von Johannesburg, Ambrose Reeves, und Pater Huddleston und seine Auferstehungskirche standen mit ihrer Position zugunsten einer Schließung der Schulen in der Kirche auf einsamem Posten.

Mandela schlug «Community Schools» (selbstverwaltete Schulen) vor; sollte das zu gefährlich oder unmöglich werden, sollte jedes Privathaus, jede Barracke zu einem Lernzentrum für Kinder werden. Aber die Kulturvereine, die der ANC auf die Beine stellte, und die Handvoll Freiwilliger lösten sich bald auf: Unter dem neuen Gesetz wurde es zu einem mit Geld- oder Gefängnisstrafen belegten Vergehen, Privatunterricht anzubieten; außerdem war nie genug Geld da. Wo der Boykott durchgehalten wurde, zog die Polizei ein, um Verhaftungen vorzunehmen, was unweigerlich Brandlegungen auslöste, die wiederum unweigerlich zu frischen Polizeirazzien führten.

Bantu Education wurde bald auch auf die Universitätscolleges ausgedehnt. «Nichteuropäer, die auf gemischten Universitäten ausgebildet sind», sagte Mandela, «gelten als Bedrohung der Rassenpolitik der Regierung. Die Freundschaften und die Harmonie zwischen den Rassen, die dort entstehen ... stellen eine direkte Bedrohung der Apartheidpolitik dar ...» Die Stammescolleges würden von der Regierung zur Bestärkung ihrer politischen Ideologie verwendet werden; die von ihnen angebotene Bildung würde nicht darauf ausgerichtet sein, «das schöpferische Potential des Volkes freizusetzen, sondern es auf ewige geistige und seelische Unterwerfung unter die Weißen vorzubereiten». *

Die Regierung ließ sich immer wieder neue Bannformen einfallen. Mandela beschrieb, was das für eine Person bedeutete:

> «Im Namen des Gesetzes wurde ich von meinen Zeitgenossen isoliert, von den Leuten, die denken und fühlen wie ich. Ich wurde überall, wohin ich ging, von Beamten der Sicherheitspolizei verfolgt. Kurz, ich wurde als Krimineller behandelt – als ein nicht verurteilter Krimineller. Es wurde mir nicht gestattet, mir meine Gesellschaft auszuwählen, die Gesellschaft anderer zu suchen, an ihren politischen Aktivitäten teilzunehmen, ihren Organisationen beizutreten ... ich wurde vom Gesetz her zu einem Verbrecher gemacht, nicht für das, was ich getan hatte, sondern für das, wofür ich stand, wegen meiner Gedanken, wegen meines Bewußtseins.»

Während seine Führer der ersten und zweiten Garde und schließlich auch der dritten Garde gebannt wurden, stolperte der ANC weiter, mußte aber Fehlschläge eingestehen, wie etwa seine Unfähigkeit, die Zwangsumsiedlungen in den Western Areas zu verhindern: zu viel Rhetorik, zu wenige sorgfältig vorbereitete und organisierte Aktionen. Da die Mitgliedsbeiträge an die allgemeine Armut der Menschen angepaßt waren, hatte der Kongreß nie genügend Mittel, um seine eigene Verwaltung am Leben zu erhalten, geschweige denn Proteste und Streiks zu finanzieren.

Die Gebannten arbeiteten im erzwungenen Untergrund weiter, aber Tambo merkte ihre Angst, denn darauf standen lange Gefängnisstrafen; nur Mandela bewahrte Ruhe, und sein Humor und seine Zuversicht halfen, die Furcht zu zerstreuen. «Die Menschen», sagte er, «erkennen immer mehr die Notwendigkeit der Solidarität aller demokratischen Kräfte, unabhängig von Ras-

* *Liberation*, 1957.

se, Parteizugehörigkeit, Religion und ideologischer Überzeugung.»

Häuptling Lutuli wurde nach Ablauf seines einjährigen Banns einer noch strengeren Beschränkung unterworfen; er mußte zwei Jahre lang in seiner Heimat auf dem Land leben. Mehrere Monate war er schwer krank, aber sobald er genesen war, engagierte er sich in einer der geheimen Komitees, die eine neue Protestform planten.

Professor Z. K. Matthews, der erst kürzlich von seinem einjährigen Aufenthalt als Gastprofessor am Theologischen Unionsseminar in New York zurückgekehrt war, hatte bei seiner Ansprache vor dem Jahreskongreß des ANC der Kapprovinz einen «Volkskongreß» vorgeschlagen: «Ich frage mich, ob es nicht für den ANC an der Zeit ist, sich zu überlegen, eine National Convention (Nationalversammlung) einzuberufen, die alle Menschen dieses Landes, unabhängig von Rasse oder Hautfarbe vertritt, um eine Freiheitscharta für das demokratische Südafrika der Zukunft zu entwerfen.» Lutuli sah sie als eine praktische Umsetzung dessen, was die Nationalversammlung von 1909 hätte sein sollen: eine Möglichkeit, sich Gedanken über die Zukunft des Landes zu machen und die Ziele der Befreiungsbewegung genauer zu definieren.

1955 wurden die ersten offiziellen Schritte dazu unternommen: Mehrere Organisationen schlossen sich mit dem ANC zu einem Kongreßbündnis zusammen. Neben dem Indian Congress und dem South African Congress of Trade Unions (SACTU – Südafrikanischer Gewerkschaftskongreß) gab es eine neu gebildete Organisation der Farbigen und einen Congress of Democrats (COD). COD bestand aus ein paar hundert Mitgliedern, die das Engagement einer Gruppe von Weißen vertraten, von denen Mandela später sagen sollte: «Sie waren bereit, Afrikaner als Menschen und ihresgleichen zu behandeln; mit uns zu essen, mit uns zu reden, mit uns zu leben und mit uns für die Erreichung von politischen Rechten und Chancen in der Gesellschaft zu arbeiten.» Die Bildung von SACTU, einem Bündnis von acht afrikanischen, drei farbigen und einer weißen Gewerkschaft (Wäschereiarbeiter), brachte neues Leben in die afrikanische Gewerkschaftsbewegung, die durch die Gesetze stark eingeschränkt gewesen war.

Sisulu, der kürzlich über Israel und London nach China und in die Sowjetunion gereist war, fuhr durch die Transkei und die Ciskei, um den Menschen den Gedanken des Volkskongresses näherzubringen.

Rundschreiben ergingen an Städte, Dörfer und Locations mit der Frage: «Wenn Sie Gesetze erlassen könnten ... was würden Sie tun? Wie würden Sie darangehen, aus Südafrika ein Land zu machen, wo es sich für alle Menschen leben läßt?» Eine typische Antwort kam von einer über Stammesgrenzen hinweg organisierten Bauernvereinigung aus Rustenburg, die die Bantu Education, die Paßgesetze und das Bantu-Behördengesetz verurteilte und mehr landwirtschaftliche Nutzfläche, direkte Vertretung im Parlament und gleiche Bildungschancen forderte.

«Angemessene» Löhne, bessere Häuser und gesünderes Essen wurden ebenfalls häufig gefordert. Nach Durchsicht aller dieser Antworten entwarf ein Komitee eine Freiheitscharta. Mandela und Sisulu befanden sich unter den gebannten Mitgliedern, die sich vor dem Kongreß mit dem Entwurf einverstanden erklärten.

Eine breite Palette an Organisationen und weißen politischen Parteien war zur Teilnahme eingeladen worden. Die United Party gab sich nicht einmal die Mühe zu antworten; die Liberale und die Labour Party erklärten sich einverstanden, Beobachter zu entsenden, und eine Handvoll unabhängiger Christen, darunter Pater Huddleston, nahm die Einladung bereitwillig an. Überraschenderweise wurde der Kongreß von den Behörden nicht verboten, wenngleich es Behinderungen gab, wie die Einstellung von Autobussen, die Delegierte aus entlegenen Landesteilen nach Johannesburg brachten.

Die in dem Rundbrief des Bündnisses enthaltene Einladung war sehr poetisch formuliert:

AUFRUF AN DIE PÄCHTER UND BAUERN IN DEN RESERVATEN!

Sprechen wir über das weite Land und die schmalen Streifen, auf denen wir schuften.
Sprechen wir über unsere Brüder ohne Land und über die Kinder ohne Schulen.
Sprechen wir über die Steuern, das Vieh und den Hunger.

SPRECHEN WIR ÜBER FREIHEIT!

AUFRUF AN DIE KOHLE-, GOLD- UND DIAMANTENARBEITER!

Sprechen wir über den dunklen Schacht und das kalte Wohnheim weitab von unseren Familien.

Am Samstag, dem 25. Juni 1955, trafen sich auf einer Wiese in

Kliptown, einem von Afrikanern, Farbigen und Indern bewohnten Dorf einige Meilen südwestlich von Johannesburg, ungefähr 3000 Delegierte, die diesem «Aufruf» gefolgt waren. Auf Transparenten standen Slogans wie: FREIHEIT NOCH ZU UNSEREN ZEITEN; LANG LEBE DER KAMPF. Es war ein Mikrokosmos Südafrikas: Afrikaner, Inder, Farbige und Weiße, viele in ihrer nationalen Tracht; Ärzte, Bauern, Arbeiter, Priester, Hausfrauen, Dienstboten, Gewerkschafter und Anwälte. Beim Eingang zum Platz, der von Stacheldraht umgeben war, standen bullige Männer in Straßenanzügen: die stets allgegenwärtigen Special Branch-Männer* waren eifrig am Fotografieren, bevorzugtes Objekt waren die weißen Delegierten. Die schwarz-grün-goldenen ANC-Farben beherrschten die Szene.

Die beliebtesten Führer waren gebannt und konnten nicht dabeisein, als Isitwalandwe, eine Ehrung, die in der afrikanischen Gesellschaft die höchste Auszeichnung bedeutet, Häuptling Lutuli, Dr. Dadoo und Pater Huddleston verliehen wurde. Nur der letzte genoß die Freiheit, den Jubel der Menschen auch persönlich entgegenzunehmen.

Die Delegierten lauschten einer Freiheitscharta, die auf englisch, Sesotho und Xhosa vorgelesen wurde und so begann: «Wir, das Volk von Südafrika, verkünden unserem Land und der ganzen Welt, daß Südafrika allen gehört, die dort leben, Schwarzen und Weißen, und daß nur eine Regierung, die vom Willen des Volkes ausgeht, Anspruch auf Autorität erheben kann.»

Die Ziele der Charta waren: «Das Volk wird regieren; das Volk wird am Reichtum des Landes teilhaben; das Land wird unter jenen aufgeteilt werden, die es bebauen; alle werden vor dem Gesetz gleich sein; alle werden dieselben Menschenrechte genießen; es wird Arbeit und soziale Sicherheit geben; die Tore von Bildung und Kultur werden sich öffnen; es wird Häuser, Sicherheit und Geborgenheit geben; es wird Frieden und Freundschaft geben.»

Manche Ziele ergaben sich aus der täglich gelebten Erfahrung, wie etwa: «Die Privatheit des Heims vor Polizeirazzien soll gesetz-

* Staatssicherheitspolizei – 1947 gebildete halbautonome Abteilung der südafrikanischen Polizei, deren Angehörige Zivil tragen und direkt dem Polizeipräsidium in Pretoria unterstehen.

lich geschützt sein» und: «Alle Menschen sollen sich uneingeschränkt im Land bewegen können.» Manche waren typisch für den Wunsch nach einem sozialen Wohlfahrtsstaat: «Die Sorge für die Alten, Waisen, Behinderten und Kranken wird dem Staat obliegen»; manche waren sozialistisch: «Die Bodenschätze ... die Banken und die Monopolindustrie werden in den Besitz des Volkes übergehen.» Die Menge stimmte jedem Abschnitt mit «Afrika!» und «Mayibuye!»-Rufen zu.

Am Sonntagnachmittag Stiefelgetrampel: Mit leichten Maschinengewehren bewaffnete Polizeieinheiten marschierten auf die sitzenden Delegierten zu. Ein Schrei ertönte. Die Menge stand auf, die Hände zum Kongreß-Gruß erhoben, und als der Vorsitzende sie zur Ruhe mahnte, sangen sie zum fröhlichen Rhythmus von «Clementine» aus voller Kehle «*Mayibuye*!»

Special Branch-Detektive und bewaffnete Polizei durchsuchten Redner und Publikum und beschlagnahmten jedes Stück Papier. Sogar Plakate und Transparente wurden mitgenommen, einschließlich zweier Hinweisschilder am Essensstand: «Suppe mit Fleisch» und «Suppe ohne Fleisch». Sie sagten, daß Verdacht auf «Hochverrat» bestünde.

Die Versammlung wurde in einer Stimmung fortgesetzt, die man als triumphalistisch bezeichnen konnte. Am Ende erhoben sich alle und sangen «Nkosi Sikelel' iAfrika». Als die Dunkelheit hereinbrach und die Delegierten sich verstreuten, spielte die ANC-Band Freiheitslieder.

Mandela war nicht der einzige, der den Kongreß für eine «aufsehenerregende und bewegende Demonstration» hielt. Die Menschen, sagte er, hatten gezeigt, daß sie «die Fähigkeit und die Macht besaßen, über jedes Hindernis zu triumphieren und ihre Träume zu verwirklichen».

Er betrachtete die Annahme der Freiheitscharta als ein Ereignis von großer politischer Bedeutung, und in der Tat sollte die Charta dreißig Jahre später zu einem Eckstein der Politik der United Democratic Front* werden. «Noch nie zuvor», sagte er, «ist ein Do-

* Vereinigte Demokratische Front – 1983 gegründete multirassische Dachorganisation von etwa 600 Bürgerrechtsgruppen, Gewerkschaften, Kirchen, Frauen-, Jugend- und Studentenorganisationen.

kument oder eine Konferenz von der demokratischen Bewegung Südafrikas so breit akklamiert und diskutiert worden. Die Charta ist mehr als eine bloße Auflistung von Forderungen für demokratische Reformen; sie ist ein revolutionäres Dokument, gerade weil die Veränderungen, die sie vorsieht, nicht erreicht werden können, ohne die wirtschaftliche und politische Struktur des gegenwärtigen Südafrika aufzubrechen.»

Drei Monate später fand im Morgengrauen die größte Polizeirazzia der Geschichte Südafrikas statt. Mehr als tausend Polizisten durchsuchten Hunderte von Männern und Frauen in ihren Häusern und Büros und beschlagnahmten alles, was Beweismaterial für Hochverrat, Aufwiegelung, Verletzung des Gesetzes zur Bekämpfung des Kommunismus oder Verletzung des Gesetzes gegen Zusammenrottung (Riotous Assemblies Act) liefern könnte.

Mandelas Bann lief gegen Ende 1955 aus. Special Branch-Detektive trafen prompt in seinem Büro ein, um ihn neuerdings zu bannen. Diesmal gleich auf fünf Jahre. Freunde hatten beobachtet, daß der Druck und das Risiko seiner politischen Tätigkeit seine Ehe unterminierte. Einige Zeit verbrachte Evelyn in Natal, wo sie sich als Hebamme ausbilden ließ, und schließlich wurde ihre Trennung formell besiegelt. Er sah seine Kinder, sooft er konnte.

Der neue Premierminister, J. G. Strijdom, betrieb die Ausweitung des Polizeistaates mit der Novellierung des Strafverfahrens- und Beweiserbringungsgesetzes, der Novellierung des Gesetzes zur Kontrolle der Eingeborenen im städtischen Bereich sowie mit einer weiteren Novellierung der Group Areas Act. Diese Gesetze symbolisierten die Ineffizienz einer aufgeblähten Bürokratie, die Jahr für Jahr Gesetzesnovellierungen erforderte, um Fehler zu korrigieren oder Lücken zu schließen. Verbannung in entlegene Gebiete war eine neue, zusätzliche Strafe für alle jene, die Widerstand leisteten.

Die Regierung verkündete, daß ab 1956 auch afrikanische Frauen Pässe tragen mußten – den «*verdomde*» (verdammten) *dompas* –, der den Afrikanern mehr als jedes andere Gesetz Leid zufügte. Seit 1952 waren männliche Jugendliche im Alter zwischen sechzehn und achtzehn verpflichtet, den Paß mit sich zu führen. Wie im Oranje-Freistaat 1913 erhoben sich die Frauen auch diesmal, um dagegen zu protestieren. Die vielen Frauen von ANC-Führern, die in der

Frauenliga arbeiteten, erhielten Verstärkung von Frauen anderer Rassen. Unter ihnen war Helen Joseph, eine in Großbritannien geborene Sozialarbeiterin und Gewerkschafterin. Die dynamische Präsidentin der Liga, Lilian Ngoyi, erklärte, was die Frauen bewegte: «Männer werden ins System hineingeboren und haben sich schon in die Unausweichlichkeit gefügt, Pässe tragen zu müssen. Wir Frauen sehen, was das für unsere Männer bedeutet. Wenn sie am Morgen das Haus verlassen, wissen wir nie, ob sie abends wiederkehren. Wir nehmen das sehr, sehr ernst. Wenn sowohl der Mann als auch seine Frau verhaftet werden, was ist dann mit den Kindern?»

Im Oktober 1955 strömten Frauen aus dem ganzen Land zusammen, um bei der Regierung in Pretoria zu protestieren. Ein Jahr später trafen dort 20000 Frauen ein. Da es ihnen verboten war, durch die Straßen zu marschieren, zogen sie zu zweit oder zu dritt zum Amtssitz des Premierministers, manche in ANC-Blusen, manche in Saris, manche mit ihren Babies am Rücken und mit Körben voller Nahrung. Sie lieferten ein riesiges Bündel von Protesten ab und verharrten dann schweigend vor dem Halbrund des Regierungsgebäudes. Auf einen Wink von Lilian Ngoyi stimmten sie ein Lied an, einen Kriegsgesang, der speziell für den Anlaß geschrieben worden war: «Strijdom, bei den Frauen wirst du dir die Zähne ausbeißen.» Und «Nkosi Sikelel' iAfrika», bevor sie auseinandergingen.

Seit dem Volkskongreß hatte die Polizei mehr als tausend Razzien durchgeführt und unzählige Dokumente beschlagnahmt, darunter natürlich die Schriften Mandelas. Am 5. Dezember 1956 kam im Morgengrauen das Klopfen an der Tür. Mandela wurde in seinem Haus in Orlando aufgeweckt, ebenso wie Dutzende von Männern und neunzehn Frauen in allen Teilen des Landes aus dem Bett geworfen wurden. Sie wurden verhaftet und des Hochverrats angeklagt.

Angeklagte im Hochverratsprozeß, 1956; Nelson Mandela befindet sich in der dritten Reihe, in der Mitte

«Kann das Hochverrat sein?»

1956–1959

«Wir sind nicht gegen die Weißen, wir sind gegen die weiße Vorherrschaft. Rassismus haben wir immer schon verurteilt.»

Während Mandela, Sisulu und Tambo von der Polizei zum Fort, dem alten Gefängnis von Johannesburg, gebracht wurden, kamen dort Militärflugzeuge aus dem ganzen Land mit weiteren Männern und Frauen jeder Rasse an: Häuptling Lutuli, Dr. Naicker und Ismail Meer unter denen von Natal, Professor Matthews im Kontingent aus dem Ostkap. Abgesehen von den Führern waren die Mehrheit der 156 Angeklagten Chauffeure, Büroangestellte, Fabrikarbeiter, Landarbeiter, Lehrer und Hausfrauen.

Loyale Kongreß-Führer aus der Vergangenheit, wie Canon James Calata, der Komponist von vielen Freiheitsliedern, waren ebenso verhaftet worden wie Ruth First, die Herausgeberin der kongreßfreundlichen Transvaaler Zeitschrift *New Age*, zusammen mit ihrem Ehemann, dem Anwalt Joe Slovo; auch Lilian Ngoyi und Helen Joseph waren darunter. Die Gefangenen bildeten einen Querschnitt der südafrikanischen Gesellschaft: 105 Afrikaner, 23 Weiße, 21 Inder und sieben Farbige. Sie wurden sofort im «europäischen» und «nichteuropäischen» Trakt des Gefängnisses voneinander getrennt.

Mandela und andere, die wegen des Banns, der sie in ihren jeweiligen Heimatorten festhielt, lange Zeit voneinander getrennt gewesen waren, fanden einander in zwei riesigen Zellen wieder, wo sie – in den Worten Lutulis – *sine die* konferieren konnten. Paul Joseph, der Mandela erstmals als Schüler begegnet war, hatte nun Gelegenheit, ihn besser kennenzulernen, und war von seiner Persönlichkeit beeindruckt. Nie benahm er sich anderen gegenüber herablassend, es war nicht nur ein Vergnügen, mit ihm zu sprechen, sondern er vermittelte einem auch ein Gefühl von Geborgenheit. Er schien Kraft von den Menschen zu bekommen und sie dann im Überfluß wieder zurückzugeben.

Eine «Wir stehen zu unseren Führern»-Bewegung wurde gebildet, und ein Unterstützungsfonds für Hochverratsprozesse von Bischof Reeves und den Parlamentsabgeordneten Alex Hepple und Alan Paton (Führer der Labour und der Liberalen Partei) ins Leben gerufen, der durch einen von Canon John Collins von der Christian Action in London errichteten Fonds unterstützt wurde.

Während die afrikaanse Falken die Wachsamkeit ihrer Regierung «angesichts eines gefährlichen Komplotts» billigten, wiesen amerikanische Wissenschaftler – die Professoren Gwendolen Carter und Thomas Karis – daraufhin, daß die Tiefe des Konflikts zwischen Afrikanern und Weißen «dem gigantischen Vorwurf des Hochverrats entsprach». Aber als die Voruntersuchungen zum Prozeß zwei Wochen darauf am 19. Dezember 1956 begannen, glich die Atmosphäre eher einem Fest als einem staatstragenden Ereignis. Riesige Menschenmengen, die ANC-Lieder sangen, hatten sich auf den Straßen rund um den Drill Hall zusammengefunden, wo das Gericht tagen sollte, und die Häftlinge, die alle aus vollem Halse sangen, wurden in *kwela-kwelas* (Polizeiwagen) vorgefahren. Im Saal, einem zugigen eisenüberdachten Relikt aus der kolonialen Vergangenheit, kam es, zum Unbehagen der Polizei, zu einer zwanglosen Durchmischung von Angeklagten, Publikum und Presse. Als zur Ordnung gerufen wurde, waren die Sitzreihen mit den 156 Angeklagten gefüllt, die eher aussahen wie Delegierte zu einem Kongreß. Kaum hatte der Richter zu sprechen begonnen, wurde festgestellt, daß das Mikrofon nicht funktionierte und man kein Wort verstehen konnte. Unter großem Gelächter mußte sich das Gericht vertagen.

Am nächsten Tag sah eine neue Anordnung im Gerichtssaal die Einfriedung der Angeklagten in einem Drahtkäfig vor. Aber die Anwälte der Verteidigung weigerten sich, im Namen von Menschen zu sprechen, «die wie wilde Tiere behandelt werden». Während der Käfig entfernt wurde, hörte man Schüsse: Draußen vor dem Drill Hall war die Polizei durchgedreht und hatte in eine gut gelaunte Menschenmenge geschossen. 22 Menschen wurden verletzt. Der Bischof von Johannesburg und Alex Hope, beide kleine Männer, zwängten sich in die brodelnde Menge, um sie zu beruhigen, während der diensthabende Polizeioffizier seine Männer verärgert zur Ordnung rief.

Nach nicht allzu langer Verhandlung wurden die Angeklagten auf Kaution freigelassen. Täglich fuhr Mandela mehrere seiner Kollegen von ihrer Township zum Drill Hall. Sie mokierten sich über die Darlegung des Falles durch den Staat und über den oft lächerlichen Mangel an Logik bei der Beweisführung. Der Staatsanwalt wollte beweisen, daß die Angeklagten Mitglieder der nationalen Befreiungsbewegung waren, deren Sprecher den marxistisch-leninistischen Aufbau von Staat und Gesellschaft propagierten; unter den Hauptbeweisstücken befanden sich das Aktionsprogramm der Jugendliga und Mandelas Reden und Schriften. Der Staat wollte auch aufzeigen, daß die Freiheitscharta Schritte in Richtung eines kommunistischen Staates vorsah und die Revolution einleiten würde. Die Verteidigung wies diesen Vorwurf zurück und verwies auf das Positive an den Zielen des Kongreßbündnisses, wie es in der Charta zum Ausdruck kommt, wobei sie ins Treffen führte, daß nicht nur die 156 Einzelpersonen vor Gericht standen, «sondern die Gedanken, zu denen sie und Tausende andere in unserem Land sich offen bekennen».

Während sich die Erhebungen monoton fortschleppten, mußten die meisten Angeklagten weit weg von ihrem Wohnort große Entbehrungen auf sich nehmen, und ihre Familien wurden durch den Verteidigungsfonds unterstützt. Mandela und Tambo waren unter den wenigen, die zu Hause leben und ihre Arbeit zumindest teilweise fortführen konnten. Tausende beschlagnahmte Dokumente wurden in die Gerichtsakten aufgenommen, darunter auch die Hinweisschilder: «Suppe mit Fleisch» und «Suppe ohne Fleisch».

In den Mittagspausen übte hinten im Saal der Ostkap-Chor Calatas Freiheitslieder, während die Führer von Transvaal hektisch mit den Organisatoren eines Busboykotts in Alexandra Township konferierten. Wie in den vierziger Jahren hatte eine Bustariferhöhung die Menschen provoziert: Fast vier Monate lang gingen mehr als 50000 Männer und Frauen die langen Entfernungen zu und von ihrer Arbeit zu Fuß und erzielten einen der seltenen Siege. Nicht nur erließ die Regierung ein Gesetz, das die Unternehmer verpflichtete, gewisse Transportkosten ihrer Angestellten zu subventionieren, sondern die Fahrpreise wurden auch wieder auf das Niveau der Zeit vor dem Boykott gesenkt.

Lutuli und die anderen ANC-Führer wollten in der Zeit, in der ihnen durch den Prozeß die Hände gebunden waren, die Stärke der Organisation testen und riefen die Leute auf, am 26. Juni 1957 zu Hause zu bleiben. Mit der Unterstützung der SACTU, die einen Mindestlohn von einem Pfund täglich forderte, wurde der Streik ein beachtlicher Erfolg, besonders in und um Johannesburg und Port

Elizabeth. Mandela erklärte die Bedeutung des Ausdrucks «zu Hause bleiben»: Da ein Streik Streikposten erforderte, um die Arbeiter daran zu hindern, in boykottierten Betrieben zur Arbeit zu gehen, Streikposten aber Polizeigewalt anzogen, hatte der Kongreß sich für die Alternative entschlossen, die Menschen aufzufordern, zu Hause zu bleiben, um so Zusammenstöße zu vermeiden.

Im September wurden die Voruntersuchungen auf längere Zeit vertagt. Die Freude der Angeklagten über die Perspektive, heimfahren zu können, wurde durch Nachrichten über Unruhen in den Townships um Johannesburg gedämpft: Mehr als vierzig Afrikaner waren getötet und Dutzende verletzt worden. Wie immer, weigerte sich die Regierung, eine Untersuchungskommission einzusetzen. Eine von der Stadtverwaltung durchgeführte Untersuchung kam zum Ergebnis, daß die Wurzeln der Unruhen im Apartheidsystem der ethnischen Spaltung zu suchen seien, im System der Wanderarbeit, in der Armut, in der mangelhaften Schul- und Berufsausbildung, im Mangel an Freizeiteinrichtungen und in der «extremen Unbequemlichkeit» der Eisenbahnen, in denen die Afrikaner zusammengepfercht zu ihrer Arbeit und wieder nach Hause fahren mußten. Der Justizminister wies die Untersuchung als unbrauchbar zurück.

Bald darauf lösten der Widerstand der Menschen gegen die Bantu-Behörden und das durch die Paßgesetze verursachte Leid gewaltsamen Aufruhr in verschiedenen Teilen von Transvaal aus. Die Regierung schickte bewaffnete Polizei aufs Land. Mandela, der mit Tambo an der Verteidigung einer Reihe ähnlicher Fälle arbeitete, konnte wegen seines Banns die Unruheherde nicht besuchen. Sie hatten unter großen Schwierigkeiten ihre Kanzlei aufrechterhalten, wo sie früh am Morgen arbeiteten, um dann nach einem mühsamen Tag auf der Anklagebank am Abend wieder ins Büro zurückzukehren. An den Wochenenden betrieb Mandela in Orlando eine Rechtsberatungs«klinik».

Tambo hatte geplant, anglikanischer Priester zu werden, und 1956 hatte ihn Bischof Ambrose Reeves als Kandidat für die Priesterweihe akzeptiert; mit der Anklage des Hochverrats mußte er diese Hoffnung aufgeben.

Über Tambo und Adelaide Tsukudu, der jungen Krankenschwester, mit der Tambo verlobt war, lernte Mandela Winnie Nomzamo

Madikizela kennen. Einige Zeit vor den Verhaftungen wegen Hochverrats kaufte er in Johannesburg gerade in einem Lebensmittelladen etwas zu essen ein, als die Tambos vorfuhren. Mit ihnen war eine außergewöhnlich hübsche und lebendige junge Frau. Sicher hätte Nelson schon von ihr gehört, sagte Oliver, ihr Bild sei in den Zeitschriften gewesen: Sie war die erste schwarze medizinische Sozialarbeiterin im Baragwanath African Hospital; und er fügte noch hinzu, daß sie aus seinem Heimatdorf stammte: «Winnie von Bizana» nannte er sie.

Während einer Gerichtspause rief Mandela Winnie an und lud sie zum Mittagessen ein. Erst Anfang Zwanzig, hatte sie ungeheuren Respekt vor diesem beeindruckenden Mann und seinen Freunden, aber sie nahm die Einladung an. Es war an einem Sonntag, und er brach seine Arbeit ab, um sie in ein bekanntes indisches Restaurant einzuladen, wo er mit zärtlicher Belustigung ihr Unbehagen beobachtete, als sie zum erstenmal in ihrem Leben das scharfe Currygericht kostete. Selbst dort konnte er nicht verhindern, daß Leute bei ihm Rat oder auch nur ein freundliches Wort suchten. Obwohl manche seiner Kampfgefährten ihn vielleicht als distanziert empfanden, so war er doch stets aufgeschlossen und verschenkte seine Zeit und sein Wissen großzügig an andere.

Er fuhr mit Winnie aufs Land, wo sie spazierengingen. Alles, woran sie sich von dieser Unterhaltung erinnert, ist, daß er sie fragte, ob sie nicht für den Verteidigungsfonds Geld auftreiben könnte. Vielleicht wurden sie durch das Stück freies Land und den Himmel an die Landschaft ihrer Kindheit erinnert. Wie Nelson hatte Winnie Rinder und Ziegen gehütet und liebte die Landschaft der Transkei. Dort war ihr Vater, Columbus Madikizela, Direktor einer Schule gewesen. Ihre Mutter war gestorben, als Winnie neun Jahre alt war, und sie hatte sich um ihre jüngeren Brüder und Schwestern gekümmert, bevor sie ins Internat ging. «Eine, die Prüfungen besteht», ist die Bedeutung ihres Namens Nomzamo; das war damals zutreffend und ist es geblieben.

Was folgte, war wohl kaum eine Liebesgeschichte. «Eine Romanze war es nicht gerade», sagte Winnie über die Freundschaft, die sich in den kommenden Monaten entwickelte. An manchen Tagen holten Nelsons Freunde sie vom Krankenhaus ab und nahmen sie mit in den Turnsaal, wo sie Nelson zuschauen durfte, wie er sich

Winnie und Nelson Mandela

«abreagierte», oder sie begleitete ihn zu Freunden in die Townships und Vororte. Mit seinem Sohn Thembi verstand sie sich gut. Und sie nahm an ANC-Treffen teil, obwohl sie kein Mitglied war: Als sie noch zur Schule ging, hatte sie sich von der Unity Movement angezogen gefühlt, und jetzt neckte Mandela sie und erzählte Freunden, wie er sie vor dieser rivalisierenden Organisation gerettet hatte und wie dankbar sie ihm sein müßte. Obwohl sie sehr verliebt war, hatte sie noch immer eine große Scheu vor ihm. Sie hatte keine Ahnung, daß er bereits geschieden war, bis er sie eines Tages plötzlich bat, mit ihm eine Freundin – Ray Harmel – zu besuchen, die ihr Hochzeitskleid nähen würde. «Wie viele Brautjungfern möchtest du haben?» fragte er sie. Und Winnie antwortete mit einer Gegenfrage: «Wann soll die Hochzeit sein?»

Ihr Vater war sehr stolz auf die Verlobung seiner Tochter mit einem so wichtigen und hochangesehenen Mann, aber er hatte auch Bedenken: Scheidungen wurden in der afrikanischen Gesellschaft mißbilligt – nicht nur in der Transkei, sondern auch in Townships – besonders die Scheidung von jemandem aus der königlichen Familie, die ein Vorbild sein sollte. Würde Winnie mit der Kritik fertig werden, die sich unweigerlich auch gegen sie richten würde? Und da gab es noch Nelsons drei Kinder. Sie lebten zwar bei ihrer Mutter, würden aber natürlich ihren Vater und ihre Stiefmutter besuchen, und sie war doch so jung. Außerdem stand Mandela wegen Hochverrats vor Gericht.

Mandela gab Winnie Kraft: Er vermittelte Zuversicht, Vertrauen und Mut. Sie wußte, daß er sie liebte, aber sie hatte auch verstanden, daß bei seinem politischen Engagement ein wirkliches Privatleben kaum möglich sein würde, und daß er niemals von den Menschen und dem Kampf getrennt werden könnte. Erst viel später sprach sie wehmütig vom «Leben der jungen Braut», das sie nie erfahren hatte.

Sie heirateten im Juni 1958 in Winnies Heimatdorf in Pondoland. Mandela hatte eine viertägige Aufhebung seines Bannes erreicht, der ihn in Johannesburg festhielt. Lilian Ngoyi war eine der ANC-Führer, die sie begleiteten. Columbus Madikizela sagte seiner Tochter in des Vaters «Worten der Weisheit», daß sie nicht vergessen dürfe, daß sie den Kampf heiratete und nicht den Mann; und daß sie, indem sie ihm einen solchen Mann als Schwiegersohn

Nelson Rolihlahla Mandela heiratet Winnie Nomzamo Madikizela, 1958

brachte, den Afrikanischen Nationalkongreß in diesen Teil des Landes zog.

Der traditionelle Brauch hätte es gefordert, die Hochzeitszeremonie bei beiden Familien zu begehen, aber es fehlte an Zeit, um diese in Nelsons Heimat in Qunu zu wiederholen. Vom traditionellen Standpunkt aus war die Hochzeit nicht vollendet, und Winnie bewahrte sich für diesen Anlaß einen Teil der Hochzeitstorte auf. Sie hat sie noch immer und wartet auf den Tag, an dem ihr Mann aus dem Gefängnis kommt.

Nach Johannesburg zurückgekehrt, begann sie, das kleine Haus Nr. 8115 in Orlando zu verändern; sie fügte zwei Zimmer hinzu, gab den Räumen Farbe und Eleganz und legte auf dem winzigen Stück Boden, das den gesichtslosen Ghetto-Häusern zugeteilt wurde, einen Garten an. Thembi, Makgatho und Makazizwe verbrachten manches Wochenende mit ihrem Vater und Winnie.

Als der eigentliche Hochverratsprozeß am 1. August 1958 in Pretoria in einer ehemaligen Synagoge begann, konnte die Verteidi-

gung einen Teilsieg verbuchen: Die Anklagen gegen Lutuli, Tambo und 59 andere wurden zurückgezogen. Mandela und Sisulu waren unter den 91, die nun offiziell des Hochverrats angeklagt wurden; die Anklage nach dem Gesetz zur Bekämpfung des Kommunismus wurde vom Gericht zurückgewiesen.

Der Fall lag in den Händen von drei Richtern; der Staatsanwalt war Oswald Pirow, der in den dreißiger Jahren die «Unter dem Hakenkreuz»-Bewegung angeführt hatte. Er war 1929 ein besonders bösartiger Justizminister gewesen. Die Verteidigung wurde von einem brillanten Anwaltsteam übernommen, darunter Israel Maisels, Bram Fischer und Sydney Kentridge. Der Prozeß wurde von Vertretern der Internationalen Juristenkommission beobachtet; einer von ihnen bemerkte, daß es – mit Ausnahme des Nürnberger Prozesses – seit dem Reichtagsbrandprozeß kein Gerichtsverfahren gegeben hat, das von der Welt mit so viel Anteilnahme verfolgt wurde.

Mandelas Ausgeglichenheit und Humor waren die ganze Zeit spürbar, doch auch die anderen Männer und Frauen waren so guter Laune, daß es schwerfiel, sich vorzustellen, daß es bei diesem Prozeß um ihr Leben ging. Helen Joseph erinnert sich, wie sie mit Mandela und drei anderen Männern jeweils 40 Meilen von Johannesburg nach Pretoria und wieder zurück fuhr und sie sich dabei über den Prozeß, ihre Anwälte und ihre Mitangeklagten unterhielten; sie erzählten Witze und tauschten Kindheitserinnerungen aus; sie blieben stehen, um sich am Straßenrand Pfirsiche zu kaufen. In der Mittagspause zogen sich viele von ihnen in den großen Garten eines nahegelegenen Vikariats zurück, wo sie von der indischen Gemeinschaft verpflegt wurden, und es ging oft zu wie auf einer Gartenparty. Für Mandela und andere, die ihre Organisationsarbeit trotz des Prozesses fortführten, waren das stets Gelegenheiten, kritische Ereignisse zu besprechen und den direkt Betroffenen mit Rat zur Seite zu stehen.

In der Zwischenzeit war Winnie Mandela der Frauenliga des ANC und der gemischtrassischen Föderation Südafrikanischer Frauen beigetreten und wurde bald in den Vorstand beider Organisationen gewählt. Zusammen mit Albertina Sisulu war sie eine von Hunderten, die am Protestmarsch gegen die Ausweitung der Paßgesetze auf die Frauen teilnahmen. Viele der Frauen trugen Babies

Geschirrspülen nach dem Mittagessen; 1960, während des Hochverratsprozesses in Pretoria

auf dem Rücken. Die internationale Presse berichtete über den Humor dieser eindrucksvollen Frauen; als sie verhaftet wurden, kletterten sie fröhlich in die Polizeiwagen, und manche riefen: «Sagt unseren Madams, daß wir morgen nicht zur Arbeit kommen!» Sie wurden zu einem Monat Gefängnis im Fort verurteilt – Winnies erste Erfahrung mit dem Gefängnis, der Sisalmatte auf dem Boden und den schmutzstarrenden Decken als Bettzeug. Obendrein war sie schwanger. Sie wußte, daß eine Verurteilung sie den Posten im Baragwanath Hospital kosten würde, aber das war nur eines der vielen Risiken, die man eingehen mußte. Sie und die anderen Frauen erkannten allerdings, daß ihr Protest zwar die Rechtsprechung verzögern könnte, sie aber ihr eigentliches Ziel letztendlich nicht erreichen würden.

Mandela war ungeheuer stolz auf sie, obwohl sie sich selten über politische Fragen unterhielten. Es waren Walter Sisulu und seine Frau Lilian Ngoyi, die sie am meisten beeinflußten und anregten.

Der zunehmende Konflikt der nächsten Monate, in den ihre Familie geriet, rieb Winnie nahezu auf. Die südafrikanische Regierung etablierte Bantu-Behörden in Pondoland – die erste Kriegslist auf dem Weg zu den Bantustans –, und die Führer des Widerstandes in Pondoland kamen heimlich in Mandelas Haus, um sich mit ihm zu beraten. Winnies Vater hingegen unterstützte die Regierung, und als der Konflikt in seiner Region zu einem kleineren Bürgerkrieg ausartete, wurde er als Kollaborateur angegriffen. «Ich sah die Wut», sagte sie viel später, «ich sah und spürte die Wut der Menschen, für die mein Vater auf seine verdrehte Art so viel zugeopfert hatte. Es war tragisch, daß ich mich politisch nie mit meinem Vater konfrontierte. Es hat schreckliche Narben in meinem Herzen hinterlassen.»

Als Mandelas Verwandter, Häuptling Kaiser Matanzima, in der Folge von der südafrikanischen Regierung zum Herrscher über den Bantustan Transkei gemacht wurde, erhielt Winnies Vater das Landwirtschaftsministerium. Wütende Divergenzen trennten Vater und Tochter, und erst gegen Ende seines Lebens versöhnten sie sich wieder.

«Politisch ist das Gerede über die Selbstverwaltung der Reservate ein Schwindel», warnte Mandela in einem bemerkenswert prophetischen Artikel im Mai 1959. «Wirtschaftlich ist es eine Absurdität.» Es würde zu massenhaften Zwangsumsiedlungen von Millionen

Menschen aus den Städten in diese Bantustans kommen, in Gebiete, die bereits unerträglich überfüllt waren.

Versuche, das Apartheidsystem einzuführen, waren immer wieder auf Widerstand gestoßen, der oft in Gewalt umschlug. «Ein Häuptling nach dem anderen», sagte Mandela, «wurde abgesetzt oder wegen Widerstands gegen die Pläne der ‹Bantu-Behörden› deportiert ... Die Bantustans haben nicht zum Ziel, die Wünsche des afrikanischen Volkes zu verwirklichen; sie sind Instrumente zu ihrer Unterwerfung.» *

Im Jahre 1959 kam es im ANC zu einem heftigen Streit. Geschwächt durch den Bann, der Mandela und anderen erfahrenen Führern, die vor Gericht standen, zur Bewegungslosigkeit verurteilten, war die Organisation besonders in Transvaal von Männern aufrechterhalten worden, die ziemlich rigoros vorgingen und so kleinliche Streitereien und Zusammenstöße auslösten. Eine Gruppe von Dissidenten, die sich Afrikanisten nannten, erhob den Vorwurf, daß weiße Kommunisten und Inder das Kongreßbündnis für die Propagierung ihrer eigenen Ideologie mißbrauchten, und verlangten eine Rückkehr zu «Afrika den Afrikanern». Ihre Rhetorik ähnelte jener der Jugendliga vor zehn Jahren. Lutuli und Tambo gelang es nicht, den Bruch zu kitten, und die Gruppe sagte sich los, um den Pan Africanist Congress (PAC) unter der Führung von Robert Sobukwe zu gründen. Als einflußreiches Mitglied der Fort Hare Jugendliga und später Dozent an der Universität von Witwatersrand wurde Sobukwe für seine Integrität und intellektuelle Ausstrahlung bewundert. Der PAC nahm den Slogan an, der von der Gesamtafrikanischen Volkskonferenz in Akkra ausging: «Unabhängigkeit 1963».

Mandela erkannte, daß ihr Nationalismus im «Alleingang» ebenso wie seinerzeit in den vierziger Jahren für ihn, Sisulu und die anderen eine Faszination ausübte, aber der ANC berücksichtigte, wie er es ausdrückte, die «konkrete Situation» Südafrikas: Sie griffen das *System* an und nicht die Weißen als solche. Es wäre verführerisch, die herrschenden Ressentiments gegen Nichtafrikaner aufzugreifen, aber der ANC zog es vor, die Massen im Sinne eines aufgeklärteren Kampfkonzeptes zu erziehen.

Die antikommunistische Linie der Afrikanisten war für Liberale

* *Liberation*, 1959.

attraktiv, aber, so Mandela, es war gerade der Opfermut der weißen Kommunisten im Interesse der Freiheit der Afrikaner, der der ANC-Politik seine spezielle Note verliehen hatte: die absolute Ablehnung jedes Rassismus, ob weiß oder schwarz. Viele Afrikaner waren skeptisch, wenn man sie vor den Gefahren des Kommunismus warnte, da ja die Regierung jede militante Opposition als «kommunistisch» abstempelte.

Während der Staat antiimperialistische Reden als Beweismaterial gegen Mandela und andere im Hochverratsprozeß anführte, beschrieb er in der Zeitschrift *Liberation*, was der Imperialismus für die Völker Afrikas und Asiens bedeutete: die Ausbeutung des Reichtums an Bodenschätzen und der Landwirtschaft ohne Einwilligung des Volkes und ohne jegliche Kompensation; die Zerstörung der ökonomischen Basis der einheimischen Bevölkerung; niedrige Löhne und lange Arbeitszeiten; vor allem aber die Aberkennung politischer Rechte und die permanente Unterjochung des Volkes durch eine ausländische Macht.

Während der Einfluß der alten europäischen Mächte stark nachgelassen hatte, sah er den «amerikanischen Imperialismus» als eine Bedrohung für die neu errungene Unabhängigkeit der Völker Asiens und Afrikas:

> «Er gebärdet sich als Führer der sogenannten freien Welt im Kampf gegen den Kommunismus ... Er behauptet, die riesigen Summen, die in Afrika investiert werden, seien nicht für die Ausbeutung der Völker bestimmt ... sondern um sie zu entwickeln und deren Lebensstandard zu erhöhen. Es stimmt zwar, daß die neuen sich selbst regierenden Territorien Afrikas Kapital benötigen, um ihre Länder zu entwickeln ... Aber der Gedanke an schnelle und hohe Profite, der allen in Afrika von den USA vorangetriebenen Entwicklungsplänen zugrunde liegt, vernichtet den Wert einer von den Volksmassen getragenen Entwicklung. Die großen und mächtigen Handelsmonopole, die in verschiedenen Teilen des Kontinents aus dem Boden gestampft werden, zerstören den Kleinhandel; die niedrigen Löhne, die dem kleinen Mann gezahlt werden, die Armut und das Elend, das daraus entsteht, der Analphabetismus und die armseligen Behausungen, in denen er wohnt, sind der simpelste und beredteste Beweis für die Verlogenheit des Arguments, daß US-Investitionen in Afrika den Lebensstandard der Menschen auf diesem Kontinent heben werden.» *

* *Liberation*, 1958.

Einen wesentlichen Einfluß auf die öffentliche Meinung in internationalen Fragen übte das Abstimmungsverhalten in den Vereinten Nationen aus. Mandela wies darauf hin, daß sich die Sowjetunion, Indien und mehrere andere Nationen «konsequent und bedingungslos mit dem Kampf der unterdrückten Völker um Freiheit» identifiziert hatten, während die Vereinigten Staaten sich oft mit jenen verbündeten, «die sich für die Versklavung anderer einsetzen».

Trotzdem unterstützten die Vereinigten Staaten bei der UNO-Vollversammlung des Jahres 1958 zum erstenmal eine Resolution, die die südafrikanische Rassenpolitik kritisierte, und, obwohl sie äußerst mild formuliert war, beunruhigte dieser Richtungswechsel die südafrikanische Regierung mehr als alle Verurteilungen durch die kommunistischen Staaten. Großbritannien allerdings enthielt sich weiterhin der Stimme.

Während des Jahres 1959 war der ANC bemerkenswert zuversichtlich: Nicht nur hatte die Auseinandersetzung mit den afrikanischen Dissidenten zu einer entschlossenen Einheit geführt, sondern Lutuli und Tambo waren endlich von ihrem Bann befreit.

Lutuli fuhr auf eine Redetournee durchs ganze Land, die im Kap mit Riesenversammlungen aller Rassen ihren Anfang nahm. Für die Regierung war er gefährlicher als ein Extremist; mehr als irgendein anderer schwarzer Führer in der Geschichte des Landes hatte er die Weißen zutiefst beeindruckt. Bevor er nach Transvaal weiterreisen konnte, schlug der Staat zu. Dieses Mal wurden der Bann und das Exil in seiner ländlichen Heimat auf fünf Jahre ausgedehnt. Tambo, der stellvertretende Generalpräsident, wurde ebenfalls durch einen erneuten Bann auf fünf Jahre von der Teilnahme an Versammlungen ausgeschlossen. Gegen PAC-Führer, die durch das Land reisten und Anhänger rekrutierten, ging die Regierung nicht mit ähnlichen Maßnahmen vor.

Während Winnie eine Tochter, Zenani, auf die Welt brachte, war ihr Mann gezwungen, die meiste Zeit beim Hochverratsprozeß zu verbringen. Ihr Familienleben war fragmentarisch: Nelson kehrte von seinem Frühmorgenjogging heim, um von Winnie mit einem Glas Orangensaft begrüßt zu werden: Kaum war das Frühstück um, mußte er sich schon für die lange Fahrt nach Pretoria fertig machen. Der Justizminister hatte angekündigt, daß der Prozeß weitergeführt werden würde, «egal wie viele Millionen Pfund er kosten wird». «Was macht es aus», sagte er, «wie lange er dauert?» Man schrieb bereits das dritte Prozeßjahr.

Am 19. Januar 1959 hatte die Verteidigung einen weiteren Sieg errungen, als die Anklage gegen 61 der Beschuldigten niedergeschlagen wurde. Der Prozeß wurde gegen nur 30 der ursprünglich 156 Angeklagten weitergeführt, darunter Lilian Ngoyi und Helen Joseph, Walter Sisulu und Nelson Mandela.

In der Zwischenzeit waren Mandela und Tambo nach dem Group Areas Act aufgefordert worden, ihre Anwaltskanzlei im Zentrum von Johannesburg zu räumen und ihre Zelte in einem Township aufzuschlagen, «am Ende der Welt», wie es Mandela formulierte, «was gleichbedeutend war mit der Aufforderung, unsere Kanzlei überhaupt zu schließen und den Rechtsbeistand an unsere Leute, für den wir uns so viele Jahre lang ausgebildet hatten, aufzugeben. Kein Anwalt mit nur einigermaßen Grips im Kopf würde einer solchen Bedingung leichten Herzens nachkommen.» Ohne Rücksicht auf die Gefahr einer gerichtlichen Klage und der Zwangsräumung, trotzten sie der Aufforderung. Wann immer es Mandela nachts oder an Wochenenden möglich war, gesellte er sich zu seinem Partner, um die Kanzlei am Leben zu erhalten.

1960; Nelson Mandela, Patrick Malaoa und Robert Resha auf dem Weg zum Hochverratsprozeß

«Von uns wird keine Gewalt ausgehen»

1960–1961

«Das Leben eines von der Polizei gehetzten Mannes führen zu müssen, ist unendlich viel schwerer als die Verbüßung einer Haftstrafe. Niemand, der seine fünf Sinne beisammen hat, würde sich freiwillig für ein solches Los entscheiden. Aber es kann eine Zeit kommen – wie es in meinem Leben der Fall war – in der der Mensch nicht mehr das Recht hat, ein normales Leben zu führen, sondern nur das Leben eines Ausgestoßenen führen kann, weil sich die Regierung entschieden hat, das Gesetz zu mißbrauchen, um ihn für vogelfrei zu erklären.»

Das «Afrikajahr» 1960 und die von vielen Staaten nördlich von Südafrika errungene Unabhängigkeit stimulierte den Kampf im Süden. Spannung lag in der Luft: In Natal, wo 2000 Menschen verhaftet und schwarze Polizisten getötet worden waren, riefen riesige ANC-Versammlungen zum «Handeln» auf; in der Transkei, wo die Pondo-Rebellion tobte, war der Ausnahmezustand ausgerufen worden; in Südwestafrika schoß die Polizei in eine Menschenmenge, die gegen Zwangsumsiedlungen aus der Location von Windhoek protestierte, elf Menschen wurden getötet, 44 verletzt; und in Kapstadt schockierte am 3. Februar der britische Premierminister Harold Macmillan die südafrikanische Regierung und ihre Anhänger mit einer Äußerung über den «Wind der Veränderung», der durch Afrika fegte.

Häuptling Lutuli rief zum Wirtschaftsboykott gegen südafrikanische Waren auf, und der ANC plante in einem einmaligen Bündnis mit dreizehn anderen Organisationen aller Rassen Demonstrationen gegen die Paßgesetze, gegen die fast eine halbe Million afrikanische Männer und Frauen verstoßen hatten und deswegen verurteilt worden waren.

Diese Kampagne sollte am 31. März anfangen. Zehn Tage davor begann der Pan Africanist Congress unter der Führung von Robert Sobukwe mit umfassenden Protesten gegen die Paßgesetze. Im «Muster»-Township von Sharpeville, außerhalb Vereeniging in Südtransvaal, stellten sich PAC-Freiwillige ohne Pässe vor eine Polizeistation. Die Menge, die durch neugierige Bewohner stark anschwoll, wurde von Journalisten als «freundlich», von der Polizei als «bedrohlich» beschrieben. 75 Polizisten feuerten mehr als 700 Schüsse in die Menge ab und töteten 69 Afrikaner und verletzten mindestens 180, darunter Frauen und Kinder; die meisten hatten Schüsse im Rücken.

Im Hochverratsprozeß machte der Staatsanwalt viel Getue um eine Warnung, die Mandela 1952 ausgesprochen hatte: «Der Tag der Abrechnung zwischen den Kräften der Freiheit und jenen der Reaktion ist nicht mehr weit.»

Ein paar Stunden nach den Sharpeville-Toten versammelten sich weit weg im Süden, in Langa, außerhalb von Kapstadt, einige zehntausend Demonstranten vor den sogenannten «Ledigen»-Zonen, wo Tausende von Männern zusammengepfercht und von ihren Frauen und Familien getrennt leben mußten. Nur eine Handvoll hörte die Anordnung der Polizei, sich innerhalb von drei Minuten zu zerstreuen. Wie schon so oft folgte ein Schlagstockangriff der Polizei, die Menschenmenge warf mit Steinen, und dann kam der Schußbefehl. Zwei Afrikaner wurden getötet, 49 verletzt. Die Leute drehten durch.

SHARPEVILLE, LANGA – die Namen blitzten durch die Welt. Die sich steigernde Abscheu gegen Apartheid und die Repression der südafrikanischen Regierung im Gegensatz zur konsequenten Gewaltlosigkeit des ANC und jetzt der PAC-Demonstrationen rief heftige Reaktionen hervor. Die Regierung wurde durch die Unruhen im ganzen Land mit einer politischen Krise noch nie dagewesenen Ausmaßes konfrontiert.

In Johannesburg überlegten sich Sisulu, Mandela, Duma Nokwe – der Generalsekretär des ANC – und Joe Slovo in hektischen Nachtsitzungen, wie der ANC auf die Krise reagieren sollte. Am 26. März überbrachte Nokwe ihre sofortige Empfehlung Häuptling Lutuli, der als Zeuge im Hochverratsprozeß in Pretoria bleiben mußte. Er war einverstanden, verbrannte noch in derselben Nacht seinen Paß und rief andere auf, seinem Beispiel zu folgen; eine Aktion, die mit der vorübergehenden Aufhebung der Paßgesetze durch die Regierung zusammenfiel. Und Lutuli erließ gleich einen zweiten Aufruf für einen Tag der Trauer im ganzen Land, einem Streik, der in Johannesburg, Port Elizabeth und Durban fast hundertprozentig durchgehalten wurde. Als weitere Streiks, Massenbegräbnisse, Protestmärsche und Unruhen das Land erfaßten, rief die Regierung den Ausnahmezustand aus. Die Polizeibrutalität im Township Langa führte zu einem Riesenmarsch von 30000 Afrikanern, die entschlossen waren, vor dem Polizeihauptquartier in Kapstadt zu demonstrieren, aber der junge PAC-Organisator Philip Kgosana, der spontan in die Führung geschlüpft war, wurde von einem hohen Polizeioffizier mit einem Trick dazu überredet, die Demonstration ruhig aufzulösen; er wurde verhaftet und ins Gefängnis gebracht.

Das weiße Südafrika bangte um seinen Reichtum; eine Welle von Panikverkäufen erfaßte die Johannesburger Börse. Der Justizminister mahnte zur Ruhe; der Finanzminister rief nach Einwanderern; der Minister für Eingeborenenfragen verkündete, daß Apartheid ein Modell für die Welt sei; und ein weißer Mann versuchte, Premierminister Verwoerd zu ermorden.

Zum erstenmal mischte sich der Sicherheitsrat der Vereinten Nationen in die Angelegenheiten Südafrikas: Mit neun Stimmen, bei Stimmenthaltung von Großbritannien und Frankreich, machte eine Resolution die südafrikanische Regierung für die Toten verantwortlich. In dieser Zeit waren bereits 83 afrikanische Zivilisten und drei afrikanische Polizisten getötet worden; Weiße kamen nicht ums Leben, 60 von ihnen wurden verletzt.

Am 7. April traten die Paßgesetze wieder in Kraft. Führende südafrikanische Kapitalisten, die nach London und New York geflohen waren, setzten von neuem auf eine Investitionsinfusion.

Unter dem Ausnahmezustand wurden Mandela und die anderen 29 Angeklagten im Hochverratsprozeß zusammen mit Lutuli und anderen Zeugen der Verteidigung in Pretoria verhaftet und von ihren Leuten isoliert; in dieser allerkritischsten Zeit waren ihnen die Hände gebunden. Insgesamt wurden etwa 2000 Aktivisten festgehalten, Tausende von sogenannten Landstreichern festgenommen.

Am 8. April wurden ANC und PAC von der Regierung verboten: Sie wurden im Parlament mit 128 gegen 16 Stimmen (die vier «Eingeborenenvertreter» und die neu gebildete Progressive Partei) unter dem Gesetz zur Bekämpfung des Kommunismus zu illegalen Organisationen erklärt; die Haftstrafe für die Propagierung ihrer Ziele betrug bis zu zehn Jahren. (Von da an sollten die Schlagzeilen der Zeitungen jene, die wegen einer mutmaßlichen ANC- oder PAC-Mitgliedschaft vor Gericht standen, als «Rote» etikettieren.) Die letzte legale Handlung des ANC war der Aufruf zu einer Nationalversammlung (National Convention), um den Grundstein für eine neue Union *aller* Südafrikaner zu legen. Oliver Tambo hatte das Land bereits verlassen, um in Großbritannien und Tansania ANC-Exilbüros einzurichten.

Der Hochverratsprozeß bekam eine neue Dimension. Das Verteidigungsteam hatte sich mit dem Argument zurückgezogen, daß es während eines Ausnahmezustandes unmöglich sei, einen politischen Prozeß zu führen. Sie kamen überein, daß Mandela und Dumsa Nokwe, ebenfalls Anwalt, in der Zwischenzeit die Verteidigung übernehmen sollten.

Die Haftbedingungen im Gefängnis von Pretoria waren unerträglich: Die afrikanischen Angeklagten wurden zu fünft in eine 2 × 6 m große Zelle gezwängt, einen Eimer mit Deckel als Toilette und daneben einen zweiten fürs Trinkwasser; die Decken und Schlafmatten waren total verlaust; das Essen bestand aus Mais und *mealipap* (Maisschleim), und nur fallweise gab es Spurenelemente von Fleisch. Nach zehn Tagen wurden ihnen eine Dusche und zehn Minuten täglich im Übungshof genehmigt. Mandela, der zum Sprecher gewählt worden war, wurde eine Strafe unter den Notstandsverordnungen angedroht, nachdem er sich bei einem besonders aufsässigen Wärter über die Bedingungen beschwert hatte. Mandelas Antwort waren Zitate aus der Gefängnisordnung. «Das ist eine Lüge!» schrie der Wärter. «Und Regierungsverordnungen erlauben es nicht, daß Häftlinge Bücher lesen!» Daraufhin verlor Mandela die Fassung. Er erhob sich in voller Größe und verlangte den Vorgesetzten des Wärters zu sprechen und beschwerte sich im Prozeß beim Richterpräsidenten über die Gefängnisverpflegung: «Selbst bei der größten Zurückhaltung ist es keine Übertreibung zu behaupten, daß das Essen, das uns im Gefängnis vorgesetzt wurde, mit Verlaub, Euer Ehren, für den menschlichen Verzehr völlig ungeeignet ist.» Bald darauf besuchte der Gefängnisdirektor die Insassen, und die Bedingungen verbesserten sich.

Schon ein paar Wochen später fühlte sich Mandela durch eine neue Behinderung zu einem offiziellen Protest vor Gericht veranlaßt: Er und Nokwe hatten das Recht auf Konsultationen mit den anderen Angeklagten und mit Professor Z. K. Matthews, der als Zeuge der Verteidigung aussagen sollte. Für diese Treffen hatten die Gefängnisbehörden eine kleine Zelle ohne Stühle vorgesehen, deren Mittelpunkt ein voller Fäkalieneimer bildete.

Es gab aber auch entspanntere Zeiten, in denen sie studierten – Mandela hielt es für nützlich, Afrikaans zu lernen, Sisulu Stenographie und Nokwe Französisch –, und außerdem spielten sie Scrabble.

Mandela litt unter seiner Trennung von Winnie und ihrer kleinen Tochter Zenani, was die anderen Angeklagten zwar bemerkten, gleichzeitig schätzten sie aber auch seine Fähigkeit, sie alle bei guter

Laune zu halten. Im Prozeß trat die ironische Situation ein, daß die ANC-Mitglieder auf Einladung das Staates täglich die Politik und die Aktivitäten der Organisation erläuterten, wodurch sie buchstäblich die «Ziele einer verbotenen Organisation unterstützten».

Die Anklage des Staates hing letztendlich vom Beweis ab, daß der ANC eine Politik der Gewalt verfolgte. Aber alle Versuche, in den Kampagnen gegen die Umsiedlungen in den Western Areas und gegen Bantu Education Gewalt zu orten, waren vergeblich geblieben, ebenso wie der Versuch, den Kongreß mit den Unruhen während der Verweigerungskampagne in Verbindung zu bringen. Der Staat zog sich auf die Position zurück, daß die Angeklagten «wissen mußten, daß der von ihnen verfolgte Lauf der Dinge ... zwangsläufig zu einem gewaltsamen Zusammenstoß mit dem Staat und einer damit verbundenen Subversion führen würde».

Lutuli, der krank und von seiner Verhaftung nach der Paßverbrennung überanstrengt war und unter seinem langen Gefängnisaufenthalt zu leiden begann, wurde zu einem anderen Eckstein der Anklage verhört: daß die Befreiungsbewegung Teil einer internationalen, von Kommunisten angezettelten Verschwörung bildete, deren Absicht es sei, Regierungen von Ländern zu stürzen, in denen Menschen keine gleichen politischen und wirtschaftlichen Rechte hatten. Er sagte, daß der ANC in der Frage von «Ost» und «West» Staaten danach beurteilte, welche Position sie bei den Vereinten Nationen zur Apartheidfrage einnahmen.

Anfang August 1960 sagte Mandela aus; das offizielle Protokoll seiner Kronzeugenaussage und des nachfolgenden Kreuzverhörs umfaßt 441 Seiten. Winnie war im Gerichtssaal mit dabei.

Vier Jahre davor, als der Prozeß seinen Anfang nahm, hatte Mandela beiläufigen Beobachtern den Eindruck vermittelt, ein fähiger Anwalt und reizender Mann zu sein. Jetzt erstaunte seine politische Reife, der wortgewandte Angriff seiner Aussage, wie ein Mitglied des Verteidigungsteams es formulierte; aber es gab da noch etwas Tieferliegendes: die innere Größe eines Menschen, die durch eine große Herausforderung entsteht. Sein Auftreten war ein Maßstab für das Kaliber der obersten ANC-Kader.

Die Anwälte der Verteidigung stellten noch eine weitere Stärke des Kongresses fest: seine Kontinuität und die Tatsache, daß er Afrikaner jeder politischen Strömung zusammenfaßte, darunter

Bauernführer, die ihr Volk verstanden. Gemeinsam waren sowohl diesen Männern als auch Intellektuellen, wie Matthews und Mandela, politische Reife. Ein Geheimnis blieb, wie der ANC einmal am Ende zu sein schien, um dann plötzlich Hunderte und Tausende Menschen auf die Straße zu bringen. Seine Schwäche lag in der täglichen Organisationsarbeit, der Kommunikation zwischen den einzelnen Zweigstellen, dem Sammeln von Mitgliedsbeiträgen, der praktischen Umsetzung von Resolutionen. Die «mühsame Arbeit von Haus zu Haus», wie der ANC es selbst ausdrückte, war nicht geleistet worden, weil man dem «leichten Weg von Ansammlungen an Straßenecken, Massenversammlungen und Konferenzen» den Vorzug gegeben hatte.

Ein großer Teil von Mandelas Kreuzverhör durch die Staatsanwaltschaft stützte sich auf seine Reden und Artikel. Von Zeit zu Zeit intervenierten die drei Richter. Er beschrieb Gründung und Politik der Jugendliga: «Wir spürten, daß die Zeit reif für den Kongreß war, militantere Formen politischer Aktion ins Auge zu fassen», und er referierte seine Einschätzung vom Erfolg der Verweigerungskampagne.

«Bedeutet Ihre Freiheit nicht eine direkte Bedrohung der Europäer?» fragte einer der Richter.

«Wir sind nicht gegen die Weißen», antwortete er, «wir sind gegen die weiße Vorherrschaft, und in unserem Kampf gegen die weiße Vorherrschaft genießen wir auch die Unterstützung bestimmter Kreise der europäischen Bevölkerung ... Es ist klar, daß der Kongreß stets konsequent eine Politik der Rassenharmonie gepredigt hat, und wir haben Rassismus immer verurteilt, egal von wem er vertreten wurde.»

Als man ihn fragte, ob die «Volksdemokratie», über die er geschrieben hatte, durch eine Reihe von Konzessionen von seiten der «herrschenden Klasse» erzielt werden könnte, sagte er, daß der Kongreß diese Frage noch nicht diskutiert hatte, aber: «Wir fordern das allgemeine Wahlrecht von Erwachsenen, und wir sind bereit, wirtschaftlichen Druck auszuüben, um unsere Forderungen durchzusetzen; wir werden Verweigerungskampagnen führen, und wir werden von der Arbeit wegbleiben, entweder einzeln oder kollektiv, und zwar so lange, bis die Regierung sagt: ‹Meine Herren, wir können diesen Zustand nicht länger dulden, die Mißachtung der

Gesetze und die ganze Situation, die durch die Arbeitsniederlegungen entsteht. Setzen wir uns zusammen und reden miteinander.› So wie ich es sehe, würde ich sagen: Ja, reden wir.»

Damals war er bereit, sich auf die Konzession von 60 Parlamentssitzen für Afrikaner einzulassen, was in seinen Augen einen Sieg darstellen würde, einen wesentlichen Schritt in Richtung allgemeines Wahlrecht. Der ANC würde dann die Protestaktionen für eine vereinbarte, begrenzte Zeitspanne einstellen, während die weißen Wähler dazu erzogen würden, «zu erkennen, daß Veränderungen möglich sind ... ein besseres Verständnis, mehr Harmonie zwischen den Rassen in diesem Land». Aber natürlich, fügte er hinzu, würden die Forderung des allgemeinen Wahlrechts nie aufgegeben werden, und nach und nach würden sie ihre «Volksdemokratie» erreichen.

Aber welche Pläne hatte er, wenn die Regierung, so wie es den Anschein hatte, nicht nachgab?

«Der Kongreß», antwortete er, «erwartet natürlich nicht, daß ein einziger Vorstoß gegen die Regierung, um sie zur Änderung ihrer Politik zu zwingen, erfolgreich ist.» Er erklärte, daß die Verwirklichung ihrer Hoffnungen das langfristige Ergebnis wiederholten Drucks sein würde, unterstützt von der Weltmeinung – trotz des Willens der Regierung, die Afrikaner mit eiserner Faust zu regieren.

Zur Frage der Gewalt warf der öffentliche Ankläger ihm vor, daß der ANC die Ansicht vertrete, die Regierung würde nicht zögern, als Reaktion auf den Druck des Kongresses bewaffnete Gewalt einzusetzen. Er stimmte zu. «Aber was uns anbelangt, so haben wir Vorkehrungen getroffen, um sicherzustellen, daß die Gewalt nicht von unserer Seite kommt.» Und wenn der ANC mächtiger würde? Würde das die Wahrscheinlichkeit von Regierungsgewalt erhöhen? «O ja. Wir haben immer gewußt, daß die Regierung nicht zögern würde, Hunderte von Afrikanern hinzuschlachten, um sie so weit einzuschüchtern, daß sie sich der reaktionären Politik nicht mehr widersetzen.»

Selbst als er den Staatsanwalt zusammenstutzte, war sich Mandela stets bewußt, daß er selbst ein «Diener des Gerichts» war.

Seine Rede «Der Weg zur Freiheit ist kein Spaziergang» wurde einer genauen Untersuchung unterzogen. Zum Beispiel seine Erwähnung von «revolutionären Eruptionen» in anderen Teilen Afrikas. Was hatte er gemeint? «Einen ernsthaften politischen Kampf um demokratische Veränderungen», war seine Antwort. «Einen militanten Kampf.»

Eine Frage, die von der Staatsanwaltschaft häufig aufgeworfen wurde, bezog sich auf Kongreß-Dokumente, die den Kampf in anderen Ländern ansprachen, ohne die Gewalt zu verurteilen. Mandela erklärte: «Schauen wir uns einmal das Beispiel Kenias an. Wir haben uns damit auseinandergesetzt, daß es dort einen Kolonialkrieg gab. Für uns war Großbritannien der Aggressor, den wir verurteilten. Wir hatten nie davon gehört, daß Kikuyu Großbritannien überfiel, seine Städte bombardierte und Tausenden Menschen Tod und Zerstörung brachte, indem er ihr bestes Land raubte und ihre Organisationen zerstörte. Das waren Dinge, die Großbritannien in Kenia tat, und unser Anliegen war es, daß Großbritannien Kenia verlassen sollte. Wir haben uns nicht mit den Methoden beschäftigt, die Kikuyu anwendete.»

«Waren sie unerheblich?» fragte der Staatsanwalt.

«Für uns waren sie absolut unerheblich», antwortete Mandela. «Hier in unserem Land haben wir uns für Gewaltlosigkeit entschieden; aber nur sie können beurteilen, welche Methoden sie anwenden sollen, das geht uns nichts an.»

«Und wie steht es mit dem Einparteienstaat», fragte ein Richter.

«Es geht nicht um die Form, sondern um Demokratie», antwortete Mandela. «Wenn die Demokratie am besten durch ein Einparteiensystem verwirklicht werden kann, dann würde ich mich mit dieser Perspektive genau auseinandersetzen: Wenn aber die Demokratie ein Mehrparteiensystem verlangt, dann würde ich das genau prüfen. In diesem Land, zum Beispiel, haben wir derzeit ein Mehrparteiensystem, aber für die Nichteuropäer ist es der schlimmste Despotismus, den man sich vorstellen kann.»

«Gefällt Ihnen die Idee einer klassenlosen Gesellschaft?»

«Ja, sehr, Euer Ehren», lautete seine Antwort. «Ich glaube, daß viel Böses aus der Existenz von Klassen kommt, von einer Klasse, die die anderen ausbeutet, (aber) ... der ANC hat in dieser Frage keine ausformulierte Politik.»

Nur einmal verlor er die Kontrolle über sich selbst. Der Gerichtspräsident stellte die Sinnhaftigkeit des allgemeinen Wahlrechts in

Frage: Wäre das nicht gefährlich? Mandela antwortete, daß jeder Mensch das Recht zu wählen haben sollte. Aber, insistierte der Richter, welchen Wert könnte es haben, wenn «Leute, die nichts wissen», an der Regierung teilnehmen? Wären sie nicht Opfer von Demagogen, «wie das bei Kindern der Fall wäre»?

«Nein», antwortete Mandela, und seine Stimme bebte, «das geht so vor sich: Ein Mann beansprucht einen Sitz in einem bestimmten Gebiet. Er verfaßt ein Manifest; das sind die Dinge, für die ich stehe, sagt er. Ist es ein ländliches Gebiet, dann sagt er: Ich bin gegen die Begrenzung der Viehhaltung. Man hört sich die Politik dieses Menschen an und entscheidet dann, ob er geeignet ist, meine Interessen im Parlament zu vertreten; so wählt man einen Kandidaten. Das hat *nichts* mit Bildung zu tun.»

«Schaut der Wähler nur auf seine eigenen Interessen?» fragte der Richter.

«Nein», sagte Mandela. «Ich sehe das vom praktischen Gesichtspunkt. Ein Mensch sucht einen Menschen, der in der Lage sein wird, seinen Standpunkt zu vertreten, und den wählt er dann.» Einer der Verteidiger, Sydney Kentridge, befragte bei der nochmaligen Vernehmung Mandela nach seinem Vater, der keine formale Bildung erhalten hatte; wie hätte er von seinem Wahlrecht Gebrauch gemacht? Mandela sagte, daß er die Fähigkeit und die Einsicht gehabt hätte, verantwortungsvoll zu wählen.

Die Verteidigung fragte Mandela dann weiter über seine anfängliche Feindschaft gegen Kommunisten und seinen Versuch, sie aus dem ANC ausschließen zu lassen, ehe er 1950 zum erstenmal mit ihnen zusammenarbeitete. Erschienen sie ihm damals der ANC-Politik gegenüber loyal? «Das ist richtig», antwortete er.

«Sind Sie Kommunist geworden?»

«Hm», antwortete er, «ich weiß nicht, ob ich Kommunist geworden bin. Wenn Sie mit Kommunist ein Mitglied der Kommunistischen Partei und einen Menschen meinen, der an die Theorien von Marx, Engels, Lenin und Stalin glaubt und sich strikt an die Parteidisziplin hält, dann bin ich kein Kommunist geworden.» Er hatte Marx gelesen und war beeindruckt, daß es in der Sowjetunion keine Rassentrennung gab, von der Tatsache, daß sie in Afrika keine Kolonien hatte, und von ihrem großen Fortschritt in Industrie und Wissenschaft. Er fügte hinzu, daß er sich vom Sozialismus stark angezogen fühlte, sich aber nicht eingehend damit beschäftigt hatte.

Zur Frage des Imperialismus, die von der Verteidigung aufgeworfen wurde, hatte er folgendes zu sagen: «Unsere Erfahrung lehrt uns, daß der Imperialismus durch die ganze Welt gezogen ist, überall Menschen unterjocht und ausgebeutet und Millionen von Menschen Tod und Zerstörung gebracht hat. Das ist für uns der zentrale Faktor, und wir fragen uns nun, ob wir diese Institution, die so viel Leid gebracht hat, unterstützen und festigen sollen.»

Am 9. August beendete Mandela seine Aussage. Helen Joseph, die so gerne applaudiert hätte, fragte sich, was wohl in den Köpfen dieser Richter vorgegangen sein mußte, als sie diesem großen Führer zuhörten, diesem Mann, dem die nationalistische Regierung verboten hatte, jemals wieder Mitglied des ANC zu sein.

Im Gefängnis arbeiteten Mandela und andere führende ANC-Mitglieder an neuen Arbeitsmethoden. «Nach genauer Prüfung», erzählte er später, «sind meine Kollegen und ich übereingekommen, daß wir das Verbot des Kongresses nicht befolgen sollten.» Die Bewegung sollte eine neue Struktur auf der Grundlage des «M»-Planes bekommen, die sie zur Arbeit im Untergrund befähigen sollte. Sie hatten ein «Übergangskomitee» gebildet. «Wir hielten es für unsere Pflicht, diese Organisation zu erhalten, die in fast fünfzig Jahren mühsamer Arbeit aufgebaut worden war.»

Ende August wurde der Notstand aufgehoben und die Gefangenen freigelassen. Sofort erschienen in verschiedenen Teilen des Landes ANC-Slogans und Flugblätter. Mandela durfte zu seiner Familie heimkehren, aber während sich das Verteidigerteam auf das letzte Stadium des Prozesses vorbereitete, mußte er oft bis spät nachts in Pretoria bei Besprechungen bleiben. Seine Frau schilderte, wie er in diesem abnormalen Leben kaum Zeit zum Essen fand: Er begann zu essen, das Telefon läutete, und er wurde gerufen, um jemanden gegen Kaution aus der Polizeihaft zu befreien oder zu einer improvisierten Sitzung zu rasen. Winnie war damals schwanger, und viele Jahre später erinnerte sich Mandela aus seiner Gefängniszelle in Robben Island an ihre Geduld, an «die täglichen liebevollen Worte», und wie sie über «diese zahllosen Kleinigkeiten hinwegsah, die eine andere Frau frustriert hätten». Er schämte sich für sein Versagen, ihr beizustehen. «Mein einziger Trost ist», sagte er, «daß ich damals wirklich ein Leben führte, das mir kaum Zeit zum Denken ließ.»

Während der Weihnachtspause widmete er sich voll und ganz seiner Familie. Makgatho erkrankte in der Transkei, und Mandela brach seinen Bann, um zu seinem Kind zu eilen; während er dort war, kam seine zweite Tochter, Zindziswa, zur Welt, und er kehrte sofort nach Johannesburg zurück, nur um Mutter und Kind in der «nichteuropäischen» Abteilung eines Krankenhauses vorzufinden, wo sie eindeutig nicht genügend Pflege erhielten. Wütend packte er sie zusammen und nahm sie heim, wo man sich ordentlich um sie kümmern konnte. Ihre Zeitspanne normalen Familienlebens war nur allzu kurz.

Im Hochverratsprozeß war Professor Z. K. Matthews der letzte Zeuge der Verteidigung. Die Verteidiger legten ihm die Annahme des Staates vor, daß die Mehrheit der «nichteuropäischen» Bevölkerung vermutlich «spontaner, verantwortungsloser und gewaltsamer auf illegale Agitation reagieren würde, als es bei einer Bevölkerungsgruppe mit einem höheren Zivilisationsstand der Fall wäre».

«Ich bin etwas skeptisch beim Gebrauch der Worte ‹höhere Zivilisation›», antwortete der Professor. «Ich weiß nicht, in welchem Sinn das Wort ‹höher› verwendet wird ... aber mein eigener Eindruck ist, daß die sogenannten höherzivilisierten Bevölkerungsgruppen noch gewaltsamer reagieren würden, wenn sie Lebensbedingungen ausgesetzt wären, die für Afrikaner in diesem Land Alltag sind.»

Auf die Behauptung des Staates, daß der Angeklagte gelegentlich «absichtlich eine explosive Situation geschaffen» hatte, erwiderte Matthews, daß die explosive Situation durch die Behörden geschaffen worden sei, «ich würde sagen, seit Gründung des Staates 1910 bestanden hat».

In Beantwortung der Frage eines Richters gab er ihm recht, daß das ANC-Ziel des allgemeinen Wahlrechts der weißen Vorherrschaft ein Ende setzen würde, und er sagte, daß man erkannt hatte, daß sich die weißen Machthaber nicht freiwillig darauf einlassen würden, aber auch sie könnten politischem und wirtschaftlichem Druck nicht auf ewig standhalten. Bis jetzt seien die Kampagnen des ANC nicht breit genug angelegt gewesen und nicht lange genug durchgehalten worden, aber wenn der ANC stärker wäre, würden sich auch die weißen Machthaber zu Gesprächen bereit erklären müssen.

Der Kongreß, fügte Matthews hinzu, war optimistisch. «Unser Optimismus stützt sich auf die Tatsache, daß dies hier nicht die einzige Regierung in der Geschichte ist, die sich im politischen Kampf unnachgiebig gezeigt hat.» Auch andere waren entschlossen gewesen, den Vorstößen ihrer unterdrückten Staatsbürger nicht zu weichen, und sie hatten es in der Folge doch getan. Er erwähnte die Briten in Indien und wies darauf hin, daß «Regierungen für gewöhnlich nur dann handeln, wenn sie Druck ausgesetzt sind».

Nach mehr als vier Jahren näherte sich der Prozeß seinem Ende. Der Staat schloß seine Beweisführung im März 1981 ab. Die Verteidigung eröffnete ihre Beweisführung. Sie bestritt die von der Anklage unterstellte «Konspiration mit feindseliger Absicht» und verwarf die Behauptung des Staates, daß es zwischen Wahlurne und Verrat keinen Zwischenbereich gäbe. Mit weiteren Verhandlungswochen vor sich wurde dem Anwalt Bram Fischer vom Vorsitzenden des Richterkollegiums kurzerhand das Wort abgeschnitten und der Prozeß plötzlich auf eine Woche vertagt. Bedeutete dies, daß das Gericht bereits von der Schuld der Angeklagten überzeugt war?

Winnie Mandela beschrieb, wie ihr Mann zusammen mit Sisulu, Nokwe und Joe Modise, einem weiteren Angeklagten, später am Tag in ihr Haus kamen:

> «Sie standen alle draußen auf der Zufahrt zur Garage, und er schickte ein Kind herein, um mich zu rufen. Als ich herauskam, sagte er bloß: ‹Liebling, bitte packe ein paar Kleider und meine Waschsachen in einen Koffer. Ich werde lange weg sein. Du sollst dir keine Sorgen machen, meine Freunde hier werden sich um dich kümmern. Sie werden dir von Zeit zu Zeit Nachricht von mir bringen. Paß gut auf die Kinder auf. Ich weiß, daß du stark und mutig genug bist, es auch ohne mich zu schaffen, ich weiß jetzt, daß du es kannst.›
>
> Ich packte schnell seine Sachen. Ich weinte, aber in den wenigen Monaten, die wir miteinander verbracht hatten, hatte ich gelernt, keine Fragen zu stellen. Ich wünschte ihm nur alles Gute, bevor wir uns trennten, und bat darum, daß die Götter Afrikas ihn beschützen mögen, wo immer er sich aufhielt, und daß es ihm möglich sein möge, für die Kinder und mich manchmal ein paar Minuten zu erübrigen. Er schalt mich, daß ich ihn an seine Pflichten erinnerte.»

Sie hatte keine Ahnung von den gefährlichen Tagen und der Angst, die vor ihr lagen. Das einzige, was sie bemerkt hatte, war, daß er in den vergangenen paar Wochen sehr viel nachzudenken schien. Manchmal hatte er nicht einmal gehört, wenn sie zu ihm sprach. Sie hatte ihn gefragt, was los sei, und er hatte ihr versichert, daß alles in Ordnung wäre. Aber er hatte ihre Miete auf sechs Monate im voraus bezahlt; das war sehr ungewöhnlich. Erst als sie in der Presse las, daß er in Pietermaritzburg, Hunderte Meilen von Natal entfernt, gewesen war, erfuhr sie, daß er nicht mehr gebannt war und daß die Behörden ihm keine neuen Beschränkungen auferlegt hatten.

Am 29. März war Mandela wieder in Pretoria und gesellte sich zu den anderen Angeklagten auf der Anklagebank. Die öffentlichen Galerien und Pressebänke waren voller Menschen. Die Atmosphäre war angespannt, als der Vorsitzende des Richterkollegiums, Rumpff, einige «Tatsachenbefunde» bekanntgab:

- Der ANC und seine Verbündeten hatten darauf hingearbeitet, die Regierung «durch eine radikal und fundamental andere Staatsform» zu ersetzen;
- das Aktionsprogramm sah die «Anwendung illegaler Mittel» vor, und illegale Mittel waren während der Trotzkampagne eingesetzt worden;
- gewisse Führer hielten sporadisch Reden, in denen sie zu Gewalt aufforderten, aber es war dem Staat nicht gelungen, eine Politik der Gewalt zu beweisen;
- im ANC hatte sich eine starke linksgerichtete Tendenz breitgemacht, die häufig «antiimperialistische, antiwestliche und prosowjetische» Einstellungen erkennen ließ, aber der Staat hatte nicht bewiesen, daß der ANC kommunistisch sei oder daß die Freiheitscharta einen kommunistischen Staat im Auge hatte. Ebensowenig hatte die Staatsanwaltschaft bewiesen, daß Mitglieder der Kommunistischen Partei nach deren Verbot die Reihen des ANC infiltriert hatten und führende Kader geworden waren. Die ANC-Mitgliedschaft stand sowohl Kommunisten als auch Antikommunisten offen, vorausgesetzt, daß sie die Politik des ANC unterschrieben. Als sich die KP auflöste, war «eine kleine Gruppe von Führungskadern des ANC» bereits Mitglied der Partei.

Neun Jahre davor waren Mandela und Sisulu im Prozeß nach der Verweigerungskampagne vor Richter Rumpff auf der Anklagebank gesessen. Jetzt forderte er sie und die anderen erneut auf, sich zu erheben. «Sie sind freigesprochen und entlassen», sagte er. «Sie können gehen.»

Triumphierend verließen sie mit ihren Verteidigern Maisels und Fischer auf den Schultern das Gericht, um von einer jubelnden, tanzenden und weinenden Menge begrüßt zu werden. Draußen sangen sie alle «Nkosi Sikelel' iAfrika».

Ansprache vor der Gesamtafrikanischen Konferenz in Pietermaritzburg

«Ich werde nicht kapitulieren»

1961

«Ich werde Seite an Seite mit euch die Regierung bekämpfen, bis der Sieg erreicht ist. Was werdet ihr tun? Werdet ihr in einer Frage, in der es für mein Volk, für unser Volk um Leben und Tod geht, schweigen und neutral bleiben? Ich für meinen Teil habe mich entschieden. Ich werde nicht kapitulieren.»

Die südafrikanische Regierung war zweifellos überzeugt, den afrikanischen Protest und Widerstand durch das Verbot von ANC und PAC und durch die Verhaftungswelle während des Ausnahmezustands vernichtet zu haben, aber noch vor ihrer Befreiung von den Zwängen des Hochverratsprozesses schlossen sich Mandela und Sisulu im Gefängnis anderen Führern bei der Planung neuer Schritte an. Mit Lutulis Segen und unter der Annahme, daß das Urteil im Prozeß «nicht schuldig» lauten würde, war Mandela in dieser gefährlichen Zeit zum Führer erkoren worden.

Er war sich der Folgen voll bewußt: Die anderen Organisatoren sollten geheim bleiben, um vor Verfolgung durch die Polizei geschützt zu sein, während er mit dem Auftrag in den Untergrund gehen sollte, bei besonderen öffentlichen Anlässen aufzutauchen. Er würde sein – ohnehin schon stark eingeschränktes – Familienleben opfern und seine Anwaltskanzlei aufgeben müssen. Er würde, wie er später 1962 vor Gericht aussagte, «das Leben eines von der Polizei ständig gehetzten Mannes führen müssen», von den ihm nahestehenden Menschen getrennt leben und stets Verhaftung und Gefängnis riskieren müssen.

Nachdem er Winnie mit den niederschmetternden Worten «Ich werde lange fortsein» verlassen hatte, fuhr er nach Pietermaritzburg. Dort fanden sich am 25. März 1961 1400 Delegierte, darunter viele aus Zululand und Pondoland – ein Querschnitt aller politischen, religiösen, sportlichen und kulturellen Gruppen – zur Gesamtafrikanischen Konferenz zusammen.

Mandelas plötzliches Auftauchen nach zehnjährigem erzwungenem Schweigen wirkte, so ein Delegierter, «elektrisierend». Tage- und nächtelang besprachen die Delegierten die durch die Regierungspolitik entstandene ernste politische Lage. Mandela war von einem Mann besonders beeindruckt, der den Bantu-Behörden Widerstand geleistet hatte und der die Erfahrung machen mußte, daß Menschen in der Stunde der Entscheidung von Führern, denen sie vertraut hatten, im Stich gelassen wurden. Auf dieser Konferenz, sagte der Mann, hätte er sich wie neugeboren und voller Zuversicht gefühlt: «Am Ende müssen wir siegen.» Mandela spürte, daß er die Bedeutung des Treffens erfaßt hatte.

Die Konferenz forderte eine «Nationalversammlung von gewählten Vertretern aller erwachsenen Männer und Frauen auf der Grundlage der Gleichheit, ungeachtet von Rasse, Hautfarbe, Glaubensbekenntnis oder anderen Einschränkungen», die mit dem «unantastbaren Mandat» ausgestattet sein müßte, «eine neue, nichtrassistische demokratische Verfassung» für Südafrika zu beschließen. Acht Jahre waren verstrichen, seitdem diese Forderung zum erstenmal erhoben worden war; acht Jahre ständig wachsender Unterdrückung.

Unter Mandela wurde ein Nationaler Aktionsrat gewählt, um die Forderung an die Regierung weiterzuleiten. Sollte die Regierung keine solche Versammlung einberufen, würde es im ganzen Land Demonstrationen geben: einen dreitägigen Boykott – die sogenannte Stay-at-home-Kampagne – zum Jahrestag der Ausrufung der neuen weißen Republik Südafrika Ende Mai. Mandela verließ die Konferenz, um Lutuli Bericht zu erstatten. Dann fuhr er zum Prozeß nach Pretoria zurück, um bei der Urteilsverkündung dabeizusein: In der einzigen Schmalfilmaufnahme dieses Ereignisses kann man ihn flüchtig sehen, eine Gestalt im dunklen Anzug, ehrfurchtgebietend und überschwenglich zugleich. Vom Gericht aus verschwand er direkt in den Untergrund.

Es war für eine bekannte Persönlichkeit des öffentlichen Lebens, insbesondere für einen so hochgewachsenen Mann wie Mandela, schwer, unerkannt zu bleiben. Während er heimlich das Land durchreiste, wurde gegen ihn ein Haftbefehl erlassen. Er tauchte da und dort auf, um mit Rat und Tat zur Seite zu stehen, und verschwand, wenn die Lage zu brenzlig wurde; in einem Land, in dem die Polizei seit Generationen mit Einschüchterung und Bestechung gearbeitet hatte, war die Gefahr von Informanten stets gegenwärtig. Er entdeckte einen neuen Aktionsradius bei der Landbevölkerung und den Moslems am Kap, von denen die ANC-Führer durch ihren Bann abgeschnitten waren. Es war für ihn eine wunderbare Erfahrung: «Man kann das alles erst begreifen, wenn man mit den Menschen zusammenlebt», sagte er damals. Er liebte das Landleben, und in den Jahren der Unbeweglichkeit hatte er fast vergessen, wie es war. Er fuhr in die Townships; in Soweto besuchte er abends kleine Versammlungen mit Menschen, die von der Arbeit kamen. Und er fuhr in die Städte, traf mit Fabrikarbeitern und auch mit Gruppen von Indern zusammen. In Port Elizabeth wohnte er beim Dichter Dennis Brutus und seiner Frau May in ihrem Haus in der Shell Street; nachdem er im Township New Brighton einige Versammlungen organisiert hatte, brachte er ihren kleinen Söhnen das Boxen bei. Wieder zurück in Johannesburg, besuchte er seine eigene Familie erst spät in der Nacht. Er war darauf bedacht, andere nicht zu gefährden. Er selbst war einige Male mit knapper Not entkommen, und einmal mußte er aus einer Wohnung im zweiten Stock Hals über Kopf fliehen, indem er sich an einem Seil hinunterließ.

Da er der Polizei immer wieder geschickt entkam, nannte ihn die Presse den «Schwarzen Pimpernel», in Abwandlung des Namens der tollkühnen Romanfigur, die während der Französischen Revolution immer wieder der Gefangennahme entging. Ein gar nicht so geringes Problem war, daß das einzige Auto, das ihm in Johannesburg zur Verfügung stand, wo er als Chauffeur verkleidet weilte, ständig Pannen hatte.

Mandela arbeitete eng mit Walter Sisulu zusammen, einem weisen und schlauen, stets bescheidenen und dennoch für die Planung und Organisation wichtigen Mann. Im Laufe der Jahre hatte Mandela viel sowohl von ihm als auch von seinen eigenen Erfahrungen gelernt. Die Fähigkeit, Menschen an einen Tisch zu bringen und das Gemeinsame zu betonen, kam Mandela zugute, als er bei weißen Zeitungsherausgebern und Führern der Liberalen Partei vorsprach, die dem geplanten Boykott feindselig gegenüberstanden. Er suchte sie heimlich auf, um seinen Standpunkt darzulegen, ihre Argumente anzuhören und mit ihnen zu diskutieren. Wenn er kritisiert wurde, hegte er keinen Groll und verlor auch nie seinen Humor.

Eine afrikaanse Zeitung wies warnend darauf hin, daß die «Feinde» Südafrikas die schlimmste Krise in der Geschichte des Landes heraufbeschwören würden.

Mandela schickte Flugblätter an schwarze Studenten, in denen vom «mitreißenden Aufruf zum Handeln» der Konferenz von Pietermaritzburg die Rede war und auf die «versklavende» Wirkung der Bantu Education hingewiesen wurde. Die jüngsten Schulabschlußergebnisse belegten eindrucksvoll die katastrophalen Auswirkungen dieser Politik, sagte er, und ließen noch tragischere Folgen erahnen, wenn den Nationalisten nicht bald die Herrschaft entrissen würde. Die Studenten, die er für die bevorstehenden Demonstrationen um Unterstützung ersuchte, sollten eine wichtige Rolle spielen.

Er wußte, daß seine Leute kein Interesse an der Debatte hatten, ob es weiterhin ein Bündnis mit der britischen Monarchie geben oder eine Buren-Republik gegründet werden sollte, aber sie bildete einen günstigen Aufhänger für politische Aktionen, welche die internationale Aufmerksamkeit auf die Forderungen der Schwarzen lenken sollten. «Wir sind von der Idee beseelt, eine demokratische Republik zu schaffen, in der alle Südafrikaner ohne jegliche Diskriminierung in den vollen Genuß der Menschenrechte kommen», sagte er; ganz im Gegensatz zum System der weißen Vorherrschaft, das Südafrika in der ganzen Welt Schimpf und Schande eingetragen hat.

Die Forderung einer Nationalversammlung wurde von einer multirassischen Gruppe aufgegriffen, die für die Überzeugungen im liberalen, religiösen und akademischen Lager repräsentativ war.

Ein zweites Sharpeville mußte um jeden Preis verhindert werden. Am 24. April richtete Mandela im Namen des Nationalen Aktionsrats ein Schreiben an den Premierminister, in dem er die Besorgnis ausdrückte, daß unter der geplanten Republik die Regierung, «ihrer abscheulichen Politik wegen ohnehin schon weltweit berüchtigt, noch grausamere Angriffe auf die Rechte und Lebensbedingungen der afrikanischen Bevölkerung richten würde». Eine explosive Situation könnte nur durch die Einberufung einer «souveränen Nationalversammlung» abgewendet werden.

Er kündigte die geplanten Demonstrationen an. «Wir machen uns keine Illusionen über die Gegenmaßnahmen, die Ihre Regierung möglicherweise treffen wird», fuhr er fort. «Während der letzten zwölf Monate haben wir eine Periode erbarmungsloser Gewaltherrschaft erlebt.» Dennoch fügte er hinzu: «Wir lassen uns durch die Androhung von Gewalt nicht abschrecken ...»

Wie bei früheren Konfrontationen mit der Regierung konnte er wohl kaum mit der Erfüllung seiner Forderungen gerechnet haben. Tatsächlich reagierte der Premierminister nicht, sondern teilte lediglich dem Parlament mit, daß er Mandelas Brief, den er mit seinen «Drohungen» «arrogant» nannte, erhalten hatte.

Anfang Mai richtete Mandela an den Vorsitzenden der United Party, der wichtigsten parlamentarischen Oppositionspartei, ein Schreiben, in dem er auf die breite Unterstützung des Rufs nach einer Nationalversammlung hinwies. Die Alternative sei, bemerkte er unverblümt, «zu reden oder zu schießen». «Es ist immer noch nicht zu spät», appellierte er. «Die Forderung einer Nationalversammlung von Ihrer Seite könnte wohl einen Wendepunkt in der Geschichte unseres Landes herbeiführen. Sie würde die überwältigende Mehrheit unseres Volkes einen ... Sie würde die nationalistische Regierung isolieren und ein für allemal verdeutlichen, daß sie eine Regierung der Minderheit ist.» Die United Party, die im weißen Mittelstand aus Bergbau, Handel und Industrie verankert war, war ohnehin ziemlich am Ende. Ihr Vorsitzender antwortete nicht.

Die Demonstrationen sollten die Gestalt eines dreitägigen Ausgehstreiks ab 29. Mai annehmen. Gegen Ende des Monats führte die Polizei großangelegte Razzien und Verhaftungen durch, Mandela aber konnten sie wieder nicht fassen. Sie verhafteten nicht nur führende Aktivisten und Organisatoren, sondern auch 10000 Afrikaner wegen Übertretung der Paßgesetze: unschuldige Menschen, wie Mandela betonte. Im ganzen Land wurden Versammlungen verboten, Druckerpressen gestürmt, Flugblätter mit Streikaufrufen beschlagnahmt.

Premierminister Verwoerd persönlich richtete scharfe Warnungen an «Agitatoren», «Mitglieder der normalen Öffentlichkeit» einschließlich der «Intellektuellen», «Pseudointellektuellen» und «einiger Zeitungen», die durch ihr Eintreten für eine Nationalversammlung «mit dem Feuer spielen». Jeder, der diesen Vorschlag unterstütze, sei für die Ziele der Kommunisten mitverantwortlich.

Selbst liberale englischsprachige Zeitungen gaben ihre objektive Berichterstattung auf und warnten vor einer Sympathie für Mandelas Appell. Sie ignorierten seine Presseerklärung, in der er gegen die 10000 Verhaftungen protestierte, und beglückwünschten die Polizei für die «höfliche» Art und Weise der Festnahmen, die, so Mandela, mit der Absicht vorgenommen worden waren, den Demonstrationen zuvorzukommen. Er selbst war den Straßensperren der Polizei entgangen, seine Leute jedoch waren aufgegriffen worden. War es für das Land nicht wichtig, zu erfahren, was er über eine so bedeutsame Angelegenheit dachte?

Der *Rand Daily Mail* veröffentlichte einen «Geheimplan», in dem Nichtweiße dazu aufgestachelt wurden, die Städte zu überfallen, der zweifellos von Provokateuren ersonnen war, und ignorierten Mandelas entschiedene Ablehnung sämtlicher solcher Pläne.

Mandela suchte Industriegebiete auf, und es wurden in letzter Minute verfaßte Flugblätter verteilt, die den Aufruf, «zu Hause zu bleiben», noch einmal wiederholten:

> VOLK VON SÜDAFRIKA!
> DER PROTEST GEHT WEITER
> VERHAFTUNGEN KÖNNEN UNS NICHT AUFHALTEN ...
> WAHLRECHT FÜR ALLE
> GERECHTER LOHN FÜR ALLE
> SCHLUSS MIT DEN PASSGESETZEN
> SCHLUSS MIT DER HERRSCHAFT DER WEISSEN
> MINDERHEIT
> WIR LASSEN UNS VON VERWOERD NICHT
> EINSCHÜCHTERN. WIR STEHEN
> UNERSCHÜTTERLICH ZU UNSEREM
> ENTSCHLUSS, ZU HAUSE ZU BLEIBEN ... HABT
> KEINE ANGST ... VORWÄRTS ZUR FREIHEIT
> NOCH ZU UNSEREN LEBZEITEN ...

«Journalistenmeute in jüngster Krisenmission eingetroffen», kündigte eine Schlagzeile an, als Auslandskorrespondenten in Erwartung eines zweiten Sharpeville nach Johannesburg einflogen. Der Korrespondent des Londoner *Observer* beschrieb die Lage:

> «In der größten Einberufungsaktion des Landes seit dem Kriege wurden in den großen Städten Unmengen von Bürgerwehr- und Kommandoeinheiten mobilisiert. An strategischen Punkten wurden Lager eingerichtet; schwere Armeefahrzeuge, beladen mit Ausrüstung und Proviant, fuhren in ununterbrochenen Kolonnen durch den Reef*; Hubschrauber krei-

* Der Stadtteil Witwatersrand von Johannesburg und die angrenzenden Bergbaustädte.

sten über afrikanischen Wohnbezirken und richteten Scheinwerfer auf Häuser, Höfe, Felder und unbeleuchtete Gebiete. Hunderte weißer Zivilisten wurden als Hilfspolizisten vereidigt. Hunderte weißer Frauen verbrachten ihre Wochenenden mit Scheibenschießen. Waffenläden hatten ihren Vorrat an Revolvern und Munition ausverkauft. Im ganzen Land wurde der Polizei der Urlaub gesperrt. Bewaffnete Wachposten zum Schutz von Kraftwerken und anderen lebenswichtigen Versorgungseinrichtungen wurden aufgestellt. Panzerspähwagen und Truppentransporter patrouillierten in den Townships. Lautsprecherwagen der Polizei fuhren durch die Straßen und verlautbarten, daß alle Afrikaner, die sich am Streik beteiligten, entlassen und aus der Stadt vertrieben würden.»

Am Montag, dem 29. Mai 1961, riskierten Hunderttausende von Afrikanern Arbeitsplatz und Wohnrecht und folgten dem Aufruf Mandelas. In Durban schlossen sich ihnen die indischen Arbeiter an und in Kapstadt erstmals die farbigen Arbeiter; und das trotz der Polizeipropaganda, die vom frühen Morgen an über den Südafrikanischen Rundfunk verlautbaren ließ, daß im ganzen Land die Arbeiter den Aufruf zum Ausgehstreik nicht befolgt hätten. Später verbreitete der Südafrikanische Rundfunk, die Lage sei «normal»; am nächsten Tag wurde verkündet, alles «nehme wieder seinen normalen Gang». In Port Elizabeth betrug die Streikbeteiligung am zweiten Tag 75 Prozent, und in mehreren Gebieten gab es Demonstrationen von Universitätsstudenten und Schülern. Die Polizei gab schließlich zu, daß im Raum Johannesburg 60 Prozent der Arbeit ferngeblieben waren.

Mandela lobte den «großartigen Widerhall», das Ergebnis harter Arbeit und Opferbereitschaft von Organisatoren und Aktivisten, die unter großem persönlichem Risiko arbeiteten, «einer bislang beispiellosen Einschüchterung durch den Staat trotzten, vom Special Branch gehetzt und des Rechts beraubt waren, Versammlungen abzuhalten, und in Gebieten operierten, die von Polizeipatrouillen, Spionen und Informanten nur so wimmelten». Nicht die Feierlichkeiten zum Jahrestag der Gründung der weißen Republik hätten die internationale Presse nach Südafrika gelockt, sagte er, sondern die «mitreißende Kampagne» des Volkes, die seinen Widerstand gegen diese weiße Republik zum Ausdruck brachte.

Es gab jedoch keinen Zweifel, daß das Gesamtecho trotzdem so enttäuschend war, daß Mandela den Streik am zweiten Tag abblies.

An jenem Morgen trafen ihn Journalisten aus London in einer dürftig möblierten Wohnung in einem weißen Vorort von Johannesburg. In seinem gestreiften Sporthemd sah er keineswegs wie ein Verschwörer aus, und sein herzhaftes Lachen hieß sie freundlich willkommen. Ob auch er meine, fragte ein Korrespondent, daß der Streik ein Mißerfolg gewesen sei?

«Berücksichtigt man die von der Regierung ergriffenen Verhinderungsmaßnahmen», antwortete er, «war er ein gewaltiger Erfolg.» Er schilderte den Mut, den Arbeiter aufbringen mußten, um der Polizei, der Armee und auch ihren Arbeitgebern zu trotzen. Die Regierung war auf ein Massaker aus. Die Menschen waren verzweifelt, und verzweifelte Menschen würden sich schließlich zu Vergeltungshandlungen hinreißen lassen.

Gelassen fügte er hinzu: «Wenn die Reaktion der Regierung darin besteht, unseren gewaltlosen Kampf mit nackter Gewalt zu zerschlagen, werden wir unsere Taktik nochmals überprüfen müssen. Meiner Meinung nach ist das Kapitel der Politik der Gewaltlosigkeit abgeschlossen.» In dem einzigen Nachrichtenfilm, der von einem am selben Tag gegebenen Interview Mandelas für ein Londoner Fernsehteam existiert, gab er dieselbe schwerwiegende Erklärung ab.

Gemeinsam mit seinen Kampfgefährten nahm er sogleich eine Analyse des Streiks vor. Sie erkannten, daß der Mißerfolg zum Teil auf die mangelnde Untergrunderfahrung der Führung zurückzuführen war. Seit dem Verbot des ANC waren kaum vierzehn Monate vergangen, und er organisierte und bildete noch immer Kader aus, die gewohnt waren, offen zu operieren. Es gab ein empfindliches Gleichgewicht zwischen der Tätigkeit im Untergrund und der Enthüllung dieser Art von Tätigkeit in der Öffentlichkeit, wobei man mit der Möglichkeit einer Verhaftung kokettierte.

Mandela ging auf die oft gegen den ANC gerichtete Kritik ein, daß es beim Streik nicht um lebenswichtige Interessen gegangen sei, wies sie aber zurück. Die Forderung einer Nationalversammlung bedeutete doch nichts anderes als «one man, one vote» (gleiches Wahlrecht für alle); «der Schlüssel zu unserer Zukunft». Und er kam auf die Frage der Gewaltlosigkeit zurück: «Die Frage, die man sich landauf landab stellt, ist folgende: Ist es politisch richtig, weiterhin Frieden und Gewaltlosigkeit zu predigen, wenn man es mit einer Regierung zu tun hat, deren barbarische Machenschaften der afrikanischen Bevölkerung so viel Leid und Elend gebracht haben?»

In seinem Herzen hatte er die Frage schon beantwortet. Am 26. Juni 1961, dem alljährlichen «Freiheitstag», veröffentlichte er eine Erklärung aus dem Untergrund, in der neue Methoden des Kampfes angekündigt wurden. Alles, was er damals dazu sagen konnte, beschränkte sich auf die «Verweigerung der Zusammenarbeit». Die Millionen Freunde des afrikanischen Volkes im Ausland würden gebeten werden, den Boykott und die Isolierung der südafrikanischen Regierung diplomatisch, wirtschaftlich und in jeder erdenklichen Weise zu verstärken. Er würde weiterhin aus dem Untergrund operieren.

«Ich werde Seite an Seite mit euch die Regierung bekämpfen», versprach er seinen Leuten, «bis der Sieg erreicht ist. Was werdet ihr tun? Werdet ihr euch uns anschließen, oder werdet ihr der Regierung helfen, die Forderungen und Wünsche eures eigenen Volkes zu unterdrücken? ... Werdet ihr in einer Frage, in der es für mein Volk, für unser Volk um Leben und Tod geht, schweigen und neutral bleiben? Ich für meinen Teil habe mich entschieden. Ich werde Südafrika nicht verlassen, und ich werde nicht kapitulieren.»

Eine neue Epoche in der Geschichte Südafrikas kündigte sich an.

1962, in London

«Das Kapitel der Politik der Gewaltlosigkeit ist beendet»

1961–1962

«Im Leben jeder Nation kommt die Zeit, wo es nur mehr eine Alternative gibt: sich zu unterwerfen oder zu kämpfen.»

Nach Diskussionen innerhalb des verbotenen ANC wurde einer kleinen Gruppe unter der Führung Nelson Mandelas die Aufgabe übertragen, den militärischen Arm des ANC, Umkhonto we Sizwe (Speer der Nation), zu organisieren.

Der Entschluß, zur Gewalt Zuflucht zu nehmen, war keineswegs leichtgefallen: Manche hatten Vorbehalte bezüglich der Wirksamkeit oder des richtigen Zeitpunkts, und Mandela selbst war, obgleich er entschlossen für die Notwendigkeit einer Änderung der Strategie eintrat, betrübt, daß der lange Kampf – seine eigene zwanzigjährige Erfahrung disziplinierter Gewaltlosigkeit – nichts gebracht hatte; außerdem lag es auf der Hand, daß, wenn schon der gewaltlose Protest mit Massakern erstickt worden war, eine Strategie der Gewalt mit einer Lawine von Gegengewalt rechnen müßte.

Der ANC als eine politische Massenorganisation, die sich ausdrücklich der Gewaltlosigkeit verschrieben hatte, würde sich nicht auf Gewaltakte einlassen, derartige Akte jedoch auch nicht mehr verurteilen, solange sie «unter Kontrolle» blieben. Sisulu würde beim ANC bleiben, und Mandela würde die Leitung von Umkhonto (MK) übernehmen. Einige wenige Auserwählte – Mitglieder des ANC und der Kommunistischen Partei – begannen mit der Organisationsarbeit.

Den ganzen Winter über und bis ins Frühjahr hinein wurde geplant. Mandela vermißte Winnie und seine Töchter sehr und machte sich, zur Bestürzung seiner Gefährten, aus seinen verschiedenen Verstecken davon, um mit seiner Frau zusammenzutreffen. Sie arbeitete für die Kinderfürsorge von Johannesburg, besuchte Kinder in Townships und Vororten und beaufsichtigte Kinderspielplätze. Seine Verkleidungen als Fensterputzer, Laufbursche und Chauffeur waren unglaubwürdig, aber wirksam: einmal, als Winnies Auto nicht mehr so recht wollte, erhielt sie in ihrem Büro die Benachrichtigung, an eine bestimmte Straßenecke zu fahren; dort stieg ein Mann in blauem Overall in den Wagen und forderte sie auf, den Lenkersitz freizumachen; er fuhr sie zu einer Reparaturwerkstatt, wo er ihr einen neuen Wagen kaufte, dann brachte er sie zurück ins Stadtzentrum, hielt an einer STOP-Tafel, sagte Lebewohl, stieg aus und tauchte im Strom der Passanten unter. Im ersten Augenblick hatte sie ihn nicht erkannt.

Als er eine Zeitlang in einem Wohnbezirk des weißen Mittelstandes lebte, entdeckte ihn sein Gastgeber Wolfie Kodesh tief versunken in der Lektüre von Büchern über den Krieg: Mao Tse-tung, Che Guevara, Liddell Hart, *Commando* von Reitz und vor allem Clausewitz, dessen klassisches Werk er mit besonderer Konzentration las, wobei er viele Passagen dick unterstrich. Es entstand ein Problem: Wie sollte man dem von den Hauseigentümern angestellten Zulu-Dienstboten die Anwesenheit eines schwarzen Mannes erklären, der als Gast in diesem Wohnblock weilte und tagsüber nie ausging? Sie kamen überein, daß Kodesh dem Dienstboten sagen sollte, «David» sei ein Student, der sich für einen Aufenthalt in Übersee vorbereitete und der, bis es soweit war, in der Wohnung studierte. Kodesh ging zur Arbeit, und als er zu Mittag heimkam, traf er Mandela und den Zulu plaudernd und lachend an. Er sah nicht zum erstenmal, wie mühelos Mandela zum Hauspersonal Kontakt fand: In einem anderen Haushalt war der Koch hochbeglückt, für diesen «David» Botengänge machen zu dürfen. Für Kodesh war es allerdings etwas beunruhigend, um fünf Uhr morgens aufzuwachen und seinen geheimen Gast mit einem Trainingsanzug bekleidet auf der Stelle tretend laufen zu sehen – Mandelas übliche körperliche Betätigung im Haus, wenn er nicht jeden Morgen zwei Stunden im Freien joggen konnte.

Nach dem Oktober hatten die Mandelas so etwas wie ein Familienleben. Für Umkhonto war eine kleine Farm gemietet worden; sie hieß Lilliesleaf und lag in Rivonia, einem Vorort an der Peripherie von Johannesburg, und unter den Nebengebäuden gab es eine Wohnung, die für einen Illegalen, der sich bis dahin nur verkleidet ins Freie wagen konnte, ideal war. Winnie wurde mit Zeni und Zindzi in einem Autokonvoi dorthin gebracht, und zum erstenmal seit vielen Monaten konnte sie für Nelson kochen, und er konnte mit den Kindern im bewaldeten Garten spazierengehen. Auch Makgatho und Makaziwe besuchten ihren Vater. Zeni ging mit dem Traum fort, daß dieses weiträumige Haus, in dem ihr Vater wohnte, ihr Zuhause war.

Die Umkhonto-Verschwörer und ihre Berater vom ANC konnten auf Lilliesleaf viel effizienter arbeiten. Eine wesentliche Änderung gegenüber der früheren Politik bestand darin, daß MK alle Rassen akzeptierte, obwohl seine Kader sich größtenteils aus Afrikanern zusammensetzten. In der erzwungenen Isolation erwachte durch die gemeinsam getragenen Gefahren ein starker Kameradschaftsgeist; während sie ihre Pläne ausarbeiteten, stieg die Spannung.

Vier Formen der Gewaltanwendung wurden in Betracht gezogen: Sabotage, Guerillakampf, Terror und offene Revolution. Sie entschieden sich für Sabotage, im Lichte ihrer politischen Vergangenheit eine folgerichtige Entscheidung. «Sabotage schloß den Verlust von Menschenleben aus», betonte Mandela später, «und sie bot die größte Hoffnung für die künftigen Beziehungen zwischen den Rassen»; die Verbitterung würde auf ein Mindestmaß beschränkt bleiben, und sollte diese Politik Früchte tragen, könnte eine demokratische Regierung Wirklichkeit werden.

Der Entschluß, die Gewalt zu beschränken, entsprang auch der Befürchtung, daß die Weißen und Schwarzen auf einen Bürgerkrieg zutrieben. Wenn es schon mehr als fünfzig Jahre dauerte, bis die Narben des Krieges zwischen Buren und Briten verheilt waren, wieviel länger würde es dauern, die Narben eines Bürgerkriegs zwischen den Rassen zu beseitigen?

Da Südafrika in hohem Grade auf Auslandskapital und -handel angewiesen war, hofften sie, daß «die planmäßige Zerstörung von Kraftwerken und die Beeinträchtigung der Bahn- und Telefonverbindungen», «das Kapital abschrecken» und «den fahrplanmäßigen Transport von Gütern aus den Industriegebieten zu den Seehäfen erschweren» würden. Auf die Dauer würde diese ständige schwere Belastung des Wirtschaftslebens des Landes die Wähler sicherlich zwingen, ihren Standpunkt zu überdenken.

«Umkhonto», sagte Mandela zusammenfassend, «sollte Sabotageakte durchführen; und seine Mitglieder wurden von Anfang an strikt angewiesen, unter keinen Umständen Menschen zu verletzen oder zu töten.» Er leitete das Nationale Oberkommando, das die Taktik und die Ziele festlegte und für Ausbildung und Finanzen verantwortlich war. Für die Leitung lokaler Sabotagegruppen wurden regionale Kommandos aufgebaut.

Sie standen ungeheuren Problemen gegenüber. In den Krallen

einer riesigen und mächtigen Polizei mußten sie ihre gesamten organisatorischen Kräfte aufbieten und Zellen gründen, mehr oder weniger so, wie es im «M»-Plan vorgesehen war. Wieviel sollte jeder einzelne wissen? Wie konnte man garantieren, daß Geheimnisse gehütet würden? Historisch betrachtet, hatten Afrikaner immer offen gekämpft; manche hielten Geheimhaltung für Feigheit. Wie konnte man zwischen den einzelnen, Hunderte Meilen voneinander entfernten Zentren die Verbindung aufrechterhalten, wenn die Telefone abgehört wurden und Reisen für Afrikaner immer mit Schwierigkeiten verbunden waren? Selbst wenn sie verkleidet waren, riskierten sie Ausweiskontrollen nach den Paßgesetzen.

Durch ein halbes Jahrhundert des offenen Kampfes, der Razzien und Verhaftungen war die Polizei in der Lage, ausführliche Register der meisten, wenn nicht aller politisch Tätigen anzulegen. Es gab beinahe ebenso viele schwarze Polizisten wie weiße, und es wimmelte im ganzen Land nur so von Informanten, was nicht überrascht, wenn ein Informant 130 Pfund plus Prämien für einen «guten Fang» erhalten konnte. Alle größeren Anlagen waren streng bewacht, und schließlich gab es das große persönliche Risiko, die Möglichkeit der Todesstrafe.

Port Elizabeth, lange Zeit das militanteste Gebiet, hatte innerhalb kürzester Zeit 21 Zellen in New Brighton und 33 im Township Kwazakele aufgebaut. Die dortige Sicherheitspolizei, die noch immer unter den Erfolgen der Schwarzen während der Verweigerungskampagne litt, nahm sich vor, nicht nur die Saboteure, sondern jede politische Aktivität auf viele Jahre hinaus zu zerschlagen.

Mittlerweile spornte Mandelas Leben im Untergrund seine Leute an, da es auch dem dichten Polizeinetz nicht gelungen war, ihn zu fassen. Aber die Risiken, die er dauernd auf sich nahm, grenzten an Tollkühnheit. Im November kam er nach einer Reise durch Natal und die Kapprovinz nur um Haaresbreite davon: Mit einem Chauffeurmantel und einer Kappe bekleidet, wartete er an einer Straßenecke in Johannesburg, und das Auto, das ihn abholen sollte, kam nicht; plötzlich sah er einen Beamten der schwarzen Sicherheitspolizei auf ihn zukommen und, da der Mann ihm in die Augen blickte und ihn erkannte, dachte er, jetzt ist alles aus; aber der Mann zwinkerte ihm zu, grüßte ihn mit dem ANC-Gruß mit dem Daumen nach oben und ging weiter.

Der Dezember des Jahres 1961 markierte ein Ende und einen Anfang: Die lange Tradition der Gewaltlosigkeit wurde mit der Verleihung des Friedensnobelpreises an Häuptling Albert Lutuli honoriert. «Das Verdienst kommt nicht mir zu», betonte er, «sondern dem ANC. Ich habe eine Politik übernommen, die fünfzig Jahre zurückreicht und an die ich mich gerne gehalten habe.» Eine knappe Woche später, am 16. Dezember – dem «Tag der Helden», an dem der ANC wie immer seine Jahreskonferenz abhielt –, schlug Umkhonto we Sizwe zu. Saboteure führten Bombenanschläge gegen symbolische Ziele in Johannesburg, Port Elizabeth und Durban durch. Ein Saboteur wurde dabei getötet.

Flugblätter kündigten an: UMKHONTO WE SIZWE WIRD DEN KAMPF MIT NEUEN MITTELN FORTSETZEN. Das Manifest lautete weiter: «Wir von Umkhonto waren immer bestrebt – so wie die Befreiungsbewegung insgesamt –, die Befreiung ohne Blutvergießen und Bürgerkrieg zu erlangen. Wir hoffen selbst in diesem späten Augenblick, daß unsere ersten Aktionen jedem die katastrophale Situation zu Bewußtsein bringen werden, in die uns die nationalistische Politik geführt hat. Wir hoffen, daß wir die Regierung und ihre Anhänger zur Besinnung bringen können, ehe die Dinge das ausweglose Stadium eines Bürgerkriegs erreichen ... Im Leben jeder Nation kommt die Zeit, wo es nur mehr eine Alternative gibt: sich zu unterwerfen oder zu kämpfen. Diese Zeit ist jetzt für Südafrika angebrochen. Wir werden uns nicht unterwerfen und wir haben keine andere Wahl, als mit allen uns zur Verfügung stehenden Mitteln zurückzuschlagen, zum Schutze unseres Volkes, unserer Zukunft und unserer Freiheit.

Die Regierung hat die Friedfertigkeit der Bewegung als Schwäche ausgelegt; die gewaltlosen Strategien des Volkes wurden als Freibrief für Gewaltmaßnahmen der Regierung aufgefaßt ... Wir sind dabei, einen neuen Weg zur Befreiung des Volkes unseres Landes einzuschlagen.»*

Anfang Januar 1962 wurde Mandela außer Landes geschmuggelt. Er hatte die letzte Nacht mit Winnie im Hause von Freunden ver-

* Zwei Monate früher hatte eine Gruppe weißer Liberaler und Sozialisten, die sich später Afrikanische Widerstandsbewegung nannte (obgleich die Zahl der afrikanischen Mitglieder minimal war), Sabotageakte begangen.

bracht, die er seit vielen Jahren kannte, einem sicheren Haus am Rande der nördlichen Vororte. Sein Flug nach Äthiopien, wo Kaiser Haile Selassie als Gastgeber einer Panafrikanischen Freiheitskonferenz auftrat, war das erste Ereignis einer Reihe aufregender Erlebnisse: Zum erstenmal in seinem Leben war er ein freier Mann. In Addis Abeba traf er mit Oliver Tambo zusammen, der für ihn erwirkt hatte, daß er vor der Konferenz sprechen durfte. Er wurde von den Delegierten aus Ost-, Zentralafrika und dem südlichen Afrika begeistert aufgenommen. Nachdem er den Staaten gedankt hatte, die Sanktionen gegen Südafrika durchgeführt und Flüchtlingen und Freiheitskämpfern Asyl gewährt hatten, sprach er vom bevorstehenden Kampf; er werde lang, kompliziert, hart und schmerzlich sein, und er werde die größtmögliche Einheit der nationalen Bewegung verlangen. «Nackte Gewalt und Zwang», sagte er, «ist die von der südafrikanischen Regierung unverhohlen eingesetzte Waffe, um den Kampf der afrikanischen Bevölkerung niederzuschlagen und ihre Sehnsüchte zu unterdrücken.» Er schilderte die repressiven politischen Methoden, die Verfolgung politischer Führer, den Hochverratsprozeß und die Verhaftungswellen während des Ausnahmezustands in Sharpeville und in der Transkei. Er sprach von den weitverbreiteten Unruhen und den Protesten im ländlichen Raum während der fünfziger Jahre und dem Ausgehstreik von 1961, die allesamt durch immer drastischere Gewaltmaßnahmen von Polizei und Militär zerschlagen wurden. Dennoch ließen sich die Menschen nicht abschrecken. Nach seinem Verbot hatte der ANC unverzüglich eine Erklärung veröffentlicht, daß er sich dem Verbot widersetzen und aus dem Untergrund operieren würde.

«Wie stark ist der Freiheitskampf in Südafrika heute?» Das, sagte er, sei eine Frage, die häufig gestellt werde:

> «In manchen Kreisen außerhalb Südafrikas ist man der Meinung, daß infolge der besonderen Situation in unserem Lande unser Volk nie aus eigener Kraft die Freiheit erringen wird. Jene, die diese Meinung vertreten, verweisen auf den gigantischen Apparat von Gewalt- und Zwangsmitteln in den Händen der Regierung, auf die Größe ihrer Streitkräfte, die unmenschliche Unterdrückung der bürgerlichen Freiheiten und die Verfolgung politischer Gegner des Regimes. Wir werden deshalb von diesen Kreisen bedrängt, unser Heil jenseits der Grenzen zu suchen. Nichts könnte der Wahrheit weniger entsprechen.»

1962, in Äthiopien

1962, in Algerien

Gewiß hat sich die internationale Verurteilung der südafrikanischen Politik beträchtlich verstärkt, und Anträge zur Verhängung wirksamer Sanktionen gegen die Regierung erfreuen sich wachsender Unterstützung. Südafrika ist dank der aktiven Initiative und Zusammenarbeit von Ghana, Nigeria und Tansania aus dem Commonwealth ausgeschlossen worden. «Dieser wachsende Druck der Welt auf Südafrika hat seine internationale Position stark geschwächt und dem Freiheitskampf innerhalb des Landes gewaltigen Auftrieb gegeben.»

Er lobte die Tapferkeit der Freiheitskämpfer gegen die portugiesische Unterdrückung in Mosambik und Angola und fuhr fort:

> «Wir sind jedoch davon überzeugt, daß es verhängnisvoll wäre, die Illusion zu nähren, daß der Druck von außen es uns ersparen werde, den Feind von innen her zu bekämpfen. Mittelpunkt und Eckpfeiler des Kampfes für Frieden und Demokratie in Südafrika liegen in Südafrika selbst ... In den letzten zehn Jahren hat das afrikanische Volk zahlreiche Freiheitskämpfe ausgefochten, zivilen Ungehorsam, Streiks, Protestmärsche, Boykotte und Demonstrationen aller Art. Bei allen diesen Kampagnen haben wir immer wieder die Bedeutung der Disziplin und des

1962, in Algerien

friedlichen und gewaltlosen Kampfes hervorgehoben. Wir haben es erstens getan, weil wir glaubten, daß es noch immer eine Chance für den friedlichen Kampf gäbe, und weil wir uns aufrichtig für einen friedlichen Wandel einsetzten. Zweitens wollten wir unser Volk nicht zur bequemen Zielscheibe für die schießwütige Polizei Südafrikas machen. Aber nun hat sich die Lage grundlegend verändert.

Heute ist Südafrika ein Land, das mit Waffengewalt regiert wird. Die Regierung vergrößert ihre Streitkräfte, ihre Marine, ihre Luftwaffe und die Polizei ... Rüstungsbetriebe werden aufgebaut ...

Sämtliche Möglichkeiten für friedliche politische Agitation sind uns nunmehr verschlossen. Den Afrikanern wurde nicht einmal die Freiheit gelassen, aus Protest gegen die Unterdrückungsmaßnahmen der Regierung friedlich in ihren Häusern zu bleiben. Während des Streiks im Mai vorigen Jahres ging die Polizei von Haus zu Haus, prügelte die Afrikaner hinaus und trieb sie an ihre Arbeitsplätze zurück ... Eine ernste Krise ist im Entstehen.»

Kein Oberkommando kündigte im voraus an, wie seine Strategie und Taktik aussehen würde, aber, fügte er hinzu, «eine Führung begeht ein Verbrechen an ihren eigenen Leuten, wenn sie zögert, deren stumpf gewordene politische Waffen zu schärfen». In den

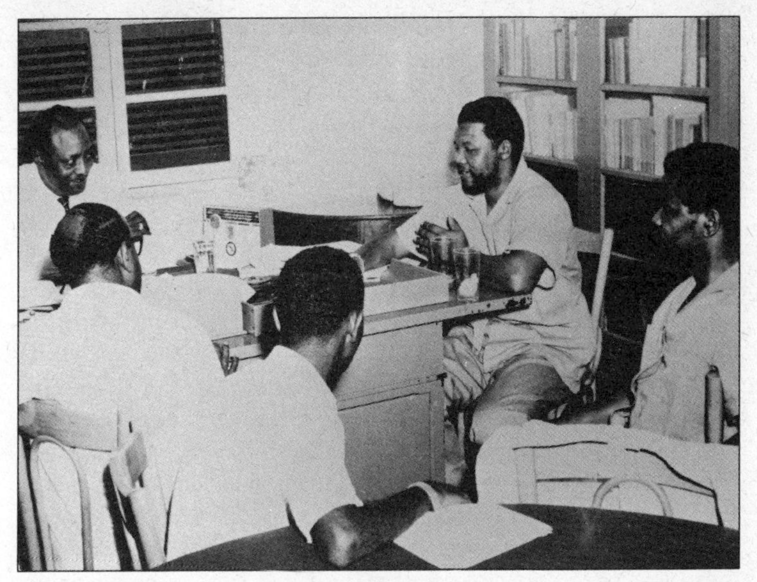

1962, in Tunesien

vorangegangenen zehn Monaten war er kreuz und quer durch Südafrika gereist, hatte «mit Bauern auf dem Lande, mit Arbeitern in den Städten, mit Studenten und Akademikern gesprochen», und es war ihm klargeworden, wie explosiv die Lage war.

Er erklärte, daß er bei seinem Untertauchen angekündigt hatte, er werde Südafrika nicht verlassen. «Damit war es mir ernst, und ich habe mich an dieses Versprechen gehalten. Als jedoch meine Organisation die Einladung zu dieser Konferenz erhielt, wurde entschieden, daß ich versuchen sollte, vor die Öffentlichkeit zu treten und den führenden afrikanischen Politikern, den großen Söhnen unseres Kontinents die neuesten Informationen über unsere Lage zu überbringen.»

Abschließend hob er hervor, die Einheit sei «so lebensnotwendig wie die Luft, die wir atmen, und sie sollte unter allen Umständen gewahrt werden». Er war zuversichtlich, daß Südafrikas Befreiungsbewegung in den bevorstehenden entscheidenden Kämpfen die vollste Unterstützung der afrikanischen Führer und «aller freiheitsliebenden Menschen in der ganzen Welt» erhalten würde.

Meist in Begleitung von Oliver Tambo bereiste Mandela eine Reihe weiterer Staaten in Nord- und Westafrika, um Vorkehrungen für die militärische Ausbildung von Rekruten sowie für Stipendien für die künftigen Administratoren und Fachleute zu treffen, die für die Verwaltung eines nichtrassistischen Staates und zur Führung der Streitkräfte und der Polizei gebraucht würden.

Das Gefühl der Freiheit, das er zum erstenmal in seinem Leben empfunden hatte, sagte er später, war eine Freiheit «von weißer Unterdrückung, von der Idiotie der Apartheid und der rassischen Arroganz, von der Belästigung durch die Polizei, von Erniedrigung und Beleidigung. Wo immer ich hinging», fügte er hinzu, «wurde ich wie ein Mensch behandelt.» Mit Tambo flog er weiter nach London, wo er mit Hugh Gaitskell und Jo Grimmond zusammentraf, den Führern der Labour und der Liberalen Partei. Der Kampf in Südafrika, sagte er, habe viele Ziele. Er habe den bewaffneten Kampf gewählt, er respektiere jedoch Lutulis Bekenntnis zur Gewaltlosigkeit. Jeder, der gegen die Apartheid Widerstand leistet, müsse in jenem Bereich kämpfen, für den er sich am besten eigne. Am Sonntag, dem 17. Juni 1962, hatte er einen freien Tag und besichtigte die Sehenswürdigkeiten von Westminister.

Dann ging es wieder zurück nach Afrika, nach Algerien, wo Oberst Boumedienne, Oberbefehlshaber der Armee der Nationalen Befreiung (der spätere Präsident), ihn einlud, «die» – wie Mandela sich ausdrückte – «Zierde der algerischen Jugend, die gegen den französischen Imperialismus gekämpft hatte und deren Entschlossenheit dem Land Freiheit und Glück gebracht hatte», zu inspizieren. Seinen Aufenthalt dort nutzte er für einen Kurs im Gebrauch von Sprengladungen, Waffen und Granatwerfern. Er besuchte Vorlesungen im Oberkommando der algerischen Armee; er wollte, wenn es soweit war, fähig und bereit sein, zu seinem Volk zu stehen und mit ihm zu kämpfen.

Nach Ostafrika zurückgekehrt, traf er Julius Nyerere, den späteren Präsidenten von Tansania, Kenneth Kaunda, den späteren Präsidenten von Sambia, und Oginga Odinga, den Oppositionsführer in Kenia. Überall wurde er mit Gastfreundschaft und Unterstützungszusagen überhäuft, obwohl er auch auf Feindseligkeit gegenüber dem Bündnis des ANC mit Weißen und Indern stieß, einer Feindseligkeit, die seiner Meinung nach von der Unkenntnis der

1962, in London

besonderen Verhältnisse in Südafrika und dem mangelnden Wissen über die führende Rolle der Afrikaner herrührte.

Er hatte Schwarze und Weiße in friedlichem und zufriedenem Nebeneinander in Hotels, Kinos und Wohnvierteln gesehen; er hatte gesehen, wie sie gemeinsam dieselben öffentlichen Verkehrsmittel benutzten – etwas, was in seinem eigenen Land unvorstellbar war.

Es war Zeit, dorthin zurückzukehren. Aber bevor er nach Süden flog, hatte er die Gelegenheit, mit dem ersten Trupp von Rekruten zusammenzutreffen, die Südafrika heimlich verlassen hatten, um sich in Äthiopien militärisch ausbilden zu lassen. Er überschritt ohne Zwischenfälle die gefährliche Grenze und war wieder zu Hause. Ein indischer Freund erwartete ihn auf einer dunklen Landstraße in einem Wagen, und sie fuhren, ohne miteinander zu sprechen, durch die Nacht, bis sie über einen Umweg Johannesburg erreichten, wo Mandela bei einer Familie übernachten sollte, die keine Ahnung hatte, wer er war, und die gegenüber einer Polizeiwache wohnte: der sicherste Platz, glaubten seine Freunde. Ungeduldig, Bericht zu erstatten und Winnie wiederzusehen, war er dauernd unterwegs. Irgendwie hatte er es geschafft, ihr aus dem Ausland zu schreiben, und jetzt konnten sie einander wieder im Haus eines Freundes sehen, allerdings nur allzu kurz.

In Johannesburg berichtete er dem Nationalen Oberkommando von Umkhonto über seine Reise. Manche Kollegen meinten, daß die Ausbildung von Rekruten verfrüht sei, aber nach einer langen Diskussion einigte man sich, mit den Plänen fortzufahren, da man viele Jahre benötigen werde, um eine wirksame Kerntruppe ausgebildeter Soldaten für einen Guerillakrieg aufzubauen. Immer noch angeregt von allem, was er erlebt hatte, fuhr er nach Natal, um dem regionalen Kommando in Durban Bericht zu erstatten. Der Theaterdirektor Cecil Williams hatte ihm einen Wagen zur Verfügung gestellt, und sie fuhren los, Mandela als Chauffeur und Williams als Boß.

Nach dem Treffen mit Umkhonto setzte sich Mandela mit M. B. Yengwa in Verbindung, einem alten Freund und einem der ANC-Führer von Natal, der verblüfft und entzückt war, als der hochgewachsene Chauffeur mit dem Namen «David» darum bat, zum «Häuptling» vorgelassen zu werden, wie Lutuli respektvoll und liebevoll genannt wurde. Mandelas Kameraden in Johannesburg hatten schwerwiegende Bedenken gegen seinen Besuch bei Lutuli, hatten jedoch angesichts seiner hartnäckigen Entschlossenheit nachgegeben: «Ich habe es dem Häuptling vor meiner Abreise versprochen. Ich muß ihn sehen», sagte er. Während sie durch Zuckerplantagen nordwärts nach Stanger fuhren, labte sich Yengwa an Mandelas Reiseberichten. Der nächste Morgen war ein Samstag, und mittags traf Lutuli mit ihnen im Haus eines Freundes zusammen.

Es war, dachte Yengwa, wie ein Treffen zwischen Führer und Kommandanten, mit einem Lutuli und einem Mandela, die einander umarmten, außer sich vor Freude über ihr Wiedersehen. Mandela berichtete freimütig und ausführlich über seine Reise. Er wies auf das von einer Reihe führender afrikanischer Politiker geäußerte Unbehagen über das Bündnis des ANC mit Weißen und Indern und über die Tatsache hin, daß einige Kommunisten waren. Soweit Yengwa sich an die Konversation erinnert, vertrat Lutuli den ANC-Standpunkt noch entschlossener als Mandela: Die Menschen müßten begreifen, daß dies die Politik des ANC sei, zu der man sich nach langer Zeit durchgerungen hatte und die in einer Konferenz beschlossen worden war.

Dann kam Lutuli auf die Frage zu sprechen, die ihn schon lange beunruhigte: Umkhontos Ankündigung vom Dezember 1961, der Politik der Gewaltlosigkeit abzuschwören. Lutuli kritisierte, daß man weder ihn noch die ANC-Basis um Rat gefragt habe. Er fühlte sich kompromittiert. Mandela tat das zwar leid, er glaubte aber trotzdem, daß sein Vorgehen taktisch richtig gewesen war. Außerdem wollten sie Lutuli und den ANC davor bewahren, in die drastische Veränderung der politischen Strategie mit hineingezogen zu werden.

Sie trennten sich mit den herzlichsten Glückwünschen für die Zukunft, und am späten Nachmittag fuhr Yengwa mit Mandela nach Durban zurück, geplagt vom unangenehmen Gefühl, sein Passagier könnte im zähflüssigen Stadtverkehr erkannt werden. Nachdem sie sicher ihr Ziel erreicht hatten, bat ihn Mandela um einen Gefallen: Könnte Yengwa ihn zu Winnies Schwester bringen, einer Krankenschwester in einem Tuberkulose-Heim? Nach diesem kurzen Zusammentreffen setzte ihn Yengwa in einer Straße in Durban ab.

Am Sonntag brachen Mandela und Cecil Williams nach Johannesburg auf. Irgendwo in der Nähe der Howick-Fälle wurden sie von drei Polizeiwagen angehalten. Williams sagte später, daß die Polizei anscheinend nicht genau gewußt habe, nach wem sie eigentlich suchte; es sah eher so aus, als hätte sie einen Wink erhalten, daß sich eine sehr wichtige Person in dem Wagen befinde. So also wurde Mandela am 5. August 1962 festgenommen. Er war siebzehn Monate im Untergrund gewesen.

Am darauffolgenden Morgen verließ Winnie das Kinderfürsorgeamt, um in den Außendienst nach Soweto zu gehen, als plötzlich einer der Freunde ihres Mannes auftauchte, der einen völlig aufgelösten und erschöpften Eindruck machte. Sie bemerkte sofort, daß etwas nicht stimmte: Ob Nelson etwas zugestoßen sei, fragte sie.

Nein, antwortete der Mann, aber er würde wahrscheinlich in ein, zwei Tagen vor Gericht erscheinen. Mandela wurde in das Johannesburger Fort gebracht.

«Ein Recht, das unmoralisch, ungerecht, untragbar ist»

1962

«Warum muß ich in diesem Gerichtssaal einem weißen *Richter gegenüberstehen, einem* weißen *Staatsanwalt Rede und Antwort stehen und werde von einem* weißen *Wachbeamten auf die Anklagebank geführt? Kann denn irgend jemand im Ernst glauben, daß in einer solchen Atmosphäre der Gerechtigkeit Genüge getan wird?»*

1962, in London

Die Gänge des Polizeigerichts wimmelten von geschäftigen Polizisten. Unten in den Zellen sahen die Anwälte Harold Wolpe und Joe Slovo, wie Mandela, vom Fort kommend, eintraf. Er lächelte, war zuversichtlich und, wie immer, absolut beherrscht. Später trat «Verwoerds meistgesuchter Mann», wie ihn ein Journalist beschrieb, «gemächlich und dramatisch in Erscheinung, als er die Treppe zum Gericht wie ein gefaßter Racheengel emporstieg.»

Die Verhandlung am 8. August dauerte nur wenige Minuten. Mandela antwortete bei der Nennung seines Namens und lauschte ungerührt den Anklagepunkten: Aufwiegelung afrikanischer Arbeiter zum Streik und Verlassen des Landes ohne gültige Reisedokumente. Ungeachtet aller Verdachtsmomente hatte der Staat nicht die geringsten Beweise, ihm eine Verbindung zu Umkhonto nachzuweisen. In Handschellen wurde er in den Zellentrakt abgeführt. Seine Frau verfolgte von der Zuschauergalerie aus seinen Abgang.

Befreit Mandela! forderten Slogans an den Hausmauern der Townships. Im Ausland gab es zahlreiche Aufrufe für seine Freilassung. Der Londoner *Observer* verfaßte eine Kurzbiographie dieses «Widerstandskämpfers», während Mandela, mittlerweile ins Gefängnis von Pretoria überstellt, eine herzliche Botschaft von Robert Sobukwe, dem PAC-Führer, erhielt, der eine dreijährige Haftstrafe wegen der Organisierung von Demonstrationen gegen die Paßgesetze abbüßte.

In der Erwartung, daß Mandelas Prozeß in Johannesburg stattfinden würde, war ein Fluchtplan ausgearbeitet worden, der ihm ermöglichen sollte, das Land zu verlassen. Die Ankündigung, daß der Prozeß nach Pretoria verlegt werden sollte, vereitelte das Komplott. Er machte sich daran, die Strategie für den Prozeß auszuarbeiten. Entschlossen, das Gericht anzufechten, teilte er Wolpe und Slovo mit, daß er selbst seine Verteidigung übernehmen werde.

In Addis Abeba hatte Mandela vorausgesagt, daß Südafrikas neuer Justizminister «schrecklichere Schläge austeilen» werde. Nun brachte dieser Minister, J. B. M. Vorster (der während des Zweiten

Weltkriegs wegen nazistischer Betätigung interniert worden war), ein «Sabotage»-Gesetz ein. Der Begriff Sabotage wurde sehr weit gefaßt: Zum Beispiel zählten Besitzstörung und illegaler Waffenbesitz dazu. Die Mindeststrafe betrug fünf Jahre; die Höchststrafe war der Tod. In Südafrika reagierten sowohl Schwarze als auch Weiße mit Empörung, während die Internationale Juristenkommission kritisierte, daß das Gesetz die Freiheit des Bürgers in einem Ausmaß einschränke, «das von den extremsten Diktaturen von links und rechts nicht übertroffen werde». Und der Minister erweiterte seine Bannbefugnisse. Es wurde eine strafbare Handlung, wenn eine gebannte Person mit einer anderen Kontakt aufnahm (gebannte Ehemänner und Ehefrauen mußten um Ausnahmebewilligungen ansuchen); wenn eine gebannte Person Besucher empfing; wenn sie sich nicht regelmäßig bei der Polizei meldete; wenn sie etwas publizierte. Und jeder machte sich strafbar, der Schriften oder mündliche Äußerungen einer gebannten Person veröffentlichte. Bald schon machte sich eine gebannte Person strafbar, wenn sie mit mehr als einer Person gleichzeitig zusammenkam. Die erste Liste frisch gebannter Personen umfaßte 52 Weiße, 35 Afrikaner, 9 Farbige und 6 Inder.

Die schlimmste Einschränkung jedoch war der Hausarrest. Helen Joseph, die kurz zuvor über das elende Leben, das die Gebannten führen mußten, geschrieben hatte, zählte zu den ersten, die unter Hausarrest gestellt wurden: Jede Nacht, an den Wochenenden und an öffentlichen Feiertagen war sie an ihr Haus gefesselt. Walter Sisulu war einer jener, die unter vierundzwanzigstündigen Hausarrest gestellt wurden.

Polizeiliche Überwachung, Razzien und Verhaftungen waren an der Tagesordnung. Als sich die Proteste gegen Mandelas Verhaftung verstärkten, verbot der Minister während der Dauer seines Prozesses alle Versammlungen, die sich auf ihn bezogen. Dennoch versammelten sich Menschenmengen vor der alten Synagoge in Pretoria, um auf Mandelas Erscheinen am 22. Oktober zu warten. Das Gericht war von Polizisten und Schaulustigen überfüllt, darunter auch Winnie Mandela in einem Xhosa-Kleid. Erst vor neunzehn Monaten war Mandela mit den anderen Angeklagten im Hochverratsprozeß am selben Ort gestanden, um den Freispruch des Richters für sie alle entgegenzunehmen. Als er jetzt den Gerichtssaal betrat, bekleidet mit einer Robe aus Schakalfell, einem Geschenk seiner Leute, erhoben sich Zuschauer und Presseleute. Mit erhobener Faust rief er *Amandla!* und die Menge antwortete *Ngawethu!* (Die Macht! Dem Volk!).

«Ich hoffe zeigen zu können», sagte er dem Polizeirichter, «daß der vorliegende Fall ein Prozeß gegen die Bestrebungen des afrikanischen Volkes ist, und aus diesem Grund hielt ich es für besser, meine Verteidigung selbst zu übernehmen.»

Dann stellte er einen Antrag auf Ablehnung des Gerichts wegen Befangenheit, nicht, weil er, wie er auseinandersetzte, die Integrität des Richters bezweifelte, sondern weil er dem Gericht die Kompetenz absprach, den Fall zu verhandeln. «Ich betrachte mich weder gesetzlich noch moralisch verpflichtet, Gesetze zu befolgen, die von einem Parlament beschlossen wurden, in dem ich keine Vertretung habe. In einem politischen Prozeß wie diesem, der ein Aufeinanderprallen der Bestrebungen des afrikanischen Volkes und der Weißen darstellt, können die Gerichte des Landes in ihrer gegenwärtigen Form nicht unparteiisch und gerecht sein.»

Seine Autorität und seine Glaubwürdigkeit waren so groß, daß die Polizei, normalerweise gelangweilt oder verächtlich, aufmerksam zuhörte. «Gleichheit vor dem Gesetz», sagte er, sei eine sinnlose Phrase, und er führte andere, von den Weißen monopolisierte Rechte und Privilegien an:

> «Es ist durchaus angebracht, die Frage zu stellen, was diese strikte Rassentrennung in der Justizverwaltung bedeutet? Warum muß ich in diesem Gerichtssaal einem *weißen* Richter gegenüberstehen, einem *weißen* Staatsanwalt Rede und Antwort stehen und werde von einem *weißen* Wachebeamten auf die Anklagebank geführt? Kann irgend jemand aufrichtig und im Ernst meinen, daß in dieser Atmosphäre der Gerechtigkeit Genüge getan wird? Ich fühle mich durch die Atmosphäre weißer Vorherrschaft, die überall in diesem Gerichtssaal lauert, unterdrückt. Irgendwie ruft diese Atmosphäre das unmenschliche Unrecht in Erinnerung, das meinem Volk außerhalb dieses Gerichtssaales von derselben weißen Vorherrschaft zugefügt wird.
>
> Sie erinnert mich daran, daß ich kein Stimmrecht habe, weil es in diesem Land ein Parlament gibt, in dem nur Weiße sitzen. Ich habe kein Land, weil die weiße Minderheit den Löwenanteil meines Landes genommen und mich gezwungen hat, armselige, überbevölkerte und überweidete Reservate zu bewohnen. Wir werden von Hungersnöten und Krankheit heimgesucht.»

Der Richter mischte sich ein: Was Hungersnöte mit dem Fall zu tun hätten? Der Angeklagte müsse sich auf die tatsächlichen Begründungen für den Antrag auf Ablehnung wegen Befangenheit beschränken.

Mandela stellte die Frage: «Wie kann man von mir erwarten, darauf zu vertrauen, daß eben jene Rassendiskriminierung, die in all den Jahren die Ursache von so großem Unrecht und Leid gewesen ist, nun hier bewirken sollte, daß ich einen fairen und offenen Prozeß erhalte?»

Er war sich bewußt, daß südafrikanische Gerichte in vielen Fällen das Recht des afrikanischen Volkes verteidigt hatten, für demokratische Veränderungen zu wirken, und daß Justizbeamte diskriminierende Maßnahmen sogar offen kritisiert hatten.

> «Aber solche Ausnahmen gibt es trotz und nicht wegen des grotesken Justizsystems, das in diesem Land errichtet wurde. Diese Ausnahmen liefern jedoch einen anderen Beweis, daß es selbst unter der weißen Bevölkerung des Landes ehrliche Menschen gibt, deren Gefühl für Fairneß und Gerechtigkeit sich gegen die Grausamkeit auflehnt, die von ihren weißen Brüdern an unserem Volk begangen wird ... Es wäre jedoch ein schlechter Kommandant, der sich für seine Siege auf die wenigen Soldaten im feindlichen Lager verlassen würde, die mit seiner Sache sympathisierten. Ein tüchtiger Feldherr setzt sein Vertrauen ausschließlich auf seine eigene Schlagkraft und auf die Gerechtigkeit seiner Sache, die er kompromißlos bis zum bitteren Ende verfolgen muß.»

«Ich hasse Rassendiskriminierung zutiefst und in all ihren Ausdrucksformen», fuhr er fort, und seine rechtliche Argumentation konnte sich seiner Gefühlsbewegung nicht erwehren. «Ich habe sie mein Leben lang bekämpft; ich bekämpfe sie heute und werde sie bis ans Ende meiner Tage bekämpfen.»

> «Obwohl heute zufällig jemand über mich zu Gericht sitzt, für dessen Überzeugung ich eine hohe Wertschätzung hege, verabscheue ich zutiefst die Umgebung, in der ich mich hier befinde. Sie vermittelt mir das Gefühl, daß ich ein schwarzer Mann in einem Gericht des weißen Mannes bin. Das dürfte nicht sein. Ich sollte mich völlig unbefangen fühlen, in der Gewißheit, daß ich von einem südafrikanischen Mitbürger vor Gericht gestellt werde, der mich nicht für ein zweitklassiges Wesen hält, das auf eine spezielle Art von Gerechtigkeit Anspruch hat.»

Im weiteren Verlauf seiner Ausführungen wies er darauf hin, daß die Weißen Südafrikas es für recht und billig hielten, eine Politik zu verfolgen, die das Gewissen der Menschheit und aller rechtschaffenen und anständigen Menschen in der ganzen zivilisierten Welt mit Füßen tritt.

> «Sie unterdrücken unsere Bestrebungen, verriegeln uns das Tor zur Freiheit und verweigern uns die Möglichkeit, unseren moralischen und materiellen Fortschritt voranzutreiben, uns gegen Angst und Not zu sichern. Alle guten Dinge des Lebens sind den Weißen vorbehalten, und von uns Schwarzen wird erwartet, uns mit den Abfällen vom Tisch der Weißen zufrieden zu geben. Das ist der Maßstab des weißen Mannes von Gerechtigkeit und Fairneß. Darin besteht seine Auffassung von Ethik ...
>
> Wir jedoch betrachten den Kampf gegen die Rassendiskriminierung und für das Streben nach Freiheit und Glück als das höchste Anliegen aller Menschen. Durch bittere Erfahrungen haben wir gelernt, den weißen Mann als einen gefühllosen und unbarmherzigen Menschentyp zu betrachten, dessen Mißachtung unserer Rechte und dessen völlige Gleichgültigkeit gegenüber unserem Wohlergehen bewirken, daß seine Beteuerungen uns sinnlos und scheinheilig erscheinen.»

Zum Abschluß seines Antrags drückte Mandela seine Zuversicht aus, der Richter möge den Einspruch nicht für leichtfertig halten. Er habe offen und ehrlich gesprochen, weil die Ungerechtigkeit, auf die er hingewiesen hatte, den Keim einer überaus gefährlichen Situation in sich berge.

Der Staatsanwalt brachte vor, daß Mandelas Antrag rechtlich unbegründet sei, und der Richter schloß sich ihm an und lehnte den Antrag ab. «Würden Sie sich nun zu Ihren Anklagepunkten äußern?» fragte er Mandela.

«Ich bekenne mich in beiden Anklagepunkten, in allen Anklagepunkten nicht schuldig.» Und Mandela übernahm weiter seine Verteidigung. Die Zeugen – Polizisten, Township-Verwalter, Journalisten und Drucker – erbrachten detaillierte Beweise für die Vorbereitungen für den landesweiten Streik vom Mai 1961.

Unter ihnen war der Privatsekretär des Premierministers Dr. Verwoerd. Mandelas Kreuzverhör konzentrierte sich auf den Brief, den er am 24. April 1961 dem Premierminister geschrieben hatte. Der Sekretär erinnerte sich an den Brief und gab zu, daß der Premierminister ihn nicht beantwortet hatte. Unwillig räumte er ein,

Die Bücher kosten nur noch ein Fünftel ihres früheren Preises …

daß der Brief Fragen von entscheidender Bedeutung für die afrikanische Bevölkerung, die Freiheitsrechte und die bürgerlichen Freiheiten zur Sprache brachte.

Es sei «skandalös», meinte Mandela, daß ein Premierminister von einem Brief keine Notiz nehmen sollte, der so wichtige Fragen aufwerfe. Er habe ihn nicht ignoriert, beharrte der Sekretär, und als Mandela weiter forschte, verriet er, daß der Brief an das Justizministerium weitergeleitet worden sei. Warum also, fragte Mandela, hatte man ihm nicht die Gunst einer Empfangsbestätigung und einer Verständigung gewährt, daß der Brief weitergeleitet worden sei?

«Der ganze Ton des Briefes», lautete die Erklärung.

«Der Ton des Briefes, in dem eine Nationalversammlung für alle Südafrikaner gefordert wurde?» beharrte Mandela. «Das ist nichts, worauf Ihr Premierminister jemals reagieren könnte?» Er bekam keine klare Antwort. «Ich möchte Ihnen etwas sagen», fuhr Mandela fort: «Dadurch, daß er auf diesen Brief nicht reagiert hat, erfüllt Ihr Premierminister nicht einmal die Mindestanforderungen, die man von einem Menschen in einer solchen Position erwarten kann.»

Eine Nationalversammlung könnte das Land vor wirtschaftlichem Chaos und Untergang und vor Bürgerkrieg und Verbitterung bewahren, so hatte er in einem anderen Brief an Verwoerd argumentiert, den er am 26. Juni 1961 abgesandt hatte. Wieder gab der Sekretär des Premierministers zu, daß er nicht beantwortet worden sei.

Die Polizei, die ihr völliges Versagen während des Ausgehstreiks demonstriert hatte, stellte nun ihren Erfolg unter Beweis. Vom Staatsanwalt wurden Zeitungen vorgelegt, die beweisen sollten, daß Mandela im Februar in Addis Abeba gewesen war und daß er ohne ein gültiges Reisedokument ausgereist sei.

Die Anklage endete mit dem Plädoyer des Staatsanwalts für einen Schuldspruch in beiden Anklagepunkten. Die Personen, die laut dem ersten Anklagepunkt zum Protest «aufgewiegelt» wurden, wurden in drei Kategorien eingeteilt: «Arbeitnehmer in lebenswichtigen Betrieben, die dem Streikverbot unterworfen sind; afrikanische Minenarbeiter, denen es gesetzlich verboten ist, ihren Arbeitsplatz ohne Bewilligung zu verlassen oder ihm fernzubleiben;

alle Hausangestellten, außer Landarbeitern, denen es gesetzlich untersagt ist, sich vom Grundstück ihrer Herrschaft zu entfernen.»

«Haben Sie noch eine Frage?» fragte der Richter.

Mandela verkündete: «Euer Ehren, ich erkläre hiermit, daß ich keines Verbrechens schuldig bin.»

«Ist das alles, was Sie zu sagen haben?»

«Euer Ehren, mit allem Respekt», antwortete er, «wenn ich noch etwas zu sagen hätte, hätte ich es gesagt.»

Am 25. Oktober wurde Mandela in beiden Anklagepunkten für schuldig befunden.

Der Richter hatte keinen Zweifel, daß er der «Anführer, der Anstifter, die Galionsfigur, der wichtigste Wortführer und das geistige Haupt» jener Organisation (war), die im Jahre 1961 zum landesweiten Streik aufgerufen hatte. Seine Aktivitäten seien nicht nur gesetzwidrig, sondern auch undemokratisch. Er zeige keine Reue, sondern scheine auf seine Heldentaten stolz zu sein. Er habe in unmißverständlichen Worten erklärt, er würde, wie das Urteil auch immer aussehen möge, seine Aktivitäten fortsetzen. «Wir leben unter abnormen und schwierigen Verhältnissen», fügte der Richter hinzu, und wenn «Recht und Ordnung» nicht aufrechterhalten werden, würde Anarchie ausbrechen; das Gericht kümmere sich nicht um Politik, sondern um die Wahrung von Recht und Ordnung. Eine Begeisterung ging durch den Gerichtssaal, als Mandela sich anschickte, sein Plädoyer für ein milderes Urteil zu halten. Seine Tante und andere Verwandte aus der Transkei – alle in Xhosa-Kleidung – waren mit Winnie gekommen. Draußen wimmelte die Straße von Polizei, die die Menschenmassen zurückdrängte. Einer schrie schwarze Prozeßbeobachter an, die das Gericht verließen, um auf die Toilette zu gehen: *«Jy kannie hier rond loop nie, dis nie ‹a bioscope› nie!»* («Sie können hier nicht so rumlaufen, das ist kein Kino!») Wie immer, wenn er den Gerichtssaal betrat, begrüßten die Zuhörer Mandela, indem sie sich erhoben und ein *Amandla! Ngawethu!* austauschten.

Von der Anklagebank aus machte er sein politisches Testament. Hatte er vorher «die Herrschaft der Weißen» angeklagt, so war er nun bereit, von seiner Rolle beim Streikaufruf zu sprechen:

> «Als Sekretär des Aktionsrates hatte ich die Aufgabe, den organisatorischen Apparat aufzubauen, der für die Verbreitung der Beschlüsse der Konferenz von Pietermaritzburg sowie für die Durchführung der Agitations-, Publicity- und Organisationskampagne notwendig war, die sich daraus ergeben würde. Das Gericht ist davon unterrichtet, daß ich von Beruf Rechtsanwalt bin, und vermutlich wird man mir die Frage stellen, warum ich als Anwalt, der von Berufs wegen verpflichtet ist, die Gesetze des Landes einzuhalten und seine Sitten und Gebräuche zu respektieren, mich bereitwillig in den Dienst einer Kampagne stellte, deren höchstes Ziel die Organisierung eines Streiks gegen die erklärte Politik der Regierung dieses Landes war.»

Zum näheren Verständnis erläuterte er für das Gericht den Hintergrund seiner politischen Entwicklung seit den Tagen, als er als kleiner Junge den Stammesältesten lauschte, die von den Heldentaten ihrer Vorfahren bei der Verteidigung des Vaterlandes erzählten, als das Land dem ganzen Stamm gehört hatte, als es noch keine Klassen gab und als alle Stammesangehörigen an den Beratungen teilnehmen durften. Das sei die Inspiration gewesen, die ihm und seinen Mitkämpfern auch heute noch Kraft für den Kampf gäbe.

Seit er sich 1944 dem ANC angeschlossen habe, habe er achtzehn Jahre lang dessen Politik befolgt und an dessen Ziele und Zukunftsvisionen geglaubt. Die Politik des ANC rühre an seine tiefsten inneren Überzeugungen. «Der ANC strebte nach der Einheit aller Afrikaner», sagte er, «ungeachtet der Stammesunterschiede. Er strebte nach der politischen Machtergreifung der Afrikaner in ihrem Heimatland und war der Überzeugung, daß alle Menschen ungeachtet ihrer Nationalität und ihrer Hautfarbe, daß alle Menschen, deren Heimat Südafrika ist und die an die Grundsätze der Demokratie und der Gleichheit aller Menschen glauben, als Afrikaner betrachtet werden sollten.»

Er zitierte aus der Freiheitscharta, «das demokratischste Programm politischer Prinzipien, das je in Südafrika verkündet wurde», Prinzipien, die nicht nur vom afrikanischen Volk, sondern auch von den Kongressen der Inder, der Farbigen und der Weißen angenommen worden seien, die alle der Forderung nach gleichem Wahlrecht für alle zugestimmt hatten.

Auf seinen Beruf als Rechtsanwalt zurückkommend, beschrieb er die Schwierigkeiten, die ihm als Schwarzem in den Weg gelegt wurden, und die Auswirkungen der Rassenschranken innerhalb des Justizsystems:

«Ich betrachtete es als meine Pflicht, die ich nicht nur meinem Volk, sondern auch meinem Beruf, der Rechtspraxis und der Gerechtigkeit für die gesamte Menschheit schuldig bin, mich gegen diese Diskriminierung aufzulehnen, die zutiefst ungerecht ist und den Grundlagen von Gerechtigkeit widerspricht, die Bestandteil der Tradition der Rechtsausbildung in diesem Lande sind. Ich war überzeugt, daß ich, indem ich gegen diese Ungerechtigkeit Widerstand leistete, die Würde eines achtbaren Berufs hochhielt.»

Der Konflikt, den er als Rechtsanwalt erfahren hatte, sei nicht nur für Südafrika typisch, sagte er. Diesen Konflikt hätten Menschen mit Gewissen, Menschen, die nicht nur oberflächlich dächten und fühlten, in jedem Land. In Südafrika jedoch ist «das Recht, wie es angewendet wird, das Recht, wie es sich allmählich geschichtlich entwickelt hat, und besonders das Recht, wie es von der nationalistischen Regierung ersonnen und niedergelegt wurde, ein Recht, das unserer Ansicht nach unmoralisch, ungerecht und untragbar ist. Unser Gewissen gebietet uns, daß wir dagegen protestieren, daß wir es bekämpfen und daß wir eine Änderung anstreben.»

Fünfzig Jahre lang habe der ANC für die Übel und Probleme des Landes friedliche Lösungen gesucht und nur Ignoranz und Verachtung geerntet.

Mandelas Kritik an dem Verhalten der Regierung bei der Zerschlagung des gewaltlosen Streiks gilt für alle politischen Gefangenen, für all jene, die ohne Anklage eingesperrt sind, sich in Einzelhaft befinden, auf Gnade oder Ungnade ihren Peinigern ausgeliefert:

«Die Regierung nahm sich vor ... uns weder zu achten noch zu beachten, nicht mit uns zu sprechen, sondern uns vielmehr als wilde, gefährliche Revolutionäre abzustempeln, die es nur auf Krawalle und Aufruhr abgesehen haben und gegen die es kein anderes Rezept gab als die Aufbietung einer überwältigenden Streitmacht und der Einsatz jedes nur erdenklichen Zwangsmittels, ob legal oder illegal, um unsere Stimme zum Schweigen zu bringen. Die Regierung verhielt sich so, wie es keine zivilisierte Regierung wagen könnte, die mit einer friedlichen, disziplinierten, vernünftigen und demokratischen Meinungsäußerung ihrer eigenen Bevölkerung konfrontiert ist ...

Wenn in dieser Zeit die Gefahr bestand, daß die Situation in Gewalt umkippen könnte, dann wäre sie das Werk der Regierung gewesen. Sie bereitete den Boden für Gewalt, indem ihre einzige Antwort auf die Forderungen unseres Volkes Gewalt war. Die von ihr ergriffenen Gegenmaßnahmen spiegelten das wachsende Unbehagen wider, das aus der Einsicht erwuchs, daß ihre Politik – im Gegensatz zu unserer – nicht die Unterstützung der Mehrheit der Bevölkerung hatte. Es stand außer Zweifel, daß die Regierung versuchte, der Kraft unserer Kampagne mit einer Offensive des Terrors zu begegnen.

Die Ereignisse haben in diesem Fall bestätigt, daß [unsere Kampagne] ein beträchtlicher Erfolg war ... Wenn der Streik am Ende doch nicht die erhoffte Resonanz erzielte, so nicht deshalb, weil die Leute nicht wollten, sondern weil die gewaltige Übermacht der Regierung es vorläufig erreichte, uns gegen unseren Willen und gegen unser Gewissen zur Unterwerfung zu zwingen.»

Er wies auf die lange Liste der gewalttätigen Übergriffe aller südafrikanischen Regierungen hin: das Massaker von Bullhoek im Jahre 1921 und das Massaker von Bondelswarts in Südwestafrika im Jahre 1924. «Die Gewalt des Staates», sagte er, «bewirkt nur eines: Gegengewalt. Wir haben wiederholt davor gewarnt, daß die Auseinandersetzung zwischen der Regierung und meinem Volk schließlich zu einer gewaltsamen Lösung führen würde. Es gibt schon Anzeichen dafür.»

Anderswo in der Welt hätte ein Gericht gesagt: «Sie hätten bei der Regierung protestieren müssen.» Er war sicher, daß dieses Gericht so etwas nicht sagen würde, und so war es.

Das Gericht würde auch nicht sagen, sein Volk solle stillhalten. «Die Menschen sind nicht imstande, stillzuhalten, über Unrecht zu schweigen, Unterdrückung hinzunehmen, auf den Kampf für eine bessere Gesellschaft und ein schöneres Leben nach ihren Vorstellungen zu verzichten. Sie werden es auch in diesem Land nicht tun.»

Und wenn das Gericht sagte, sie sollten sich zumindest an den Buchstaben des Gesetzes halten, so war es doch die Regierung selbst und ihre Rechtspflege, die das Gesetz in Mißkredit und Verruf gebracht habe. Mandela erläuterte das an Hand seiner wiederholten Bekanntschaft mit dem Bann, dem nie ein Prozeß und eine rechtskräftige Verurteilung vorangegangen waren. «Ist es da verwunderlich, daß ein solcher Mensch, der von der Regierung für vogelfrei erklärt wurde, nicht auch tatsächlich bereit sein sollte, das Leben eines Vogelfreien zu führen, wie ich es einige Monate lang geführt habe, wie es die Zeugenaussagen vor diesem Gericht belegen?»

Winnie, seine Frau, die bald selbst wiederholt gebannt und verfolgt werden sollte, hörte ihn sagen:

«Es ist mir in den vergangenen Monaten nicht leichtgefallen, von meiner Frau und meinen Kindern getrennt zu leben, den guten alten Tagen Lebewohl zu sagen, als ich mich am Ende eines anstrengenden Tages in der Kanzlei auf ein Wiedersehen mit meiner Familie beim Abendbrot freuen konnte, und statt dessen das Leben eines ständig von der Polizei gehetzten Mannes zu führen, weitab von seinen Lieben und im eigenen Land dauernd der Gefahr ausgesetzt, aufgespürt und eingesperrt zu werden.

Dieses Leben war unendlich viel schwerer als die Verbüßung einer Haftstrafe. Niemand, der seine fünf Sinne beisammen hat, würde freiwillig ein solches Leben auf sich nehmen und einem normalen Familien- und gesellschaftlichen Leben vorziehen, wie es in jedem zivilisierten Land die Regel ist.

Aber es kommt der Zeitpunkt, wie es in meinem Leben war, wo ein Mensch nicht mehr das Recht hat, ein normales Leben zu führen, wo er nur das Leben eines Ausgestoßenen führen kann, weil sich die Regierung entschieden hat, das Gesetz dazu zu mißbrauchen, ihn für vogelfrei zu erklären. Ich wurde in diese Situation hineingezwungen, und ich bedauere meine Entscheidung nicht...

Seit der Konferenz von Pietermaritzburg wurde eine Menge geschrieben und noch mehr seit meiner Verhaftung, wovon vieles meinem Selbstgefühl schmeichelt und mir viel bedeutet, vieles jedoch ist fehlerhaft und falsch. Es wurde die Ansicht geäußert, daß die Fortschritte, das politische Bewußtsein unseres Volkes, die Erfolge, die wir erzielen, und die sowohl hier als auch im Ausland geerntete Anerkennung, in gewisser Weise Früchte meiner Arbeit seien. Ich möchte hier ausdrücklich festhalten, daß ich nur einer aus einem riesigen Heer von Menschen gewesen bin, denen allen gemeinsam das Verdienst für jeden Erfolg und Fortschritt gebührt.»

Auf den zweiten Anklagepunkt eingehend, gab er eine knappe Schilderung seiner Reise durch Afrika. Er war heimgekehrt, um seinen Mitarbeitern Bericht zu erstatten.

«Ich bin bereit, die Strafe auf mich zu nehmen, obgleich ich weiß, wie bitter und verzweifelt das Schicksal eines Afrikaners in den Gefängnissen dieses Landes ist. Ich kenne diese Gefängnisse, und ich weiß, wie schlimm die Afrikaner auch hinter Gefängnismauern behandelt werden, um wieviel schlechter es ihnen ergeht als den weißen Häftlingen.

Dennoch werden diese Zustände weder mich noch andere, die wie ich denken, vom eingeschlagenen Weg abbringen. Denn die Freiheit im eigenen Land ist für uns das Ziel aller Wünsche, von dem Menschen mit einer festen Überzeugung durch nichts abzubringen sein werden. Weit stärker als meine Angst vor den schrecklichen Bedingungen, denen ich möglicherweise ausgesetzt sein werde, ist mein Abscheu vor den schrecklichen Bedingungen, denen mein Volk außerhalb des Gefängnisses überall in diesem Land ausgesetzt ist.»

Seinen Abscheu vor der Rassendiskriminierung brachte er leidenschaftlich zum Ausdruck: Die systematische Prägung der Kinder mit Rassenvorurteilen, die Rassenarroganz, die verfügt, daß die guten Dinge des Lebens als ausschließliches Recht einer Minderheit der Bevölkerung vorbehalten sein sollen, während die Mehrheit auf die Stellung minderwertiger Untertanen reduziert wird und als Leibeigene ohne Stimmrecht arbeiten und funktionieren soll, wo und wie es die herrschende Minderheit befiehlt.

«Ich fühle mich in diesem Abscheu durch die Tatsache bestärkt, daß die überwältigende Mehrheit der Menschen sowohl in diesem Land als auch im Ausland auf meiner Seite steht. Was immer dieses Gericht für mich verfügen wird, nichts wird in mir diesen Abscheu ändern können als die Beseitigung des Unrechts und der Unmenschlichkeit, die ich aus dem politischen, sozialen und wirtschaftlichen Leben dieses Landes tilgen wollte.

Welche Strafe auch immer Euer Ehren für das Verbrechen vorsieht, für das ich von diesem Gericht verurteilt werde, so kann ich Ihnen versichern, daß ich auch nach Abbüßung meines Urteils immer noch auf mein Gewissen hören werde. Ich werde auch nach Abbüßung meiner Strafe immer noch Widerwillen gegen die Rassendiskriminierung in diesem Land empfinden und werde, so gut ich eben kann, den Kampf für die Beseitigung dieses Unrechts wiederaufnehmen, bis es schließlich ein für allemal getilgt sein wird.»

Am 6. November, einen Tag vor der Urteilsverkündung, stimmte die Generalversammlung der Vereinten Nationen erstmals mit 67 zu 16 Stimmen bei 23 Enthaltungen für Sanktionen gegen Südafrika; es war zwar nicht die zur Erreichung von bindender Wirksamkeit im Sicherheitsrat vorgeschriebene Mehrheit, aber es war ein Beginn. In jener Nacht wurden in den Townships von Port Elizabeth Sabotageakte verübt.

Am 7. November wurde Mandela zu fünf Jahren Kerker, verschärft durch Schwerarbeit, verurteilt: drei Jahre für «Aufwiegelung» zum Streik und zwei für Verlassen des Landes ohne gültige Reisedokumente.

«Ich zweifle nicht daran, daß die Nachwelt meine Unschuld bestätigen wird», sagte er, «und daß die wahren Verbrecher, die man vor dieses Gericht hätte stellen müssen, die Mitglieder der Regierung Verwoerd sind.»

Als er das Gericht verließ, wiederholte er dreimal den Ruf *Amandla!*, und dreimal erscholl tosend die Antwort *Ngawethu*. Er wurde in einem Polizeiwagen abtransportiert, und die Menge bewegte sich, ohne das Demonstrationsverbot zu beachten, teils marschierend, teils tanzend durch die Straßen und sang «Tshotsholoza Mandela» («Kämpf weiter, Mandela»).

Winnie Mandela hatte gelächelt und gemeinsam mit anderen Zuhörern im Gerichtssaal «Nkosi Sikelel' iAfrika» gesungen. Nachher gab sie gegenüber der linken Zeitung *New Age*, die kurz darauf verboten werden sollte, eine Erklärung ab: «Ich werde den Kampf fortsetzen, so wie ich es in jeder Hinsicht in der Vergangenheit getan habe.» Zeni und Zindzi, sagte sie, seien noch zu jung, um zu verstehen:

> «Die Ältere weiß nur, daß ihr Vater von der Polizei abgeholt wurde ... Ich werde in den kommenden Jahren sicherlich unter einer großen nervlichen Belastung leben, aber diese Art Leben ist schon zu einem normalen Bestandteil meines Lebens geworden. Ich habe Nel 1958 geheiratet ... Er war damals Angeklagter in einem Hochverratsprozeß, und ich war mir bewußt, daß ihn sogar ein Todesurteil erwarten konnte. Die größte Ehre, die ein Volk einem Mann hinter Gittern erweisen kann, besteht darin, die Flamme der Freiheit am Leben zu erhalten, den Kampf fortzusetzen. Wie mein Mann treffend sagte: Das Leiden im Gefängnis ist nichts, verglichen mit dem Leiden außerhalb des Gefängnisses. Unser Volk leidet innerhalb und außerhalb der Gefängnisse. Aber Leiden allein genügt nicht. Wir müssen kämpfen.»

Mandela trat seine Haft im Zentralgefängnis von Pretoria an, einem mit vielen Türmchen versehenen Backsteinbau aus der Kolonialzeit; er trug Gefängniskluft, eine ausgebeulte kurze Hose, einen Uniformrock und Sandalen. Die kleine mit einem Betonboden versehene Zelle war mit einer Filzmatte, einem Toiletteneimer, einer Emailschüssel und einem Krug ausgestattet. Vor Tagesanbruch von Alarmglocken und auf Afrikaans gebrüllten Befehlen aufgeweckt, machte er wie gewohnt seine zur strikten Routine gewordenen Morgenübungen. Das Hauptnahrungsmittel war *mealiepap;* Mittagessen gab es um 10 Uhr 45 und Abendessen um 15 Uhr. Einen großen Teil des Tages verbrachte er mit dem Nähen von Postsäcken.

Einer seiner Mithäftlinge war Yusuf Omar von der Unity Movement (Einigungsbewegung), der sich an ihre erste Begegnung erinnerte, als Mandela mit anderen Mitgliedern der Jugendliga eine Zusammenkunft der Bewegung gesprengt und Mandela ihm ein blaues Auge verpaßt hatte – eine Erinnerung, die sie ungeheuer belustigte. Auch Sobukwe und ein anderer PAC-Führer, A. B. Ngcobo, drehten im Gefängnishof ihre Runden. Während sie paarweise marschierten, unterhielten sie sich über den Kampf und ihre jeweiligen Weltanschauungen – Omar erinnert sich an Mandelas Aufgeschlossenheit und daran, wie beeindruckt er von der muslimischen Idee der Bruderschaft war. Ngcobo erzählt von seiner großen Bewunderung für Shakespeare und wie er bessere Bücher für die Bibliothek forderte.

«Mandela erhielt uns lebendig und den Glauben an uns selbst», sagt Omar. «Er war stark wie ein Löwe.» Ganz überraschend kam auch Sisulu zu ihnen, wurde aber schon nach wenigen Tagen freigelassen. Am 18. Mai 1963 wurde Mandela unter scharfer Bewachung von Pretoria weggebracht.

1961

«Die Regierung müßte auf der Anklagebank sitzen, nicht ich!»

1963–1964

«Ich habe am Ideal einer demokratischen und freien Gesellschaft festgehalten, in der alle Menschen in Eintracht und mit gleichen Chancen zusammenleben. Es ist ein Ideal, für das ich lebe und das ich zu erreichen hoffe. Aber sollte es sich als notwendig erweisen, wird es ein Ideal, für das ich zu sterben bereit bin.»

Mandela wurde in das Hochsicherheitsgefängnis auf Robben Island verlegt, die Strafkolonie vor der Küste Kapstadts, wo er in Einzelhaft kam.

Auf dem Festland ging die Sabotage weiter, und bis Mitte 1963 wurden etwa 200 Sabotageakte verübt, viele davon von Umkhonto-Leuten im Ostkap. Im Westkap und in der Transkei markierten die Ermordung einer Handvoll Weißer und Zusammenstöße mit der Polizei das Auftauchen von Poqo (Alleingang), einem Ableger des PAC.

Am 1. Mai wurde das 90-Tage-Vorbeugehaftgesetz verabschiedet. Vorsters Sicherheitspolizei konnte Leute ohne Prozeß, in Einzelhaft und ohne Kontakt nach außen bis zu 90 Tage lang festhalten, ein Zeitraum, der auch ausgedehnt werden konnte – bis «diesseits der Ewigkeit», wie Vorster bemerkte –, währenddessen sie Verhöre durchführten, bis sie «befriedigende» Antworten erhielten. Hunderte Männer und Frauen verschwanden in Gefängnissen und Polizeizellen, um einer «Folter durch Brechen der Gesinnung», wie es ein Abgeordneter der Opposition nannte, unterzogen zu werden. Schon gab es Anzeichen physischer Folter – Elektroschock, Strangulierung, wiederholtes Zusammenschlagen –, und im September gab es den ersten politischen Häftling, der während des Verhörs starb – Looksmart Solwandle Ngudle, ein ANC-Mitglied aus Kapstadt.

Die drastischen Maßnahmen gegen alle, die verdächtigt wurden, illegalen Organisationen anzugehören, wurden verstärkt: von fünf Jahren Haft bis zur Todesstrafe für das Anstreben von Veränderungen «auf gewaltsamem Wege», für die Absolvierung einer Ausbildung oder die Beschaffung von Informationen, die der «Förderung der Ziele» des Kommunismus oder einer illegalen Organisation dienlich sind. Als Vorster einige Monate vorher eine Liste angeblicher Kommunisten zusammengestellt hatte, waren darunter insgesamt 308 «Nichtweiße» und 129 Weiße.

Politische Gefangene, die ihre Haftstrafen verbüßt hatten, konnten jederzeit wieder eingesperrt werden; ein Gesetz, das sich gegen Robert Sobukwe richtete, der nach Verbüßung einer dreijährigen Haftstrafe nach Robben Island gebracht wurde, wo er alleine in einer kleinen Hütte festgehalten wurde.

Die einzige Abgeordnete, die gegen diese Polizeistaatgesetze konsequent opponierte, war Helen Suzman, ein Symbol für die vereinzelten Weißen – Rechtsanwälte, Kirchenleute, Gewerkschafter und Akademiker –, die eine humanere Gesellschaft anstrebten. Eine Gruppe junger Weißer mit ein oder zwei farbigen Verbündeten, die sich auf Sabotage einließen, wurden bald aufgegriffen; sie erhielten 90-Tage-Vorbeugehaft oder flohen außer Landes.

Walter Sisulu wurde ständig belästigt. Im Laufe des Jahres 1962 wurde er sechsmal verhaftet, dann wegen Förderung der Ziele des ANC und seiner Rolle bei der «Aufwiegelung» des Ausgehstreiks von 1961 zu sechs Jahren Haft verurteilt; er legte Berufung ein, wurde gegen Kaution freigelassen und tauchte am 20. April 1963 unter. Zwei Monate später wurde seine Frau Albertina nach dem 90-Tage-Gesetz verhaftet.

Am 12. Juli machte die Staatssicherheitspolizei ihren spektakulärsten Coup: Sisulu und acht weitere Männer wurden im selben Haus in Rivonia außerhalb von Johannesburg festgenommen, in dem sich Mandela im Untergrund aufgehalten hatte. Es wurde angenommen, daß die Polizei die Information einem in neunzigtägiger Vorbeugehaft festgehaltenen Mann durch Einschüchterung und Bestechung entlockt hatte, aber zweifellos begannen sich einige Leute im politischen Kollektiv in Rivonia allzu sicher zu fühlen, da sie unter falschem Namen aus der unwirklichen Welt des «Untergrunds» operierten. Obwohl sie die Regierung stets als «faschistisch» bezeichneten, agierten sie nie so, als wäre sie es; ein Fehler, der die Befreiungsbewegung laufend schwächen sollte. Die Polizei entdeckte eine riesige Menge belastender Dokumente, und drei weitere Männer wurden verhaftet.

Von den sechs verhafteten Weißen entkamen zwei aus den Polizeizellen, und einer konnte, nachdem er unter Druck eingewilligt hatte, sich als Zeuge der Anklage zur Verfügung zu stellen, sogar außer Landes fliehen. Ein vierter wurde bald aus Mangel an Beweisen freigelassen. Von den beiden übrigen war einer, der Architekt Lionel «Rusty» Bernstein, ein Angeklagter im Hochverratsprozeß gewesen, und der andere, der Zivilingenieur Dennis Goldberg, kam aus Kapstadt.

Von den Afrikanern kamen Govan Mbeki und Raymond Mhlaba aus dem Ostkap und Elias Motsoaledi und Andrew Mlangeni – so wie Sisulu – aus Transvaal. Der einzige Inder, Ahmed Kathrada, war seit seiner Schulzeit politisch aktiv. Sie alle verschwanden in der 90tägigen Vorbeugehaft, abgeschnitten von ihren Familien und Anwälten und in Einzelhaft, während die Polizei ihre Verhöre und Nachforschungen anstellte. Sie wagten zwar nicht, die Führer zu mißhandeln, Motsoaledi und Mlangeni aber wurden gefoltert.

Mandela wurde plötzlich von Robben Island wieder ins Gefängnis von Pretoria verlegt. Da er von allen Nachrichten aus der Außenwelt abgeschnitten war, konnte er darüber nur spekulieren, was ihm bevorstand.

Im Gefängnis waren alle in nach Rassen getrennten Trakten untergebracht, aber am Abend gab es einen Augenblick der Kommunikation: Nachdem das Gebrüll der Wärter für diesen Tag verstummt war, widerhallten die Zellen vom Gesang afrikanischer Stimmen, die traditionelle Gesänge und Freiheitslieder anstimmten. Knapp bevor die Lichter abgeschaltet wurden, verklang das Singen, und in diese Stille hinein schrie eine Stimme *Amandla!* – könnte es Mandelas Stimme sein?, fragte sich einer der weißen Häftlinge. Als Antwort erscholl es im Chor: *Ngawethu!*

Die Familien der Rivonia-Häftlinge nahmen sich Rechtsanwälte in der Hoffnung, die Männer würden in absehbarer Zeit vor Gericht gestellt werden. Kronanwalt Bram Fischer leitete das Team mit Vernon Berrange, der ebenfalls beim Hochverratsprozeß eine führende Rolle in der Verteidigung gespielt hatte, und es gab zwei junge Anwälte, Arthur Chaskalson und George Bizos, die in den vielen folgenden politischen Prozessen die Verteidigung übernahmen. Gesetzlicher Vertreter war Joel Joffe.

Von Anfang an war die Vorgangsweise des Staates in diesem Fall bizarr. Die Regierung verkündete öffentlich die Schuld der Gefangenen. Das Team der Verteidigung konnte nicht herausfinden, wer eigentlich die Beschuldigten waren, bzw. was man ihnen zur Last legte. Einen Tag vor Prozeßbeginn sagte der Staatsanwalt Dr. Percy Yutar, wenn sie ins Gefängnis von Pretoria gehen, würden sie schon erfahren, wer ihre Klienten sind.

In einem Besprechungszimmer des Gefängnisses trafen Fischer, Chaskalson, Bizos und Joffe die Männer, die in Rivonia verhaftet worden waren. Das Geräusch von Schritten, und Mandela erschien in der Begleitung von Wärtern. Aufs höchste überrascht und erfreut scharten sich die Häftlinge und Rechtsanwälte um ihn. Mandela und Sisulu fielen einander in die Arme, alle wollten Mandelas Hände drücken, und Fischer stellte ihm Chaskalson und Joffe vor. Aber sie waren von seinem Aussehen entsetzt: er hatte fast 19 kg abgenommen, die Gefängniskluft, kurze Hose und Hemd, schlotterte an ihm, und seine Gesichtsfarbe war von einem kränklichen Gelb. Doch er hielt seinen Kopf hoch, und als sein schallendes Gelächter erklang, hatten sie denselben selbstsicheren, unbekümmerten Mann vor sich, den sie gekannt hatten.

Mit dem Fortschreiten der Beratungen bemerkte Joffe, daß Mandela ganz von selbst zur dominierenden Persönlichkeit wurde, aber er wurde nie autoritär; er diskutierte ruhig, argumentierte und ließ sich schließlich von der Meinung seiner Kollegen leiten. Sein Format beeindruckte selbst das Gefängnispersonal, das ihn zwar nicht gerade mit Hochachtung behandelte, aber vielleicht doch im Bewußtsein, einen «großen» Mann vor sich zu haben; nicht daß das ihren Haß auf alles, wofür er stand, besänftigte, aber sie hatten eine eigentümliche Ehrfurcht vor diesem Mann, der für sie doch eigentlich ein «Kaffer» war. Als er sich einmal bei einem weißen Aufseher über irgend etwas beklagte, wurde ihm erwidert: «Wenn ihr an der Macht seid, werdet ihr mit uns dasselbe machen.»

Obwohl die Anklagepunkte noch unbekannt waren, ging aus dem, was an die Presse durchgesickert war, klar hervor, daß dem Verteidigungsteam ein verzweifelter Kampf bevorstand, um die Männer vor dem Galgen zu bewahren.

Am 9. Oktober 1963 war der Justizpalast von Pretoria von bewaffneter Polizei umringt, und auch im Inneren des Gebäudes war sie überall zu finden. Staatssicherheitspolizei und Presse waren weit zahlreicher als die weißen Zuschauer im Gerichtssaal, der Sektor für «Nichtweiße» auf der Zuschauergalerie war hingegen mit den Familien und Sympathisanten der Angeklagten überfüllt. Auf einer Seite saßen Diplomaten und andere prominente Besucher.

Winnie Mandela war nicht anwesend. Am 28. Januar 1962 war sie für zwei Jahre gebannt worden; ihr Bannerlaß schränkte ihre Bewegungsfreiheit auf Johannesburg ein; ein Ansuchen, dem Prozeß beiwohnen zu dürfen, war abgelehnt worden.

Die Angeklagten wurden in einem schwerbewaffneten Konvoi vorgefahren und von der Menge mit den Rufen *Amandla* Mandela! *Ngawethu* Sisulu! begrüßt. Der dunkel getäfelte Gerichtssaal mit seiner hohen Kuppeldecke verbreitete eine an den amerikanischen Süden erinnernde Rokokoatmosphäre. Über dem Pult des Staatsanwalts war an der Decke ein alter Ventilator angebracht, der beim Drehen wackelte und quietschte. Polizisten mit Taschen voller Tränengasgranaten bewachten die Türen. Die Galerien waren trotz Einschüchterung durch die Sicherheitspolizei überfüllt: Die Zuhörer mußten ihre Namen und Adressen angeben und wurden beim Verlassen des Gerichtssaals fotografiert.

Quartus de Wet, Gerichtspräsident von Transvaal, thronte in einer scharlachroten Robe unter einem holzgeschnitzten Baldachin, während vor ihm Mandela und die anderen Angeklagten auf der mit Holzschnitzereien verzierten Anklagebank Platz nahmen, die unbeholfen zu einem langen hölzernen Kasten verlängert worden war.

Das Autreten der Männer war entschlossen, aber nach Monaten der Einzelhaft wirkten sie erschöpft und gezeichnet. Bram Fischer beschwerte sich über ihre schlechte Behandlung und beantragte mit Erfolg eine Vertagung und bessere Haftbedingungen.

Einige Wochen später war der Wandel in ihrem körperlichen Befinden auffallend, insbesondere bei Mandela: Die Gesellschaft seiner alten Freunde hatte ihn verwandelt; außerdem sah er nicht mehr abgezehrt aus und war wieder wie früher in seinem dreiteiligen Anzug die Eleganz in Person.

«Stilte in die hof! Opstaan!» («Ruhe im Gerichtssaal! Man erhebe sich!») Wieder die Polizei, die Menschenmenge, die Formalitäten, der pompöse Auftritt des Richters. Bram Fischer begann mit einem scharfen Angriff auf die Anklageschrift der Staatsanwaltschaft, ein rechtlich schludriges Dokument, erklärte er, das, neben anderen offenkundig absurden Beschuldigungen, Mandela mit Sabotageakten in Verbindung bringt, die erst lange nach seiner Verhaftung verübt wurden. Der Richter stimmte zu und wies die Klage ab. Nach dem Gesetz waren die Angeklagten frei.

Aber bevor sie noch reagieren konnten, hatte Leutnant Swanepoel, der berüchtigste Mann der Sicherheitspolizei, jedem einzelnen auf den Rücken geschlagen und erklärt: «Ich verhafte Sie wegen Sabotage!» Sie wurden grob in ihre Zellen zurückgetrieben.

Am Morgen des 3. Dezember wurde der Prozeß fortgesetzt: Mandela führte seine Mitkämpfer auf die Anklagebank; das Gericht erhob sich; der Richter betrat den Saal. Die abgeänderten Anklagepunkte wurden verlesen: Rekrutierung von Personen, die eine Ausbildung für die Verübung von Sabotageakten und Guerillakriegführung mit dem Ziel eines gewaltsamen Umsturzes erhalten hatten; Verschwörung mit dem Ziel, ausländischen Militäreinheiten bei einer Invasion in die Republik beizustehen, und damit die Förderung der Ziele des Kommunismus; Kontaktaufnahme mit Algerien, Äthiopien, Liberia, Nigeria, Tunesien und anderen Ländern, um finanzielle Mittel zu erhalten.

Der Richter fragte: «Angeklagter Nr. 1, Nelson Mandela, bekennen Sie sich schuldig oder nicht schuldig?»

«Die Regierung müßte auf der Anklagebank sitzen, nicht ich», sagte Mandela fest. «Ich bekenne mich nicht schuldig.»

Alle Angeklagten beschuldigten der Reihe nach die Regierung.

Kaum waren sie fertig, als der Staatsanwalt Percy Yutar Kopien seines Plädoyers zu verteilen begann: eine für den Richter, eine für das Team der Verteidigung und acht an die Presse. Er räusperte sich und wollte mit der Verlesung beginnen, als er von Fischer unterbrochen wurde, der sich erhoben hatte, um sich an den Richter zu wenden. Er deutete auf ein Mikrofon auf Yutars Pult und wollte wissen, ob der Richter davon unterrichtet sei, daß der Südafrikanische Rundfunk beabsichtige, die Rede des Staatsanwalts an die Nation zu übertragen – ein höchst ungewöhnlicher Vorgang.

Nachdem auf Anordnung des Richters das Mikrofon entfernt worden war, verlas Yutar sein Plädoyer, das in der Aussage gipfelte, daß die Operationen von Umkhonto we Sizwe mit der Absicht geplant wurden, «Chaos, gewaltsamen Aufruhr und Rebellion herbeizuführen, in deren Gefolge zum richtigen Zeitpunkt eine bewaffnete Invasion des Landes durch Militärverbände ausländischer Mächte erfolgen würde. Inmitten des darauffolgenden Chaos, der Unruhen und der Verwirrung», fügte er hinzu, «sei die Einsetzung einer provisorischen Revolutionsregierung geplant, um die Regierungsgeschäfte und die Macht in diesem Lande zu übernehmen.»

Er behauptete, daß die Angeklagten für 222 Sabotageakte verantwortlich wären, eine Zahl, die bald auf 193 reduziert wurde. Abschließend meinte er, die Angeklagten hätten ihre Kampagne so geplant, daß 1963 «das Jahr ihrer Befreiung vom sogenannten Joch der Herrschaft des weißen Mannes sein sollte». Zweifellos hatte er den ANC mit dem Pan Africanist Congress verwechselt, der eine solche Forderung erhoben hatte. Yutar bezeichnete später den 26. Mai 1963 als den Tag «der Massenerhebung zusammen mit dem Beginn des Guerillakampfes» – ein Datum, das die Angeklagten und deren Rechtsanwälte verblüffte, da Umkhonto zu jener Zeit außer über Sprengstoff nur noch über ein Luftdruckgewehr verfügte, das Mandela einmal zum Übungsschießen benützt hatte.

So ging also in diesem Fall die Staatsanwaltschaft vor. Obwohl Zeugen der Anklage aussagten, daß Umkhonto-Führer ihre Mitglieder angewiesen hatten, keine Menschenleben zu gefährden, sprach Yutar von Mord und versuchtem Mord. Die Verteidigung war empört; es waren keine präzisen Beschuldigungen erhoben worden. Der Richter räumte ein, daß auch andere Organisationen als Umkhonto Sabotageakte verübt hatten und daß nur für einen geringen Teil der behaupteten 193 Sabotageakte (von denen kein einziger ein Todesopfer gefordert hatte) nachweislich Umkhonto verantwortlich war.

Von Anfang an hatten Mandela und seine Gefährten ihren Anwälten klargemacht, daß sie nicht an einem Prozeß nach juristischen Spielregeln interessiert waren, sondern an einer politischen Konfrontation. Sie waren entschlossen, stolz von ihren Idealen zu sprechen und dem Feind mit Verachtung zu begegnen. Sie gaben bereitwillig zu, daß die meisten von ihnen sich an einer politischen Kampagne beteiligt hatten, die die Schwächung der Regierung zum Ziele hatte; daß sie in unterschiedlichem Maße von der Vorbereitung militärischer und paramilitärischer Aktionen, wie z. B. Sabotageakte, wußten bzw. daran teilnahmen. Sie begrüßten die Gelegenheit, den Prozeß als eine Plattform nutzen zu können, von der aus sie vor dem Land und vor der Welt ihren Standpunkt zu Fragen darlegen könnten, die sie für die wichtigsten der südafrikanischen Politik hielten. Sie würden jedoch unter keinen Umständen irgendwelche Informationen über ihre Organisationen oder über die beteiligten Leute verraten, wenn solche Informationen Dritte gefährden könnten.

Dort also, wo sich die Staatsanwaltschaft auf Sabotageakte bezog, war die Anklage nicht nur unwiderlegbar, außer in bezug auf die Zahl – die Verteidigung anerkannte nur zwanzig der 193 behaupteten Sabotageakte –, sondern die Angeklagten wollten es gar nicht abstreiten.

Der Anklage genügte das aber nicht, und sie brachte Zeugen bei, die unverschämt logen. Von den 173 Zeugen der Anklage wurde der wichtigste von Yutar mit dramatischen Worten vorgestellt: Die Zeugenaussage dieses Mannes sollte unter Ausschluß der Öffentlichkeit erfolgen, da er sich «in Lebensgefahr» befinde. Yutar fügte hinzu, er habe nichts gegen die Anwesenheit der Presse einzuwenden, unter der Bedingung, daß sie die Identität des Mannes geheimhielte und ihn nur «Mr. X» nannte.

«X» war Bruno Mtolo, ein ehemaliges ANC-Mitglied und Gewerkschafter aus Natal. Er erschien vor Gericht in Begleitung einer Gruppe weißer Staatspolizisten, die ihn wie einen Helden behandelten. Sein Verrat schockierte Mandela und die ANC-Leute. Sie hatten sich damit abgefunden, daß Menschen unter der Folter und in zeitlich unbegrenzter Einzelhaft zum Reden gebracht werden; was sie jedoch nicht verstehen konnten, war, daß Mtolo, der keiner derartigen Behandlung ausgesetzt wurde, sich so besonders bemühte, andere hineinzuziehen, und Belastungsmaterial frei erfand. Die Verteidigung fand heraus, daß Mtolo tatsächlich Sabotageakte für Umkhonto verübt hatte, daß er jedoch ohne Wissen seiner Gefährten dreimal wegen Diebstahls und Betrugs verurteilt worden war. Seine Zeugenaussage gegen Mandela, die vorgab, eine Darstellung von Mandelas Bericht an das Regionalkommando von Natal nach seiner Afrikareise zu liefern, war eine Mischung aus Dichtung und Wahrheit.

Ins Reich der Dichtung gehörte unter anderem die Unterstellung, Mandela sei ein Kommunist. Joffe schilderte Mandelas Reaktion:

«Nelson instruierte uns, darauf einzugehen und Mtolo ins Kreuzverhör zu nehmen. Er sagte uns, wir sollten zugeben, daß er bei einer Versammlung des Regionalkommandos gesprochen habe, aber wir sollten abstreiten, daß er jemals irgend etwas über Kommunisten geäußert hätte oder daß er, Mandela, und Umkhonto gar Kommunisten seien. Wir machten Nelson darauf aufmerksam, daß ein Kreuzverhör auf dieser Basis ein Schuldbekenntnis bedeutete; daß er durch das Eingeständnis, auf dieser Versammlung gewesen zu sein, praktisch in allen ihn betreffenden Anklagepunkten für schuldig befunden werden müßte und daß wir damit möglicherweise sein Todesurteil unterschreiben würden. Er blieb gelassen: Er sei kein Kommunist, er sei nie einer gewesen und er sei nicht bereit, «Mr. X» eine falsche Zeugenaussage durchgehen zu lassen.»

Mandela fügte hinzu, daß, da nun einmal Umkhonto vor Gericht stehe, er als sein Führer nicht vorhabe, durch rechtliche Kniffe freizukommen. Er wäre höchst unglücklich, wenn er freigesprochen werden sollte, während seine Gefährten und Anhänger schuldig gesprochen würden. Er fühle keine moralische Schuld, es habe keine andere Möglichkeit gegeben, als Gewalt anzuwenden. Das einzige, was er bedauere, sei, daß ihre Pläne durchkreuzt worden seien.

Während des heißen Sommers 1963 nahm die Anklage Konturen an: Yutar legte Hunderte in Rivonia erbeutete Beweisstücke vor, darunter Landkarten, in denen Polizeiwachen, Bantu-Verwaltungsgebäude, Elektrizitätswerke, Bahnlinien und die Wohnadressen afrikanischer Polizisten deutlich angezeichnet waren. Der von Yutar häufig zitierte Eckstein der Anklage war ein Beweisstück namens Operation Mayibuye, in welchem der Guerillakrieg und eine ausländische Intervention dargestellt waren. «Ein völlig unrealistisches Hirngespinst einer unreifen und abenteuerlichen Phantasie», sagte Bram Fischer dazu. Es war nach Mandelas Verhaftung verfaßt worden, und er wußte nichts davon. Er hatte jedoch während seiner Reise durch Afrika ein Tagebuch geführt; er hatte angenommen, es sei vernichtet worden, aber es befand sich – typisch für die tollkühne Mißachtung der Sicherheit – unter den in Rivonia erbeuteten Dokumenten.

Als das Netz der Tatsachenbeweise immer dichter wurde, geriet die Stimmung der Angeklagten ins Wanken, nicht jedoch bei Mandela; er munterte die anderen wieder auf. Sie machten sich über die Polizei lustig, insbesondere über Swanepoel, einen dicken, rothaarigen Mann in einem Sportsakko und einer Flanellhose, der sich ständig in der Nähe der Tür des Besprechungszimmers herumtrieb, während sie sich mit ihrem Rechtsbeistand berieten. Da sie wußten, daß der Raum abgehört wurde, hatten sie ein System, Wichtiges einander nur schriftlich mitzuteilen. Einmal spielte Bernstein Joffe eine Notiz zu, um ihm mitzuteilen, daß er, Mhlaba und Kathrada die Absicht hätten, ihre Schuld zu bestreiten – obwohl politisch aktiv, standen sie in keinerlei Verbindung mit Umkhonto –, und

Joffe verbrannte gerade die Notiz über einem Aschenbecher, als Swanepoel vom Eingang herüberstarrte. Mandela kritzelte prompt auf einen Zettel «Ist Swanepoel nicht ein hübscher Bursche?», zwinkerte Joffe zu und reichte ihm die Notiz mit ganz besonderer Sorgfalt. Joffe las sie aufmerksam, zerknüllte sie, und während er langsam eine Zündholzschachtel hervorholte, stürzte Swanepoel los, um sie an sich zu reißen. «Mensch, wir müssen uns im Gefängnis vor Feuer in acht nehmen», sagte er, während er zur Tür eilte. Nachdem er die Notiz gelesen hatte, drehte er sich zornig um und stampfte davon. Jetzt würden sie ein bißchen Ruhe haben, sagte Mandela.

Als die Verteidigung einen Zeugen der Anklage auseinandernahm, rächte sich die Polizei an den Familien der Angeklagten: Sisulus Sohn wurde, obwohl er noch keine sechzehn war, wegen Übertretung der Paßgesetze verhaftet; und Elias Motsoaledis Frau Caroline fiel der 90-Tage-Vorbeugehaft anheim, ohne daß sie mit Hilfe eines Anwalts Vorsorge für ihre sieben Kinder treffen konnte. Der Richter hielt den Vorfall für belanglos; sie wurde 113 Tage festgehalten.

Fünf Monate nach dem Beginn des Prozesses, am 29. Februar 1964, schloß die Staatsanwaltschaft ihre Anklage ab. Die Verteidigung hatte nur etwas mehr als einen Monat Zeit zur Vorbereitung. Mit beschränkten Mitteln hatten sie eine gewaltige Aufgabe zu bewältigen: Sie mußten Hunderte Beweisstücke und Aussagen analysieren und in allen Teilen des Landes Zeugen einvernehmen sowie von jedem einzelnen Angeklagten Aussagen einholen – Schwierigkeiten, die nicht nur durch das Abhören von Beratungen vergrößert wurden, was ihre Arbeit verzögerte, sondern auch durch die Unannehmlichkeit eines neuen Beratungszimmers. Anstatt unbehindert beisammensitzen zu können, waren die Angeklagten nun von ihren Anwälten durch eine hohe Schranke mit einem Eisengitter getrennt; auf jeder Seite waren fünf hohe Stühle starr am Betonboden befestigt angebracht.

Die Anwälte wurden vom Gefängnisdirektor Oberst Aucamp auf ihre Seite der Trennwand geleitet. Auf der gegenüberliegenden Seite wurden Mandela und vier Männer auf die Stühle gesetzt, während die übrigen vier in einer Reihe dahinter stehen mußten. Höflich lächelnd fragte Mandela: «Was darf's heute sein, meine Herren,

Schokolade oder Vanille?» Sein Spott versetzte den Oberst in Wut, und Proteste der Anwälte, daß es unmöglich sei, unter so unangenehmen Bedingungen zufriedenstellenden Rechtsbeistand zu gewähren, machten keinerlei Eindruck. Ebensowenig wie ihr Ersuchen, auch während der zweistündigen Mittagspause des Gefängnisses Besprechungen führen zu dürfen: Mandela und Sisulu seien überführte Sträflinge, es könnten ihnen unter keinen Umständen Brötchen bewilligt werden.

Bram Fischer sagte den Männern, es müßte ihnen gelingen, zu beweisen, daß man sich niemals für den Guerillakrieg entschieden habe und daß es ein feststehender Grundsatz gewesen sei, bei Sabotageakten keine Menschenleben zu gefährden. «Ich will es offen sagen», fügte er hinzu, «selbst wenn wir damit durchkommen, könnte der Richter trotzdem die Todesstrafe verhängen.» Joffe wußte, wie schwer es Fischer fiel, diese Möglichkeit in Erwägung zu ziehen. Molly Fischer hatte Joffe erzählt, wie sie ihren Mann Nacht für Nacht im Schlaf «Wir müssen sie retten!» ausrufen hörte. Auch Joffe träumte von ihnen, wie sie das Schafott bestiegen, und erwachte oft schweißgebadet.

Die Verteidigung war sich darüber uneinig, ob Mandela und die anderen in den Zeugenstand treten sollten. Besonders Joffe wollte nicht, daß sie einem Kreuzverhör unterzogen werden sollten – es widerstrebte ihm, daß Männer, die er bewundern und achten gelernt hatte, sich von einem Mann wie Yutar verhöhnen lassen mußten. Aber George Bizos bestand darauf, daß sie ihr Todesurteil besiegeln würden, wenn sie nicht bereit wären, in den Zeugenstand zu treten und den Richter davon zu überzeugen, daß sie sich nicht für den Guerillakrieg entschieden hatten. Außerdem glaubte er, daß es dem Richter viel schwerer fallen würde, sie auf den Galgen zu schicken, nachdem er sie im Zeugenstand gehört hatte. Fischer konnte sich nicht entscheiden und bat die Angeklagten um ihre Meinungen.

Sisulu sagte, sie hätten bestimmt keine Angst vor Yutars Kreuzverhör, und Mbeki hatte das Gefühl, daß das Recht auf ihrer Seite sei. Mandela wandte sich an Joffe: «Ich glaube, Joel, als Anwalt kann ich deine Motive verstehen. Du bist daran interessiert, unser Leben zu retten. Das wollen wir natürlich auch, aber das ist zweitrangig. An erster Stelle steht die Erfüllung unserer politischen

Pflicht. Wir haben für Freiheit und Würde gekämpft, und worauf es ankommt, ist, was politisch richtig ist. Schließlich und endlich werden wir ja nur die Wahrheit sagen.» Als er sich an die anderen wandte, stimmten sie alle zu.

«Das wäre also erledigt», sagte Fischer und schob ihm einen Zettel zu; Bizos reichte den anderen Angeklagten einen ähnlichen Zettel: darauf stand, daß Mandela nur von der Anklagebank aus eine laut vernehmbare politische Erklärung abgeben könnte. Mandela kritzelte eine Antwort: er wolle sich dem Kreuzverhör unterziehen; er sei sehr verbittert über Yutars höhnische Bemerkungen über die «sogenannten» Leiden des afrikanischen Volkes und seine Versuche, den ANC als kommunistisch unterwandert zu diskreditieren. Aber die anderen pflichteten ihren Anwälten bei: Mandela sollte ihren Standpunkt energisch von der Anklagebank aus vertreten, sie würden das Kreuzverhör erledigen. Nach einigem Hin und Her auf Zetteln stimmte er widerstrebend zu.

Dann schob ihm Joffe neuerlich einen Zettel zu; Mandela las ihn und grinste: darauf stand, daß der Entschluß geheimgehalten werden müsse, deshalb würden sie so tun, als ob sie ihn auf die Zeugenaussage vorbereiteten, indem sie ihn laufend mit Unterlagen versorgten, was den zusätzlichen Vorteil hätte, die Gefängnisbehörden auf Trab zu halten, von Yutar ganz zu schweigen. «Übrigens», sagte Mandela laut zu Joffe, «ich brauche die Hochverratsprozeßakten, um mich auf meine Zeugenaussage vorzubereiten.» Und begeistert vom Gedanken, wie Yutar an die hundert dicke Bände durchackern müßte, verbrannte er Joffes Notiz.

Joffe ließ einen Strom von Unterlagen und Büchern ins Gefängnis schaffen, die alle für Mandela bestimmt waren; unter den Büchern waren Abhandlungen über Wirtschaft und Tolstois *Krieg und Frieden*, das Mandela unbedingt lesen wollte. Die Behörden gaben den Roman Joffe mit der Bemerkung zurück, daß der Kommandant unter keinen Umständen gestatten würde, daß einem Gefangenen kommunistische Literatur geschickt würde, und ganz sicherlich keine kommunistische Literatur über den Krieg.

An den Abenden und Wochenenden arbeitete Mandela in seiner Zelle an seiner Erklärung und schrieb sie immer wieder um. Am Montag, dem 20. April 1964, wurde er gemeinsam mit den anderen Angeklagten, von einer großen Eskorte begleitet, im Gefangenenwagen zum Justizpalast gefahren. Im zum Bersten vollen Gerichtssaal saß Winnie Mandela mit ihrer Schwiegermutter, die aus der Transkei angereist war. Würdevoll und trotz ihres Alters noch robust, war Frau Mandela auf ihren Sohn sehr stolz. Winnies Genehmigung, am Prozeß teilzunehmen, war an das Verbot gebunden, Stammestracht zu tragen, was zu einem «Zwischenfall» führen könnte; sie wurde von einer jungen Verwandten begleitet, die ihr Thembu-Kleid trug. Prominente Beobachter, die je nach dem interessanten oder schleppenden Verhandlungsverlauf im Gerichtssaal stärker oder schwächer vertreten waren, waren nun in voller Stärke anwesend.

Kronanwalt Bram Fischer gab den Fahrplan der Verteidigung an: in manchen Teilen würde der Anklage recht gegeben werden; andere Teile würden geleugnet werden. Von besonderer Bedeutung sei, sagte er, daß die Verteidigung zwar zugeben werde, daß Umkhonto Sabotageakte geplant habe, jedoch ableugnen werde, daß ein Plan für eine Guerillakriegsführung beschlossen worden sei.

«Das wollen Sie bestreiten?» fragte der Richter.

«Das will ich bestreiten», antwortete Fischer. «Das Beweisverfahren wird ergeben, daß zwar Vorbereitungen für den Guerillakrieg getroffen wurden, jedoch niemals ein Plan beschlossen worden ist; man hoffte die ganze Zeit über, daß ein solcher Schritt vermieden werden könnte.» Dann fügte er hinzu: «Euer Ehren, die Verteidigung wird von der Anklagebank aus mit einer Erklärung des Angeklagten Nr. 1 beginnen, der an der Gründung von Umkhonto we Sizwe persönlich teilgenommen hat.»

«Euer Ehren!» Yutar sprang mit einem Ruf des Entsetzens auf und appellierte an den Richter, den Angeklagten darauf aufmerksam zu machen, daß eine Aussage von der Anklagebank aus weit weniger Gewicht besaß, als wenn er sich einem Kreuzverhör unterzöge.

«Ich denke, Dr. Yutar», entgegnete der Richter, «daß die Verteidiger genügend Erfahrung besitzen, um ihre Klienten auch ohne Ihre Hilfe zu beraten.»

Der stets höfliche Fischer dankte für den Ratschlag. «Weder wir noch unsere Klienten befinden uns in Unkenntnis der Bestimmungen des Strafgesetzbuchs», ließ er Yutar wissen und fuhr fort: «Ich rufe Nelson Mandela auf.»

Mandela erhob sich langsam, setzte seine Brille auf, die er zum Lesen brauchte, und begann bedächtig und gelassen:

> «Euer Ehren, ich bin der erste Angeklagte. Ich besitze den akademischen Grad eines Bachelor of Arts und war gemeinsam mit Oliver Tambo einige Jahre in Johannesburg als Anwalt tätig. Zunächst möchte ich sagen, daß die Behauptung der Anklage, daß der Kampf in Südafrika von Ausländern und Kommunisten beeinflußt wird, völlig aus der Luft gegriffen ist. Was immer ich getan habe, habe ich sowohl als Individuum als auch als Führer meines Volkes aufgrund meiner Erfahrungen in Südafrika und meiner eigenen afrikanischen Herkunft getan, auf die ich stolz bin, und nicht aufgrund dessen, was irgendein Außenstehender angeblich gesagt haben soll ...
>
> Ich hoffte, daß das Leben mir Gelegenheit bieten würde, meinem Volk zu dienen und meinen eigenen bescheidenen Beitrag zu seinem Freiheitskampf zu leisten. Das ist es, was mich bei allem, was ich in bezug auf die in diesem Verfahren gegen mich erhobenen Anschuldigungen getan habe, motiviert hat.
>
> Nach dieser Einleitung muß ich mich sofort und etwas ausführlicher mit der Frage der Gewalt auseinandersetzen. Manches davon, was bisher vor Gericht gesagt wurde, ist wahr, manches ist unwahr. Ich streite keineswegs ab, daß ich Sabotageakte geplant habe. Ich habe sie weder in leichtsinniger Absicht geplant, noch weil ich in irgendeiner Weise der Gewalt zugetan bin. Ich habe sie aufgrund einer ruhigen und nüchternen Einschätzung der politischen Lage geplant, die sich nach vielen Jahren der Tyrannei, der Ausbeutung und der Unterdrückung meines Volkes durch die Weißen ergeben hat.
>
> Ich gebe ohne Umschweife zu, daß ich zu den Leuten zählte, die zur Gründung von Umkhonto we Sizwe beitrugen, und ich habe bis zu meiner Verhaftung im August 1962 dort eine wichtige Rolle gespielt.»

Dann ging er näher auf das Verhältnis zwischen ANC und Umkhonto ein, korrigierte die Beweisführung der Anklage und schilderte die Anwendung von Gewalt durch die Regierung, die im Jahre 1961 zu der Entscheidung geführt hatte, Gewalt mit Gewalt zu beantworten. «Aber die Gewalt, für die wir uns entschieden haben, war kein Terrorismus. Wir von Umkhonto waren alle Mitglieder des Afrikanischen Nationalkongresses und der ANC-Tradition der Gewaltlosigkeit und des Verhandelns als Mittel zur Lösung politischer Auseinandersetzungen verpflichtet.»

Er ging kurz auf die Gründung des ANC im Jahre 1912 und auf seine Politik des langen Kampfes ein.

«Aber die weißen Regierungen blieben hart, und die Rechte der Afrikaner wurden, statt zu wachsen, immer mehr eingeschränkt. Mein Führer, Häuptling Lutuli, der 1952 Präsident des ANC wurde und später den Friedensnobelpreis erhielt, formulierte es so: Wer will leugnen, daß ich dreißig Jahre meines Lebens damit zugebracht habe, vergeblich, geduldig, maßvoll und bescheiden an eine geschlossene und verriegelte Tür zu klopfen? Welche Früchte hat die Mäßigung getragen? Die vergangenen dreißig Jahre haben uns die größte Zahl von Gesetzen gebracht, die unsere Rechte und unsere Weiterentwicklung einschränken, und heute haben wir ein Stadium erreicht, wo wir fast gar keine Rechte mehr haben.»

Mandela fuhr mit der Schilderung der Verweigerungskampagne des Jahres 1952 fort; der immer härteren Gesetze, die beschlossen wurden und die die Proteste dennoch nicht verhindern konnten; des Hochverratsprozesses, in dem sie in allen Anklagepunkten freigesprochen wurden, «darunter auch eine Anschuldigung, daß der ANC versuche, einen kommunistischen Staat zu errichten». Die Regierung hatte ihre Gegner immer als Kommunisten abzustempeln versucht, wie auch im vorliegenden Prozeß, aber der ANC war nie eine kommunistische Organisation gewesen. Als der ANC nach dem Massaker von Sharpeville verboten wurde, hatten er und seine Kollegen beschlossen, dieser Verfügung zu trotzen. Keine politische Organisation der Weißen mit Selbstachtung würde sich einfach auflösen, wenn sie von einer Regierung für illegal erklärt würde, in der sie nicht vertreten war.

Er sprach von der Stimmung unter den Leuten, die schon lange an Gewaltanwendung dachten, an den Tag, an dem sie «gegen den weißen Mann kämpfen und ihr Land zurückerobern würden».

«Wir, die Führer des ANC, hatten sie dennoch immer dazu überreden können, Gewalt zu vermeiden und bei friedlichen Methoden zu bleiben. Als einige von uns im Juni 1961 darüber diskutierten, konnte niemand leugnen, daß unsere Politik, einen Staat ohne Rassendünkel auf gewaltlosem Wege zu erreichen, gescheitert war, und daß unsere Nachfolger allmählich das Vertrauen in diese Politik verloren und beunruhigende Terrorpläne entwickelten.»

Er erinnerte das Gericht daran, daß Gewalt ein Bestandteil der politischen Szene geworden war: «In den Ballungszentren waren kleine Gruppen entstanden, die spontan gewalttätige Formen des politischen Kampfes planten. Es wurde nun die Gefahr akut, daß diese

Gruppen, wenn sie nicht richtig geführt würden, Terrorakte sowohl gegen Afrikaner als auch gegen Weiße begehen würden.» Besonders beunruhigend war jener Typus von Gewalt, der in ländlichen Gebieten entstand: «Er nahm immer häufiger nicht die Gestalt eines Kampfes gegen die Regierung an – obwohl das seine eigentliche Veranlassung wäre –, sondern eines Bürgerkriegs untereinander, der so geführt wurde, daß er nichts anderes erreichen konnte als Verluste an Menschenleben und Verbitterung.»

Und so kam es, daß er und andere Gefährten Anfang Juni 1961 die Gründung von Umkhonto we Sizwe planten. Der ANC sollte eine eigenständige politische Massenorganisation bleiben. Was Umkhonto anbelangt, waren seine Gründer überzeugt, daß das Land in einen Bürgerkrieg schlittern würde, in dem Schwarze und Weiße gegeneinander kämpfen würden, eine Aussicht, die bei der Ausbreitung von Plänen mit berücksichtigt werden mußte: «Wir benötigten einen Plan, der flexibel war und der es uns ermöglichte, in Übereinstimmung mit den jeweiligen Bedürfnissen der Zeit zu handeln; vor allem mußte der Plan den Bürgerkrieg als letzten Ausweg betrachten und die Entscheidung darüber der Zukunft überlassen. Wir wollten uns nicht auf den Bürgerkrieg festlegen, aber wir wollten nicht unvorbereitet sein, sollte er sich als unvermeidlich erweisen.» Von den vier möglichen Formen der Gewalt wurde die Sabotage ausgewählt und sollte ausgeschöpft werden, bevor ein neuer Beschluß gefaßt wurde. Die ersten Sabotageakte hatten die Weißen nicht dazu gebracht, Veränderungen ins Auge zu fassen. Bezeichnenderweise hatten sie sich in ihr befestigtes Lager zurückgezogen.

«Im Gegensatz dazu war die Reaktion der Afrikaner ermutigend. Plötzlich gab es wieder Hoffnung. Es geschah etwas. Die Menschen in den Townships warteten ungeduldig auf politische Nachrichten. Die anfänglichen Erfolge setzten eine große Begeisterung frei, und die Menschen begannen schon darüber nachzudenken, wie lange es noch dauern würde, bis der Tag der Freiheit kam.

Wir in Umkhonto haben uns mit Besorgnis die Reaktion der Weißen überlegt. Die Grenzen wurden gezogen. Weiße und Schwarze sammelten sich in getrennten Lagern, und die Aussichten, einen Bürgerkrieg zu vermeiden, wurden geringer. Zeitungen der Weißen brachten Berichte, daß Sabotage mit dem Tode bestraft würde. Wenn das stimmte, wie konnten wir die Afrikaner weiterhin vom Terrorismus abhalten?»

Er sprach von der großen Zahl von Afrikanern, die bei Rassenunruhen ums Leben gekommen waren. Wie viele Sharpevilles könnte das Land noch ertragen, ohne daß Gewalt und Terror zur Tagesordnung werden?

«Die Erfahrung hat uns gelehrt, daß offener Widerstand der Regierung grenzenlose Möglichkeiten für das wahllose Abschlachten unseres Volkes liefern würde. Aber eben weil die Erde Südafrikas schon vom Blut unschuldiger Afrikaner getränkt ist, hielten wir es für unsere Pflicht, langfristig Vorbereitungen für die Anwendung von Gegengewalt zu treffen, um uns gegen die offizielle Gewalt zu wehren. Wenn der Krieg schon unvermeidlich war, wollten wir den Kampf wenigstens unter Bedingungen austragen, die für unser Volk möglichst günstig waren. Die Kampfform, die uns die besten Erfolgschancen und beiden Seiten den geringsten Blutzoll bot, war der Guerillakrieg.

Alle Weißen müssen sich einer obligatorischen militärischen Ausbildung unterziehen, Afrikaner jedoch erhielten keine derartige Ausbildung. Es war unserer Ansicht nach unbedingt notwendig, einen Grundstock an ausgebildeten Leuten aufzubauen, die im Falle eines Guerillakrieges in der Lage wären, die militärische Führung zu übernehmen ... Es war aber auch notwendig, einen Grundstock an Leuten aufzubauen, die in der Verwaltung und in anderen Berufen qualifiziert waren, damit die Afrikaner sich an den Regierungsgeschäften dieses Landes beteiligen könnten, sobald man sie ließ.»

Mandela schilderte seine Afrikareise, sein Studium der Kriegskunst und seinen Ausbildungskurs. Dem Gericht lagen Kopien von den in Rivonia beschlagnahmten Notizen vor, die er darüber gemacht hatte.

Nachdem er Teile von Mtolos Zeugenaussage in Abrede gestellt hatte, ging er auf die Unterstellung der Staatsanwaltschaft ein, daß die Ziele und Absichten des ANC und der Südafrikanischen Kommunistischen Partei identisch seien:

«Das ideologische Credo des ANC ist und war stets das Credo des afrikanischen Nationalismus. Der afrikanische Nationalismus will die Weißen nicht ins Meer treiben. Der afrikanische Nationalismus, für den der ANC eintritt, bedeutet für das afrikanische Volk Freiheit und Erfüllung im eigenen Land.

Das wichtigste politische Dokument, das je vom ANC beschlossen wurde, ist die Freiheitscharta. Sie ist keineswegs ein Entwurf für einen sozialistischen Staat. Sie fordert die Neuverteilung, aber nicht die Verstaatlichung von Grund und Boden; sie sieht die Verstaatlichung von

Bergwerken, Banken und der Monopolindustrie vor, da sich die großen Monopole ausschließlich in den Händen einer Rasse befinden und sich ohne eine solche Verstaatlichung nichts an den Herrschaftsverhältnissen ändern würde ... Die Freiheitscharta sieht vor, daß die Verstaatlichung im Rahmen einer auf dem freien Unternehmertum basierenden Wirtschaft erfolgen soll. Die Verwirklichung der Freiheitscharta würde neue Bereiche für eine blühende afrikanische Bevölkerung aller Klassen, einschließlich des Mittelstandes, eröffnen. Der ANC hat zu keiner Zeit seines Bestehens eine revolutionäre Veränderung im Wirtschaftssystem des Landes befürwortet, noch hat er, soweit ich mich erinnern kann, je die kapitalistische Gesellschaft verurteilt.

Was die Kommunistische Partei anbelangt, so tritt sie, sofern ich ihre Politik richtig verstehe, für den Aufbau eines auf den Grundsätzen des Marxismus beruhenden Staates ein. Obwohl sie bereit ist, sich für die Freiheitscharta als eine kurzfristige Lösung für die durch die weiße Vorherrschaft geschaffenen Probleme einzusetzen, betrachtet sie die Freiheitscharta als den Beginn und nicht als das Ende ihres Programms.

Anders als die Kommunistische Partei hat der ANC ausschließlich Afrikaner als Mitglieder aufgenommen. Sein Hauptziel war und ist, die Einheit und die vollen politischen Rechte für das afrikanische Volk zu erringen. Das Hauptziel der Kommunistischen Partei jedoch war, die Kapitalisten zu beseitigen und sie durch eine Regierung der Arbeiterklasse zu ersetzen. Die Kommunistische Partei war bestrebt, den Klassenunterschieden besonderes Gewicht beizumessen, während der ANC sie auszugleichen trachtet. Das ist ein entscheidender Unterschied.

Es ist wahr, daß es oft eine enge Zusammenarbeit zwischen dem ANC und der Kommunistischen Partei gegeben hat. Die Zusammenarbeit ist jedoch bloß der Beweis für ein gemeinsames Ziel – in diesem Fall die Beseitigung der weißen Vorherrschaft –, bedeutet aber keineswegs eine völlige Übereinstimmung der Interessen.

Die Weltgeschichte bietet eine Fülle ähnlicher Beispiele. Das wahrscheinlich treffendste Beispiel ist die Zusammenarbeit zwischen Großbritannien, den Vereinigten Staaten von Amerika und der Sowjetunion im Kampf gegen Hitler. Niemand außer Hitler hätte die Unterstellung gewagt, daß eine solche Kooperation Churchill oder Roosevelt zu Werkzeugen der Kommunisten machen würde oder daß Großbritannien und Amerika dazu beitrugen, die Welt kommunistisch zu machen.

Umkhonto ist ein anderes treffendes Beispiel für eine solche Kooperation. Kurz nach der Gründung von MK (Umkhonto) wurde ich von einigen seiner Mitglieder informiert, daß die Kommunistische Partei Umkhonto unterstützen würde, und das geschah dann auch.»

Er führte Beispiele der Beteiligung von Kommunisten am Befreiungskampf ehemaliger Kolonien an – Malaya, Algerien und Indonesien – alles Länder, die keine kommunistischen Staaten geworden sind. Und er schilderte, wie afrikanische Kommunisten, darunter Moses Kotane und J. B. Marks, damals Mitglied des ANC werden konnten und geworden sind. In seiner Jugend, erinnerte er sich, gehörte er einer Gruppe in der Jugendliga an, die den Ausschluß der Kommunisten aus dem ANC forderte, ein Antrag, der – unter anderem von Konservativen – mit der Begründung niedergestimmt wurde, daß der ANC von Anfang an nicht als eine politische Partei unter der Vorherrschaft einer bestimmten Denkrichtung aufgebaut wurde, sondern als ein Parlament des afrikanischen Volkes, das unterschiedlichen politischen Überzeugungen Raum gewährte. Er ließ sich schließlich von diesem Standpunkt überzeugen.

«Es ist für weiße Südafrikaner mit einem tief eingewurzelten Vorurteil gegen den Kommunismus wahrscheinlich schwer verständlich, warum erfahrene afrikanische Politiker so bereitwillig Kommunisten als ihre Freunde akzeptieren. Für uns jedoch liegt der Grund klar auf der Hand. Theoretische Meinungsverschiedenheiten zwischen Leuten, die gegen die Unterdrückung kämpfen, sind ein Luxus, den wir uns in diesem Stadium nicht leisten können. Überdies waren die Kommunisten viele Jahrzehnte lang die einzige politische Gruppe in Südafrika, die bereit war, Afrikaner als Menschen und als ihnen Gleichgestellte zu behandeln; die bereit war, mit uns zu essen, zu sprechen, zu leben und zu arbeiten. Sie waren die einzige politische Gruppe, die gewillt war, mit den Afrikanern für die Erkämpfung politischer Rechte und die Beteiligung am gesellschaftlichen Leben zusammenzuarbeiten. Aus diesem Grunde gibt es viele Afrikaner, die heute dazu neigen, Freiheit und Kommunismus gleichzusetzen. Sie werden in diesem Glauben durch eine Gesetzgebung bestärkt, die alle Verfechter einer demokratischen Regierungsform und der Freiheit für Afrikaner zu Kommunisten stempelt und viele von ihnen [die keine Kommunisten sind] nach dem Gesetz zur Bekämpfung des Kommunismus bannt. Obwohl ich kein Kommunist bin und nie Mitglied der Kommunistischen Partei war, fiel auch ich aufgrund meiner Rolle in der Verweigerungskampagne unter dieses böse Gesetz. Auch mir hat dieses Gesetz Bann und Gefängnis gebracht.

Nicht nur in der Innenpolitik zählen wir die Kommunisten zu jenen, die unsere Sache unterstützen. Auch international kamen uns die kommunistischen Länder stets zu Hilfe. In den Vereinten Nationen und anderen Weltorganisationen hat der Ostblock den afro-asiatischen Kampf gegen den Kolonialismus unterstützt und scheint unserer Misere oft wohlwollender gegenüberzustehen als manche westliche Macht. Obwohl die Apartheid von allen verurteilt wird, spricht sich der kommunistische Block mit weit lauterer Stimme gegen sie aus als der Rest der weißen Welt. Unter diesen Umständen mußte schon ein recht unüberlegter junger Politiker kommen, so wie ich 1949 einer war, um die Kommunisten zu unseren Feinden zu erklären.»

Er wandte sich seiner eigenen Position zu. «Ich habe mich immer in erster Linie als einen afrikanischen Patrioten gesehen», und er schilderte seine Erziehung in der Transkei unter der Obhut des Obersten Häuptlings von Thembuland. Heute fühle er sich von der Idee einer klassenlosen Gesellschaft angezogen, eine Anziehungskraft, die zum Teil von marxistischer Lektüre herrühre und zum Teil von seiner Bewunderung für die Struktur und Organisation früher afrikanischer Gesellschaften im südlichen Afrika, als das Land dem Stamm gehörte und es noch keine Ausbeutung gab.

«Es ist wahr, daß ich von marxistischem Gedankengut beeinflußt wurde. Aber das trifft auch auf viele Führer der neuen unabhängigen Staaten zu. So stark voneinander abweichende Persönlichkeiten wie Gandhi, Nehru, Nkrumah und Nasser bekennen sich alle dazu. Wir alle anerkennen die Notwendigkeit irgendeiner Art von Sozialismus, um unserem Volk die Möglichkeit zu geben, die fortgeschrittenen Länder dieser Welt einzuholen und ihr Erbe der extremen Armut abzuschütteln. Aber das heißt nicht unbedingt, daß wir Marxisten sind.

Was mich anbelangt, glaube ich, daß man darüber diskutieren kann, ob die Kommunistische Partei in der gegenwärtigen Phase unseres politischen Kampfes eine besondere Rolle spielen soll. Im gegenwärtigen Zeitpunkt ist die Hauptaufgabe die Beseitigung der Rassendiskriminierung und die Erringung demokratischer Rechte auf der Grundlage der Freiheitscharta. Insoweit als die Kommunistische Partei dieses Ziel unterstützt, begrüße ich ihre Mitwirkung. Ich sehe ein, daß sie eines der Instrumente ist, mit denen die Menschen aller Rassen für unseren Kampf gewonnen werden können.

Aber aus meiner Lektüre marxistischer Literatur und aus Gesprächen mit Marxisten habe ich den Eindruck gewonnen, daß Kommunisten das parlamentarische System des Westens für undemokratisch und reaktionär halten. Im Gegensatz dazu bin ich ein Bewunderer dieses Systems.»

Die Magna Charta, die Bill of Rights, so Mandela, würden überall von Demokraten hochgehalten. Er fügte hinzu, daß er für die britischen politischen Institutionen, für die britische Rechtsordnung und auch für Amerikas Kongreß und seine unabhängige Justiz große Hochachtung empfinde. Er sei in seinem Denken sowohl vom Westen als auch vom Osten beeinflußt worden. Bei seiner Suche nach einer politischen Formel wolle er völlig objektiv sein.

Dann kam Mandela auf die Frage des Kommunismus zurück: drei Beweisstücke in seiner Handschrift waren Notizen, die er einmal gemacht hatte, und er erklärte den Sachverhalt: ein alter Freund, der sowohl Mitglied des ANC als auch der Kommunistischen Partei war, wollte ihn dazu überreden, der Partei beizutreten. Mandela hatte mehrmals abgelehnt und dabei die kommunistische Literatur als beschränkt und mit Jargon überfrachtet kritisiert. Sein Freund hatte ihn ersucht, das Material in der vereinfachten Form, die er im Gedächtnis hatte, nochmals zu skizzieren. «Ich war einverstanden», sagte Mandela vor Gericht, «aber ich habe die Arbeit nie abgeschlossen ... Ich habe das unvollendete Manuskript nie wieder gesehen, bis es beim Prozeß als Beweisstück vorgelegt wurde.»

Zwei Jahrzehnte später sollte Präsident Botha viel Aufsehen von einem Ausschnitt aus einem der Beweisstücke machen, als er in seinem «Manifest» vom August 1985 Mandela als einen hartgesottenen Kommunisten darzustellen versuchte: «Wir kommunistische Parteimitglieder», lautete der Abschnitt, «sind die am weitesten fortgeschrittenen Revolutionäre in der modernen Geschichte ... Der Feind muß völlig vernichtet und vom Antlitz der Erde getilgt werden, bevor eine kommunistische Welt verwirklicht werden kann.» Präsident Botha vergaß jedoch darauf hinzuweisen, daß dieses Beweisstück nicht von Mandela verfaßt war, sondern von ihm aus Liu Schao Tschis «*Wie wird man ein guter Kommunist*» abgeschrieben worden war.

Mandela ging dann auf die finanzielle Unterstützung aus dem Ausland ein, die sie zur Ergänzung ihrer eigenen inländischen Finanzierungsquellen benötigten. Während des Hochverratsprozesses war finanzielle Hilfe von sympathisierenden Einzelpersonen und Organisationen in westlichen Ländern gekommen, und sie hatten es nicht für notwendig gehalten, noch darüber hinaus neue Quellen zu erschließen. Als jedoch Umkhonto gegründet wurde, erkannten sie, daß ihr Aktionsradius durch den Mangel an finanziellen Mitteln behindert wäre, und Mandela wurde beauftragt, Gelder aus afrikanischen Staaten zu beschaffen. In Gesprächen mit den Führern afrikanischer politischer Bewegungen hatte er herausgefunden, daß fast alle Unterstützung sowohl von sozialistischen Ländern als auch vom Westen erhalten hatten. Einige sehr bekannte afrikanische Staaten, alle nichtkommunistisch, ja sogar antikommunistisch, hatten ähnliche Hilfe erhalten. Bei seiner Rückkehr nach Südafrika hatte er dem ANC nachdrücklich empfohlen, sich nicht nur um Hilfe aus afrikanischen und westlichen Ländern zu bemühen, sondern auch in sozialistischen Ländern nach Geldmitteln zu suchen.

Die Staatsanwaltschaft hatte behauptet, daß Umkhonto die Kommunistische Partei ansporne, sich «eingebildete Mißstände» zunutze zu machen, um «die afrikanische Bevölkerung für eine Armee anzuwerben, die für die Freiheit der Afrikaner zu kämpfen vorgab, in Wirklichkeit jedoch einen kommunistischen Staat anstrebte.»

Er erklärte:

> «Nichts könnte weiter von der Wahrheit entfernt sein. Ja, die Unterstellung ist absurd. Umkhonto wurde von Afrikanern gegründet, um ihren Befreiungskampf im eigenen Land voranzutreiben. Die Bewegung wurde von Kommunisten und anderen unterstützt, und wir würden nur wünschen, daß sich uns mehr Gruppen der Gesellschaft anschließen.
>
> Unser Kampf gilt realer und nicht eingebildeter Not. Im wesentlichen kämpfen wir gegen zwei charakteristische Kennzeichen des Lebens der Afrikaner in Südafrika, die durch eine Gesetzgebung zementiert werden, die wir rückgängig machen wollen: Armut und Mangel an Menschenwürde, und wir brauchen keine Kommunisten oder sogenannte «Agitatoren», die uns darüber belehren.
>
> Südafrika ist das reichste Land Afrikas und könnte eines der reichsten Länder der Welt sein. Aber es ist ein Land der Extreme und Kontraste. Die Weißen genießen den wahrscheinlich höchsten Lebensstandard der Welt, während die Afrikaner in Armut und Elend leben. 40 Prozent der Afrikaner leben in hoffnungslos übervölkerten und manchmal von Dürre heimgesuchten Reservaten ... 30 Prozent sind Hilfsarbeiter, Tagelöhner und wilde Siedler auf weißen Farmen und arbeiten und leben unter Bedingungen, die jenen der Leibeigenen im Mittelalter ähneln. Die restlichen 30 Prozent leben in Städten, wo sie wirtschaftliche und soziale Lebensgewohnheiten angenommen haben, die sie in vielerlei Hinsicht den weißen Standards annähern. Dennoch sind viele Afrikaner auch in dieser Gruppe durch niedriges Einkommen und hohe Lebenshaltungskosten verarmt.»

Er nannte die Armutsgrenze für die afrikanische Durchschnittsfamilie in Johannesburg, dem wohlhabendsten Gebiet: 46 Prozent verdienten nicht genug, um sich zu erhalten. Mit der Armut untrennbar verbunden waren Unterernährung und Krankheit. Südafrikas Kindersterblichkeit war eine der höchsten der Welt. Aber Armut war nicht das einzige Übel der Afrikaner. Die von den Weißen gemachten Gesetze zielten auf die Erhaltung dieser Situation ab. «Es gibt zwei Möglichkeiten, der Armut zu entrinnen. Erstens durch Schulbildung und zweitens durch eine höhere berufliche Qualifikation und damit höhere Löhne für die Arbeiter. Für die Afrikaner werden beide Wege des Aufstiegs von der Gesetzgebung bewußt eingeschränkt.»

Er nannte die relativen Beträge, die 1960–61 für die Ausbildung der Weißen und der Schwarzen aufgewendet wurden: Die Weißen erhielten pro Kind etwa das Zwölffache, während das Bantu-Unterrichtswesen den Afrikanern eine weit minderwertigere Bildung zukommen ließ. Die Rassendiskriminierung in der Industrie bewirkte, daß alle besseren Arbeitsplätze den Weißen vorbehalten waren; schwarze Gewerkschaften wurden nicht anerkannt, und Streiks waren illegal.

Mandela fuhr fort:

> «Der Mangel an Menschenwürde, den die Afrikaner erleiden, ist eine direkte Folge der Politik der Vorherrschaft der Weißen. Weiße Vorherrschaft bedeutet schwarze Unterlegenheit ... Die Weißen neigen dazu, die Afrikaner als andere Wesen zu betrachten. Für sie sind sie nicht Menschen mit eigenen Familien; sie begreifen nicht, daß sie Gefühle haben – daß sie sich ebenso wie die Weißen verlieben können; daß sie, wie die Weißen, mit ihren Frauen und Kindern zusammenleben wollen; daß sie genügend Geld verdienen wollen, um ihre Familien anständig erhalten zu können, ihre Kinder ernähren, kleiden und zur Schule schicken zu können. Und welcher ‹Hausbursche› oder Gärtner oder Tagelöhner kann das je erhoffen?»

Aus persönlicher Erfahrung und aus all dem, was er als Rechtsanwalt und als politischer Führer selbst gesehen hatte, zeigte Mandela klar auf, was Afrikaner unter Regierungen erdulden mußten, die beanspruchten, die abendländische christliche Zivilisation zu repräsentieren; was sie erdulden mußten und was sie forderten:

«Die Paßgesetze, die bei den Afrikanern zu den verhaßtesten südafrikanischen Gesetzen zählen, bedrohen jeden Afrikaner jederzeit mit Polizeikontrolle. Ich bezweifle, ob es einen einzigen afrikanischen Menschen in Südafrika gibt, der nicht irgendwann seines Passes wegen mit der Polizei zu tun hatte. Hunderte und Tausende Afrikaner wandern alljährlich aufgrund der Paßgesetze ins Gefängnis. Noch schlimmer als das ist die Tatsache, daß durch die Paßgesetze die Eheleute voneinander getrennt leben müssen und das Familienleben zusammenbricht.»

Dieser Zusammenbruch des Familienlebens und die Armut führten zur Zerstörung des Sozialgefüges und zu jener Gewalt, die sich in den Townships ausbreitete. Gefängnis- und Todesstrafe konnten die schwärende Wunde nicht heilen.

«Afrikaner wollen zumindest das Existenzminimum verdienen. Afrikaner wollen Berufe ausüben, die ihren Fähigkeiten entsprechen, und nicht Tätigkeiten, für die die Regierung sie tauglich erklärt. Afrikaner wollen dort leben, wo sie Arbeit bekommen, und nicht aus einem Gebiet vertrieben werden, nur weil sie dort nicht geboren waren. Afrikaner wollen dort Land erwerben, wo sie arbeiten, und nicht in gemieteten Häusern wohnen müssen, die nie ihr eigen werden können. Wir wollen Teil der Gesamtbevölkerung sein und nicht in Ghettos leben müssen. Afrikanische Männer wollen mit ihren Frauen und Kindern dort zusammenleben, wo sie arbeiten, und nicht eine widernatürliche Existenz in Männerheimen führen müssen. Afrikanische Frauen wollen mit ihren Männern zusammensein und nicht ständig in Reservaten eine Witwenexistenz führen müssen. Wir wollen in unserem eigenen Land reisen und und Arbeit suchen können, wo wir wollen und nicht wo das Arbeitsamt es uns befiehlt. Wir wollen einen gerechten Anteil an ganz Südafrika; wir wollen Sicherheit und den uns gebührenden Anteil an der Gesellschaft.

Vor allem wollen wir gleiche politische Rechte, weil ohne sie unsere Entmündigung fortdauern wird. Ich weiß, das klingt für die Weißen in diesem Land revolutionär, da die Mehrheit der Wähler Afrikaner sein werden. Das bewirkt, daß die Weißen die Demokratie fürchten. Aber diese Furcht darf nicht der einzigen Lösung im Wege stehen, die das friedliche Zusammenleben der Rassen und die Freiheit für alle garantieren wird. Es ist nicht wahr, daß das Wahlrecht für alle eine Rassenherrschaft zur Folge haben wird. Eine politische Spaltung, die auf unterschiedlicher Hautfarbe gründet, ist völlig unnatürlich, und verschwindet sie, so verschwindet auch die Herrschaft einer rassischen Gruppe über die andere. Der ANC hat ein halbes Jahrhundert gegen Rassismus gekämpft. Wenn er den Sieg erringt, wird er diese Politik nicht ändern.

Dafür also kämpft der ANC. Es ist ein nationaler Kampf. Es ist ein

> Kampf des afrikanischen Volkes, und er ist erfüllt von seinem Leiden und seiner Erfahrung. Es ist ein Kampf für das Recht auf Leben.»

Mandela hörte zu lesen auf. Im Gerichtssaal war es sehr still. Er blickte zum Richter auf und begann dann wieder mit leiser Stimme zu sprechen:

> «Mein ganzes Leben lang habe ich mich diesem Kampf des afrikanischen Volkes gewidmet. Ich habe gegen die Herrschaft der Weißen gekämpft, und ich habe gegen die Herrschaft der Schwarzen gekämpft. Ich habe am Ideal einer demokratischen und freien Gesellschaft festgehalten, in der alle Menschen in Eintracht und mit gleichen Chancen zusammenleben. Es ist ein Ideal, für das ich lebe und das ich zu erreichen hoffe. Aber sollte es sich als notwendig erweisen, wird es ein Ideal, für das ich zu sterben bereit bin.»

Er setzte sich. Von der Zuschauergalerie her kam ein Aufseufzen. Dann wieder Stille, bis der Richter sich an Bram Fischer wandte: «Sie dürfen Ihren nächsten Zeugen aufrufen.»

Mandela hatte mehr als vier Stunden gesprochen. Nun wurde der Angeklagte Nr. 2, Walter Sisulu, als Hauptzeuge der Verteidigung, vom Staatsanwalt ausgiebig unter Beschuß genommen. Aber sobald er sich über Yutar ein Urteil gebildet hatte, war es, als hätte Sisulu vergessen, daß er sich im Zeugenstand befand. Es muß elf Jahre her gewesen sein, seit er zum letztenmal vor einem öffentlichen Forum aufgetreten war, und nun beherrschte er auf Anhieb die Situation. Ihm und Govan Mbeki fiel die Aufgabe zu, den Unterschied zwischen dem ANC und Umkhonto zu definieren. Mbeki, Kathrada und Bernstein sprachen von ihrer langen Treue zur Kommunistischen Partei. Alle Angeklagten leugneten aufs entschiedenste, daß ein Guerillakrieg geplant worden sei.

Dr. Yutar traf Anstalten, sein Abschlußplädoyer für die Anklage zu halten. Nachdem er dem Richter eine Reihe gebundener Bände überreicht hatte, begann er aus dem ersten Band vorzulesen. Er bestand erneut darauf, daß man sich nicht nur auf den Guerillakrieg geeinigt hatte, sondern daß auch ein Zeitpunkt festgesetzt worden sei; aber der Richter unterbrach ihn und forderte ihn auf, zuzugeben, daß er keinen Beweis erbracht hatte, der das Beharren der Verteidigung darauf, daß es keinen derartigen Beschluß gegeben habe, widerlegte. «Wie Euer Lordschaft belieben», gab Yutar klein bei.

Seine Rede dauerte vier Tage, und er bemühte sich kaum, Beweismaterial zu analysieren oder kritisch auszuwerten.

«Aus dem Beweismaterial geht hervor», schloß er, «daß ohne das Vorgehen der Polizei Südafrika heute in einen blutigen und grausamen Bürgerkrieg verwickelt wäre. Die Öffentlichkeit schuldet der Polizei Dankbarkeit.»

Die Verteidigung legte handfeste juristische Beweise vor, und Bram Fischer ließ sich von Richter de Wet bestätigen, daß kein Beschluß oder Zeitpunkt für einen Übergang zum Guerillakrieg festgesetzt worden sei.

Nachdem Mandela und sechs andere Angeklagte in gewissen Anklagepunkten ihre Schuld zugegeben hatten, waren zwei Fragen von Bedeutung: Wie würde das Urteil im Falle von Kathrada, Bernstein und Mhlaba ausfallen, die alle Anklagepunkte abstritten; und würde es für Mandela und seine Gefährten Todesurteile geben?

An einem Montag und Dienstag Anfang Juni 1964 schrieb Mandela – im Gefängnis – eine schriftliche Prüfungsarbeit für eine Juraprüfung der Universität London. (Er sollte sie bestehen.) Am Dienstag, dem 11. Juni, trat das Gericht zusammen. Winnie Mandela traf mit ihrer Schwiegermutter und ihren fünf- und vierjährigen Töchtern Zeni und Zindzi ein. Die Kinder durften das Gerichtsgebäude nicht betreten und mußten mit Freunden draußen bleiben.

Am Church Square in Pretoria Menschenmengen, überall Polizei; innerhalb des Justizpalastes bewaffnete Polizei, auf den Zuschauerrängen Gemurmel; plötzliches Verstummen, als Mandela die Männer aus den Zellen über die Treppe zur Anklagebank führte. «*Stilte in die hof! Opstaan!*»

Der Gerichtspräsident brauchte drei Minuten, um seine Entscheidung zu verkünden. Mandela war die Haupttriebkraft bei der Gründung von Umkhonto we Sizwe, dessen Zweck es war, Sabotage zu betreiben. Das Argument der Verteidigung wurde akzeptiert, daß die Führung Weisungen ausgegeben hatte, «dafür Sorge zu tragen, daß Menschen weder verletzt noch getötet werden», aber sie hätte voraussehen müssen, daß die Saboteure «vermutlich außer Kontrolle geraten würden». Die Pläne für den Guerillakrieg seien von der Führung nicht akzeptiert worden. «Ich bin nicht davon überzeugt», fügte er hinzu, «daß die Motive der Angeklagten so altruistisch waren, wie sie das Gericht glauben machen wollen.

Leute, die eine Revolution organisieren, übernehmen gewöhnlich die Regierung.»

«Das Urteil», schloß der Richter, «lautet wie folgt: Nelson Mandela wird in allen vier Anklagepunkten schuldig gesprochen; Walter Sisulu wird in allen vier Anklagepunkten schuldig gesprochen ...»

Nur Lionel Bernstein wurde freigesprochen, um von Swanepoel unverzüglich unter der Anschuldigung verhaftet zu werden, irgendwann einmal in der Vergangenheit einen Bann gebrochen zu haben.

Der Richter würde am folgenden Tag das Strafausmaß verkünden. Das Gericht vertagte sich. Mandela winkte seiner Frau und seiner Mutter zu. Als die Männer in einem Polizeiwagen mit einer bewaffneten motorisierten Eskorte abtransportiert wurden, streckten sie ihre Hände der zujubelnden Menge durch das Gitter zum traditionellen Gruß entgegen. Albertina Sisulu führte die Menge an, als «Nkosi Sikelel' iAfrika» angestimmt wurde.

Joel Joffe schilderte, was dann weiter geschah:

> «Die Anwälte der Verteidigung und ich machten auf unserem Rückweg nach Johannesburg beim Gefängnis halt. Die Angeklagten waren, nunmehr im Schatten des Todes, gelassen. Das einzige, was sie mit uns besprechen wollten, war, wie sie sich vor Gericht verhalten sollten, wenn das Todesurteil verhängt würde. Wir sagten, der Richter würde zunächst Nelson Mandela fragen: Haben Sie irgendeinen Grund vorzubringen, warum das Todesurteil nicht verhängt werden soll? Nelson entschied, er würde eine Menge zu sagen haben. Wenn sie glaubten, sie könnten die Befreiungsbewegung dadurch, daß sie ihn zum Tode verurteilten, zerschlagen, dann hatten sie sich getäuscht; er sei bereit, zu sterben, und er wisse, daß sein Tod ein Ansporn für den Kampf seines Volkes wäre. Wir machten ihn darauf aufmerksam, daß eine solche Rede kaum dazu geeignet war, eine Berufung zu erleichtern. Nelsons Antwort war einfach: Wenn er zum Tode verurteilt würde, würde er nicht berufen. Sisulu und Mbeki dachten genauso. Und alle drei bestanden darauf, daß es keine Auswirkungen auf die anderen Angeklagten haben dürfe.»

In den Townships wurden zugunsten der Rivonia-Leute unter großem persönlichem Risiko illegale Flugblätter verteilt und Slogans an die Mauern gesprüht, während es im Ausland eine Welle von Protesten, Demonstrationen und Mahnwachen gab, die während der Wartezeit auf die Urteile eine äußerst gespannte Atmosphäre schufen. Die Vereinten Nationen hatten schon die bedingungslose Freilassung der Rivonia-Leute und aller politischen Gefangenen in Südafrika mit 106 zu einer (Südafrika-) Stimme gefordert. Die Leitartikel der Zeitungen spiegelten die Stimmung wider: «Das Wesen der südafrikanischen Tragödie besteht darin, daß sich Männer vom Schlage Mandelas auf der falschen Seite des Gesetzes befinden», kommentierte der konservative *Sunday Telegraph*. «Für die meisten Menschen der Welt», schrieb *The New York Times*, «sind diese Männer Helden und Freiheitskämpfer. Die George Washingtons und Ben Franklins von Südafrika.»

«Das Urteil der Geschichte», prophezeite *The Times*, «wird einmal lauten, daß der wirklich Schuldige die Regierung selbst ist – und das ist bereits das Urteil der Weltöffentlichkeit.»

In seinem unermüdlichen Streben, die Männer vor dem Tode zu retten, war Bram Fischer an zwei prominente Südafrikaner mit der Bitte herangetreten, für Strafmilderung zu plädieren: Kronanwalt Harold Hanson verglich den Kampf der Afrikaner um ihre Rechte mit dem Kampf der Afrikaander um ihre Freiheit und führte Präzedenzfälle für maßvolle Urteile, selbst in Fällen von offenem Widerstand und Hochverrat, an; Alan Paton hingegen, nationaler Vorsitzender der Liberalen Partei und ein gläubiger Christ, pries die Lauterkeit und den Mut von Mandela, Sisulu und Mbeki und sprach vom Fehlen jeglicher Rachsucht. Er bat «um der Zukunft dieses Landes willen» dringend um Milde.

Am 12. Juni gab es auf den vierzig Meilen zwischen Witwatersrand und Pretoria überall Straßensperren der Polizei und bewaffnete Streitkräfte. Stundenlang wartete eine riesige Menge schweigend vor dem Justizpalast, darunter Frauen mit Transparenten: WIR SIND STOLZ AUF UNSERE FÜHRER und KEINE TRÄNEN: UNSERE ZUKUNFT IST FROH.

Vor Gericht zeigten Mandela und die anderen während der Urteilsverkündung nicht die geringste Gefühlsregung: «Das Verbrechen, dessen die Angeklagten schuldig gesprochen wurden ... entspricht im wesentlichen dem Hochverrat. Die Anklage hat sich entschieden, den Angeklagten dieses Verbrechen nicht zur Last zu legen. In Berücksichtigung dieser Tatsache und nach reiflicher Erwägung der Umstände habe ich entschieden, nicht die Höchststrafe zu verhängen.» Ein Seufzer der Erleichterung ging durch den Saal, aber der Richter fuhr fort: «Um meine Pflicht nicht zu verletzen, ist das die einzige Milde, die ich walten lassen darf. Alle Angeklagten werden zu lebenslanger Haft verurteilt.» Die Männer auf der Anklagebank wandten sich der Zuschauergalerie zu und lächelten. Mandela erhob seine Faust zum *Afrika*!-Gruß des ANC, bevor er zum letztenmal die Treppe zu den Zellen hinabstieg.

Die Anwälte der Verteidigung schüttelten Bram Fischer schweigend die Hand. Es hatte in erster Linie in seiner Verantwortung gelegen, das Leben der Männer zu retten, und es war sein juristischer Sieg, daß sie am Leben bleiben würden.

Auf der Straße wartete Winnie mit Zeni und Zindzi, um einen letzten flüchtigen Blick auf ihren Mann zu erhaschen, aber die Menschenmenge war zu dicht. Als die Männer abtransportiert wurden, ertönten die Rufe *Amandla! Ngawethu!* Robin Day konnte sich einen Weg zu ihr bahnen, um sie für die Sendung «Panorama» des BBC-Fernsehens zu interviewen – ein eindringliches und tapferes Statement, wie es für sie typisch war. Dann stieg sie in ihren Wagen, erhob die Faust zum ANC-Gruß und fuhr davon. In ihrem Haus in Orlando angekommen, legte sie die Kinder zu Bett und brach dann schluchzend zusammen.

Die Rivonia-Männer, sagte Albert Lutuli in einem bewegenden Appell an die Außenwelt, repräsentierten «das Höchste an Moral und Ethik» im politischen Kampf des Landes. Er wandte sich an «Südafrikas engste Verbündete, Großbritannien und Amerika ... eindeutige Sanktionsmaßnahmen zu ergreifen», um «dem verhaßten Apartheid-System ein Ende zu bereiten».

Zwei Leitartikel brachten die äußersten Gegensätze der weißen öffentlichen Meinung in Südafrika zum Ausdruck: «Die Rivonia-Verschwörung», schrieb eine burisch-nationalistische Zeitung, «war ein teuflischer Plan, eine schwarze Revolution einzuleiten, mit dem Ziel, den freien Lebensstil der Weißen zu unterwerfen.» Der *Rand Daily Mail* stellte fest, daß der Fall deshalb die Phantasie so sehr gefesselt habe, weil er «eine klassische Geschichte des Kampfes der Menschen um Freiheit und Würde» erzähle, «wobei in seinem Scheitern Assoziationen zur griechischen Tragödie anklingen. Rivonia ist ein Name, den man sich merken muß.»

Dennis Goldberg wurde als einziger Weißer in das Zentralgefängnis von Pretoria zurückgebracht. Mandela, Sisulu, Mbeki, Mhlaba, Motsoaledi, Mlangeni und Kathrada wurden nach Robben Island geflogen. Sie alle weigerten sich, gegen das Urteil zu berufen.

Südafrikanische Beamte meinten, daß «lebenslänglich» für politische Gefangene wörtlich zu nehmen sei.

Winnie Mandela

«Bete, daß Dein Gott Dich aus dieser Zelle befreit»

1964–1970

«Ich durfte nicht ins Freie, ich konnte mir nur vor der Zellentür etwas Bewegung verschaffen, indem ich auf und ab ging, auf und ab, etwa zehn bis fünfzehn Minuten lang. Die Seele kann sich nur sehr schwer an eine solche Einsamkeit gewöhnen. Ich fühlte mich durch den totalen Mangel an Kommunikation seelisch so gepeinigt, daß ich plötzlich bemerkte, wie ich zu den Kindern sprach, so als wären sie bei mir in der Zelle. Wenn dort eine Ameise oder Fliege war, dann war das für mich Gesellschaft für den ganzen Tag.»

Winnie Mandela

Kurz vor seinem 46. Geburtstag befand sich Mandela wieder auf Robben Island, einem kleinen felsigen, windgepeitschten Eiland inmitten des stürmischen Ozeans, sieben Meilen nordwestlich von Kapstadt; aber diesmal hatte er seine Kampfgefährten Sisulu und die anderen Rivonia-Leute dabei. Auf der Insel im Kreise seiner Freunde wurde er bei seinem Clannamen Madiba genannt.

Am Höhepunkt des Winters war die Insel feuchtkalt; an sehr nebligen Tagen hörte man den klagenden Ton des Nebelhorns vom Leuchtturm her. Brutale Wachen – einer hatte ein Hakenkreuz auf seinem Handrücken eintätowiert – regelten jeden ihrer Schritte. Anfangs wurden sie zusammen mit anderen «Politischen» im *Ou Tronk* (altes Gefängnis) untergebracht; zum Duschen ließ man sie entkleiden und nackt zu einem Waschraum im *Zinc Tronk* laufen, der etwa 200 Meter entfernt war. Bewacht von Männern mit deutschen Schäferhunden an der Leine, schufteten sie an der Fertigstellung eines neuen, ausbruchssicheren «Isolier»-Trakts mit 88 Zellen, die sie als erste belegen sollten, wovon ihre in Beton eingeprägten Namen zeugten. Von den anderen Blocks durch eine zehn Meter hohe Mauer getrennt, nahmen diese abgesonderten Politischen die eine Seite des zentralen Hofes ein; kriminelle Lebenslängliche die andere.

Mandelas Zelle war typisch, etwa zwei Meter im Quadrat, von einer 40-Watt-Birne erleuchtet, auf dem Fußboden eine Matte und ein zusammengerolltes Bettzeug aus zwei Decken. Die vorschriftsmäßige kurze Hose und das Khakihemd, die dünne Weste und Jacke boten keinen Schutz gegen die bitterkalten Nächte. Noch vor Sonnenaufgang wurden sie geweckt, mußten sich mit kaltem Wasser waschen und rasieren und die Toiletteneimer säubern; er und seine Mithäftlinge – insgesamt etwa dreißig – wechselten einander beim Austeilen des Frühstücks ab: Haferbrei gab es für jeden, aber während den Indern und Farbigen ein Löffel Zucker und eine Ration Brot zugestanden wurden, mußten Afrikaner mit einem halben Löffel ohne Brot vorliebnehmen. Mais, eine geschmacklose Suppe

Mandela und Walter Sisulu auf Robben Island, 1966

und schwarzer Kaffee bildeten die Grundlage ihrer übrigen Mahlzeiten, gelegentlich kamen noch ein kleines Stück Fleisch oder etwas Gemüse hinzu.

Den ganzen Tag über begleitete sie das Gebrüll der Gefängnisaufseher, die ihnen befahlen, in ihren Zellen zu bleiben und den Mund zu halten: sie waren in Isolationshaft.

Der erste Kampf galt daher der Durchsetzung der primitivsten Rechte: dem Recht auf gymnastische Übungen, auf sinnvolle Arbeit, mehr Decken, lange Hosen und besseres und reichhaltigeres Essen; dem Recht, die Zellen verlassen und miteinander sprechen zu dürfen. Die *Klagte*-(Beschwerde-)Stunde an Samstagvormittagen wurde von den Gefängnisbediensteten offenbar für einen besseren Witz gehalten, aber Mandela verlangte gebieterisch deren Einhaltung. Er war auf eine unterkühlte Weise höflich und entschlossen und behandelte sie nicht als Feinde, sondern wie Männer, die ihren Job, wie es sich gehört, ausüben und sich an die Gefängnisordnung halten sollten.

Nach wenigen Wochen stellte sich der erste, wenn auch sehr geringfügige Erfolg ein: Sie wurden in den Hof gelassen, wo sie, auf Steinblöcken sitzend, Felsbrocken mit Hämmern in kleine Stücke zerschlagen mußten. Wenn sie beim Sprechen erwischt wurden, wurden sie mit *drie maaltye* (Streichung von drei Mahlzeiten) bestraft; ein zweiter Verstoß bedeutete die Streichung von sechs Mahlzeiten, aber im Getöse des Hämmerns brachten sie es fertig, miteinander zu kommunizieren, ja sie brachten es sogar zu Wortspielen.

Dennis Brutus, Lehrer, Dichter und Organisator des Sportboykotts, der eine kurze Haftstrafe wegen Mißachtung eines Bannbefehls verbüßte, erinnerte sich an ein Spiel: Jeden Tag pflegte ein Häftling eine Frage zu stellen, die in der Gruppe die Runde machte, oft etwas, worüber man sich allein in der Zelle den Kopf zerbrechen konnte. Mandela fragte, woher die Bezeichnung «Fabian» stamme, der Name einer britischen sozialistischen Gesellschaft, der G. B. Shaw und H. G. Wells angehört hatten. Brutus bot eine Antwort an: vom römischen General Fabius Maximus, dessen meisterhafte Taktik Hannibals Armee allmählich zermürbte; daher der symbolische Gebrauch des Namens für die schrittweise Einführung und Verbreitung des Sozialismus.

Während dieser ersten Monate der Schwerarbeit im Hof wurde einem Pressefotografen gestattet, die Männer beim Steineklopfen zu fotografieren und während einer Pause eine gemeinsame Aufnahme von Mandela und Sisulu zu machen: die einzigen Aufnahmen, die während der langen Jahre in Haft von ihnen gemacht wurden.

Nach der Festnahme der Rivonia-Männer und der späteren Gefangennahme weiterer Spitzenleute und Organisatoren von Umkhonto und ANC, mußte die Exilorganisation des ANC zugeben, daß «der Feind den eigentlichen Kern der Bewegung zerschlagen hatte»; das sei «ein sehr schwerer Rückschlag». Durch die körperliche und seelische Folter der 90-Tage-Haft und die Tätigkeit bezahlter Informanten riß der Strom der vom Festland kommenden ANC-, PAC- und Poqo-Leute sowie Mitglieder anderer radikaler Organisationen nicht ab. Ausschließlich afrikanische Männer – weiße Politische wurden in Pretoria festgehalten; afrikanische Frauen in der Regel in Kroonstad – Lehrerinnen, Bäuerinnen, Ärztinnen, Tagelöhnerinnen, Buchhalterinnen, Fabrikarbeiterinnen, Gewerkschafterinnen. Im Alter zwischen 15 und 70 waren sie alle wie noch nie zuvor auf dieser kleinen Insel vereinigt, obgleich die Spitzenleute im Sondertrakt von den anderen Blocks abgeschnitten waren, wo mehr als tausend Politische und etwa 300 Kriminelle in Zellen zu je 60 Gefangenen festgehalten wurden. Bald wurden auch Namibier eingeliefert – führende Leute der South-West African People's Organization (SWAPO) – und wurden im *Zinc Tronk* eingekerkert. In einem Haus unweit des Dorfes, in dem die weißen Gefängniswärter lebten, befand sich Robert Sobukwe scharf bewacht unter Hausarrest.

Im Hochsommer wurden Mandela und seine Kameraden im «Isolationstrakt» zur Arbeit in einem Kalksteinbruch abkommandiert. Paarweise an den Fußgelenken zusammengekettet, humpelten sie täglich ins Landesinnere der Insel. Wenn ein anderer Arbeitstrupp (*span*) aus dem Haupttrakt sich näherte, wurde ihnen befohlen, stehenzubleiben und sich abzuwenden, während die Führer vorbeigingen. Keine Kommunikation, kein Blick gegenseitiger Ermutigung durfte ausgetauscht werden. Die Behörden konnten nicht verhindern, daß sie sich am gelb blühenden Busch und den Eukalyptusbäumen, an einem plötzlich auftauchenden Reh oder einem Strauß erfreuten, während sich weit in der Ferne im Südosten jenseits des glitzernden Meeres das Panorama des Tafelberges über Kapstadt erhob.

Nachdem man ihnen im Steinbruch die Ketten abgenommen hatte, gruben und hackten die Männer den Kalk mit Spitzhacken und Schaufeln und verluden die Platten auf Lastwagen. Später am Tag wurde diese riesige Grube, in der sie wie in einer Falle gefangen waren, ein Backofen, in dem das Kalkgestein die Sonnenglut reflektierte, so daß sie sowohl von unten als auch von oben versengt wurden, während die Aufseher sie antrieben: «*Werk, man, werk!*» Mit schmerzenden Gliedern und Rücken, wunden Knöcheln und Händen und vom Staub tränenden Augen gruben und hackten und beluden sie Stunde um Stunde. Als sie am Nachmittag zurückhumpelten, waren die Männer weiß wie Gespenster, über und über mit Kalkstaub bedeckt; sie stürzten sofort unter die Duschen, ehe sie erschöpft auf die Matten in ihren Zellen sanken. Jeden Abend, sobald die Aufseher dienstfrei hatten, vereinigten sich die Stimmen der Häftlinge über die Zellenwände hinweg im gemeinsamen Gebet und im Singen von Freiheitsliedern.

Tag für Tag nahm diese Routine ihren Lauf, bis die Zeit für *klagte* kam und Mandela ihren Protest vorbrachte. Die Ketten wurden abgeschafft; aber ihr Wunsch, sinnvolle Arbeit zu leisten, wurde nie erfüllt: sie plagten sich weiter in dieser Grube ab, die von Generationen von Gefangenen gegraben worden war. Die ursprünglichen Bewohner der Insel waren Robben, Pinguine und Schlangen gewesen, bis die Holländisch-Ostindische Gesellschaft, die ersten Europäer, die einen Stützpunkt am Kap der Guten Hoffnung errichteten, ihre Eignung als Gefängnis erkannten: das Meer verhinderte nicht nur die Flucht der Häftlinge, sondern hielt auch unerwünschte Besucher ab. Die Insel spielte auch eine Rolle in der Geschichte des afrikanischen Widerstandes gegen den Imperialismus: Im Jahre 1658 war der Khoi-Rebell Autshumayo – Herry nannten ihn die Holländer – der erste, der hierher verbannt worden war, und einer der ganz wenigen, denen die Flucht gelungen war; von den Holländern waren rebellische Scheichs, Radschas und Prinzen aus Java und den Molukken dorthin verbannt worden; später hatten die Briten nach der Besetzung des Kaps im 19. Jahrhundert einige jener Helden auf die Insel verbannt, die Mandela seit seiner Kindheit so verehrt hatte – Makana im Jahre 1819 und Maqoma in den fünfziger Jahren des vorigen Jahrhunderts –, große Kriegerhäuptlinge der AmaXhosa, die durch die militärische Überlegenheit der weißen Siedler besiegt worden waren. Makana hatte die Flucht gewagt und war ertrunken; manche Gefangene nannten sie Makana Insel. Die Briten hatten auch die «chronisch Kranken, Geistesgestörten und Armen» aller Rassen auf die Insel geschickt; darunter auch Leprakranke. Viele starben dort, und ihre Gebeine vermischten sich mit jenen der afrikanischen Häftlinge und Verbannten, die zu «lebenslänglicher» Haft verurteilt worden waren. 1959 kündigte Justizminister Vorster an, daß die Insel zu einem Hochsicherheitsgefängnis für «nichtweiße» Männer gemacht würde: Mit dem Verbot jeglicher Schiffahrt innerhalb einer Meile und angesichts der reißenden Meeresströmungen galt sie als absolut ausbruchssicher.

Politische Gefangene fielen in die Kategorie D: Alle sechs Monate ein Brief mit 500 Wörtern und ein Besuch, wobei ausschließlich Familienangelegenheiten besprochen werden durften. Winnie hatte die «absolute Hölle» dieser ersten Monate geschildert, als sie «eines Mannes von so eindrucksvollem Format beraubt» war.

Während sie «weiterwurstelte und sich darauf einzustellen versuchte», las sie immer wieder seinen ersten Brief.

Als die Zeit für den ersten Besuch gekommen war, machte sie sich mit Albertina Sisulu und der Tochter des Häuptlings Lutuli, Dr. Albertina Ngakane, deren Mann eine kurze Haftstrafe verbüßte, auf den Weg. Sie fuhren die fast tausend Meilen nach Kapstadt. Bei ihrer Ankunft am Hafen mußten sie sich ins Gästebuch des Gefängnisses eintragen, womit sie sich mit folgenden Vorschriften einverstanden erklärten: keine Fotoapparate, keine Katzen, keine Hunde, keine Kinder unter sechzehn Jahren. Die Fahrt mit der Fähre dauerte 45 Minuten, und dann endlich waren sie auf der Insel angekommen. Aber während Gefängnisbedienstete sie vom Anlegeplatz in den Warteraum führten, konnten sie nur wenig von der neuen Umgebung ihrer Männer sehen. Auf der einen Seite verstellte eine hohe Mauer den Blick auf das Gefängnis, auf der anderen Seite war das Meer. Zum erstenmal hörte Winnie Mandela die Warnung, die sie in den kommenden Jahren jedesmal, wenn sie ihren Mann besuchte, hören sollte: Ein höherer Gefängnisbeamter ermahnte sie, nicht Xhosa zu sprechen oder über irgend jemand anderen zu erzählen, als über die Kinder und «Verwandte ersten Grades»; sollte sie diese Vorschrift verletzen, würde der Besuch unverzüglich abgebrochen werden.

Mittlerweile wurden Mandela und die anderen Männer, denen ein Besuch bewilligt worden war, namentlich aufgerufen und in den Besuchertrakt geführt. Auch sie waren auf ähnliche Weise gewarnt worden, mit der zusätzlichen Weisung, nicht über die Zustände im Gefängnis zu sprechen.

Endlich waren Mann und Frau wieder zusammen; alle beide waren in Begleitung von je zwei bis drei Aufsehern und konnten einander nur undeutlich durch ein kleines Fenster hindurch sehen und über ein von einem Aufseher überwachtes Telefon hören. Unter diesen unnatürlichen Umständen nahmen sie, so gut es ging, an ihrem Leben gegenseitigen Anteil. Zeni war sechs und Zindzi viereinhalb Jahre alt; ihre Eltern besprachen ihre Entwicklungsprobleme und ihre Bedürfnisse. Zindzi war erst vor kurzem in den Kindergarten gekommen, wollte aber dort nicht bleiben. Sie wollte wie ihre Schwester in eine «richtige» Schule gehen, und ihr Vater stimmte Winnie zu, daß sie das tun könne. Die halbe Stunde wurde vom Ruf des Aufsehers abrupt abgebrochen: «Die Zeit ist um!»

Die Frauen schlenderten langsam zum Ausgang, um noch einen Blick auf ihre Männer zu erhaschen, wie sie in die Zellen zurückgeführt wurden. Albertina Sisulu konnte nicht umhin auszurufen: «Unsere Männer verkümmern hier!» Doch dann fügte sie hinzu: «Aber sie haben viel Kraft.» Dann wurden die Frauen zurück zur Fähre geführt, zurück zum Festland, und traten die lange Reise nach Hause an.

Daheim in Orlando erzählte Winnie den Kindern von ihrem Vater, an den sie sich nicht erinnern konnten. Alles, woran sich Zeni erinnern konnte, als sie ihn das letzte Mal gesehen hatte, waren die große Menschenmenge und die Autos vor dem Justizpalast. Nun waren sie von ihrer Mutter getrennt, da immer strengere Bannbestimmungen ihr Leben einschränkten. Sie schilderte die Auswirkungen des Banns, der sie am Betreten von Schulen und am Aufenthalt in sämtlichen afrikanischen Gebieten außer Orlando hinderte:

> «Ich war nie dort, um als Mutter die Händchen meiner kleinen Mädchen zu halten, sie zur Schule zu bringen und sie ihren Lehrern vorzustellen, wie es der Stolz jeder Mutter ist, wenn ihre Kinder ihren ersten Schultag erleben. Jede Mutter freut sich so sehr auf diesen Tag. Ich habe nie eine der Schulen betreten, die meine Kinder besuchten. Ich habe nie einen Lehrer meiner Kinder gesehen. Ich konnte es nicht, denn dann hätte ich die Bannbestimmungen verletzt.
>
> Ich brachte die Kinder schon sehr früh in Internatsschulen unter. Die erste war ein römisch-katholisches Institut in Swasiland. Ironischerweise hieß es Unsere Liebe Schmerzensfrau. So mußten sie sich praktisch selbst erziehen.»

Als Thembi nach Johannesburg kam, half er mit bei der Beaufsichtigung der Kinder. Sie hatten ihn sehr gern, und später kam ihnen zu Bewußtsein, wie sehr er ihrem Vater ähnlich sah. In diesen Jahren erinnerte sich Zeni liebevoll an ihre Mutter, wie sie für sie Xhosa-Wiegenlieder sang.

Durch den Bann verlor Winnie ihren Job bei der Kinderfürsorge. Die Einschüchterung der Arbeitgeber durch die Polizei erschwerte ihren Kampf um einen Lebensunterhalt: Von einem Möbelladen in der Innenstadt ging sie zu einer chemischen Reinigung, dann zu einem Schuhreparaturladen.

Sie hatte sich von einem schüchternen Mädchen zu einer wunderschönen jungen Frau entwickelt und hatte etwas von der überschäumenden Vitalität ihres Mannes. Manchmal wurden Einsamkeit und Belastungen unerträglich, und ihr natürlicher Hang zur Leichtgläubigkeit wurde durch ihre Einsamkeit nur noch verschärft. Im Laufe einiger Jahre entpuppten sich zwei Menschen, die sie für verläßliche Freunde gehalten hatte, als Polizeispitzel, und als die Sicherheitspolizei das Gerücht ausstreute, sie selbst sei eine Informantin, erlebte sie eine äußerst qualvolle Zeit der Ächtung durch eine Reihe politischer Mitkämpfer. Die Behörden vergewisserten sich, daß Mandela auf Robben Island solcher Klatsch zu Ohren kam; irgendwie gelang es ihm, eine Botschaft herauszuschmuggeln mit der Bitte, seiner Frau in diesen schweren Zeiten beizustehen.

Der Staat, der sich mit dieser niederträchtigen Form der Verfolgung noch nicht zufrieden geben konnte, verschärfte Winnies Bannbestimmungen: 1966 wurde ihr auch verboten, zu schreiben oder zu veröffentlichen, 1967 wurde sie zweimal verhaftet, der Verletzung der einen oder anderen Bannbestimmung angeklagt und nach vier Nächten in der Polizeizelle zu vierzehn Monaten bedingter Haft verurteilt.

Viele Jahre später schilderte sie die Auswirkungen einer solchen Dauerverfolgung auf die Familie:

> «Was die schwarze Frau in Südafrika anlangt, ist jedes afrikanische Heim eine politische Institution. Die afrikanische Frau steht vor der Aufgabe, ihren Kindern erklären zu müssen, was in der Gesellschaft vor sich geht. Als Zindzi etwa sechs Jahre alt war, stellte sie mir Fragen, mit der jede Mutter konfrontiert wird. Sie hatte draußen gespielt, und dann kam sie ins Haus und sagte: ‹Mutti, du sagst, Papi ist im Gefängnis, weil er für das afrikanische Volk kämpft?› Ich sagte ja. Und sie sagte: ‹Aber bei den Nachbarn ist der Vater zu Hause. Warum ist mein Vater im Gefängnis und der Vater von nebenan nicht?› So schwierige Fragen in so zartem Alter: über die Polizei, den Staat, die Stellung des Vaters bei den Nachbarn. Das politische Bewußtsein wird mit der Muttermilch eingesogen. Im Leben eines Afrikaners gibt es keine Faser, die von den Apartheidgesetzen ausgespart ist; sie sind so unmenschlich, daß selbst kleine Kinder unter ihnen leiden; sie kennen kein anderes Leben. Wenn ein Mann in unserer kranken Gesellschaft noch nie im Gefängnis war, wird man diesen Afrikaner gründlicher unter die Lupe nehmen. Es bedeutet, daß mit diesem Mann etwas nicht stimmt. Total verdrehte Werte.»

Jahr für Jahr rackerten sich Mandela und seine Mitkämpfer ab. Wenn sie nicht gerade in der Kalkgrube arbeiteten oder Steine klopften, reparierten sie Straßen. Einmal wurde ihm unwohl, und er konnte keine schweren Steinbrocken auf den Lastwagen heben. Der Stabsoffizier, der den Kommandanten auf einer Inspektion begleitet hatte, wurde Zeuge seiner Weigerung, dem Befehl zu gehorchen. Der Faulheit und der Verweigerung eines rechtmäßigen Befehls beschuldigt, wurde Mandela vom Gefängnisgericht angeklagt und zu sechs Tagen Einzelhaft mit reduzierter Kost verurteilt. Die Einzelzellen waren eiskalt; die reduzierte Kost bestand aus Wasser, in dem Reis gekocht worden war.

Die tätlichen Angriffe, die in den frühen sechziger Jahren gang und gäbe waren, machten Versuchen Platz, die Moral der Männer zu brechen. «Als wir ins Gefängnis kamen», sagte Eddie Daniels, ein Mitglied der Liberalen Partei und einer der Saboteure der African Resistance Movement, «hatte die Regierung zwei Ziele: unsere Moral zu brechen und zu erreichen, daß die Welt uns vergißt. Sie scheiterten kläglich. Denn wenn man mit Mandela und Sisulu zusammen war, wurde man nicht geschwächt, sondern aufgerichtet und gestärkt.» – «Mandela», fügte er hinzu, «lehrte mich überleben. Als ich krank war, hätte er irgend jemand anderen zu mir schicken können. Aber er kam persönlich. Ja, er säuberte sogar meine Toilette.» *

Durch Hungerstreiks, Bummelstreiks und andere Formen des Protests und mit Hilfe der wachsenden internationalen Besorgnis hatten die politischen Gefangenen bessere Haftbedingungen erwirkt: das Recht, miteinander zu sprechen, besseres Essen, mehr Decken und lange Hosen. Dennis Brutus schilderte, wie ein Häftling nachts, nach Dienstschluß der Aufseher, manchmal eine Melodie zu pfeifen begann – obwohl Pfeifen verboten war – und wie die Melodie von einer anderen Zelle aufgenommen wurde, bis sie zu einem kleinen Pfeifkonzert wurde.

Eine immer wiederkehrende Klage betraf die mangelhafte medizinische Versorgung. Auch der häufige Wechsel der Gefängniskommandanten war störend: jeder Neuling hatte seine Marotten, auf die sich die Häftlinge einstellen mußten. Einer von ihnen, mit dem

* *Grassroots*, Mai 1985.

Spitznamen «*Staalbaard*» (Mann aus Stahl), blieb zum Glück nur sechs Monate. Später kam ein Mann, der ihren Beschwerden wirklich Gehör schenkte; aber auch er wurde abgelöst.

Trotz der Mühsal hielt Mandela an seinen routinemäßigen Leibesübungen fest, und trotz der Eintönigkeit des Gefängnisalltags entdeckte er – wie alle anderen –, daß selbst hier kein Tag dem anderen glich, ein Tag erwachender Freundschaften und gemeinsamer Erlebnisse, ein Tag, an dem Ereignisse der Vergangenheit nochmals durchlebt werden und an dem man neues Vertrauen in die Zukunft gewinnt.

Er erzählte gern über seine Jugend im Thembuland und über seine Afrikareise, wobei er manchmal die ursprüngliche Geschichte ausschmückte, wenn sein Humor mit ihm durchging. Einmal machte er sich in einer Geschichte über sich selbst lustig und schilderte seine Bestürzung, als er in Ghana in einem Flugzeug flog, in dem die Piloten Afrikaner waren. Wie konnten *die* nur ein so großes Düsenflugzeug fliegen? Sein Argwohn war völlig unwillkürlich, das Resultat der Erziehung in Südafrika. Und als die Piloten das Cockpit verließen, um mit den Passagieren zu plaudern, dachte er – nicht wissend, daß es so etwas wie eine automatische Steuerung gab –, wie verantwortungslos diese Afrikaner doch sind!

«So schlimm die Verhältnisse auch sein mögen, man wird immer etwas finden, worüber man lachen kann», sagte einer seiner Mithäftlinge, Dr. Pascal Ngakane. «Das ist ein Schutzmechanismus des Menschen. Einmal forderte man uns auf: Alle Führerscheinbesitzer vortreten! Also traten alle, die fahren konnten, vor; wir dachten, daß wir die Lkws fahren dürften. Aber man gab uns Schubkarren zu schieben!»

Das Recht, studieren zu dürfen, bedeutete mehr als jede andere Vergünstigung, wenn man von den Besuchen absieht. Mandela, der sein Studium für weitere akademische Jura-Grade fortsetzte, durfte bis 23 Uhr arbeiten, ebenso Mbeki und einige andere, die Akademiker waren, jene hingegen, die bloß Abitur hatten, mußten eine Stunde früher aufhören. Wurde jemand nach der vorgeschriebenen Zeit noch lesend angetroffen, so hieß das *drie maaltye*. Fikile Bam, der vor seiner Verurteilung Jurastudent gewesen war, wußte die Tatsache zu schätzen, daß Mandela sein Gedächtnis und sein Verständnis des Gelernten prüfte, indem er ihm Wissen weitergab, was wiederum zu politischen Diskusssionen führte. Es gab zwischen den Männern einen ständigen Gedankenaustausch, ein dauerndes Voneinanderlernen. Die schlimmste Strafe war die Einschränkung der Studienzeit.

Politische Gefangene durften weder Zeitung lesen noch Nachrichten von draußen empfangen. Mandela wurde angeklagt und bestraft, als man in einem Versteck in seiner Zelle Zeitungsausschnitte fand, doch irgendwie verstanden es die Männer, Nachrichten aufzuschnappen, und sie stürzten sich auf jeden Fetzen Zeitungspapier und analysierten seine tiefere Bedeutung.

1965 hatte es große Aufregung gegeben, als sie erfuhren, daß Bram Fischer, dem wegen seiner führenden Position in der illegalen Kommunistischen Partei der Prozeß gemacht worden war, untergetaucht war, um den Kampf wiederaufzunehmen. Fast ein Jahr konnte er sich der Gefangennahme entziehen. Die Regierung hatte ein neues Gesetz verabschiedet: 180 Tage Einzelhaft für jeden, den die Sicherheitspolizei aufgriff und verhörte. Innerhalb weniger Wochen hatten sie die gewünschte Information, und Fischer wurde aufgespürt, verhaftet und unter Anklage vor Gericht gestellt, mit eben jenen Männern, die er im Rivonia-Prozeß verteidigt hatte, ein Komplott geschmiedet zu haben. Er wurde schuldig gesprochen, zu lebenslänglicher Haft verurteilt und zu den anderen weißen politischen Gefangenen ins Zentralgefängnis von Pretoria gebracht.

Anzeichen, daß wichtige Ereignisse vor sich gingen, ließen sich oft am Verhalten der Aufseher erkennen. Mandela und die Männer auf der Insel wurden bei solchen Anlässen rücksichtsloser behandelt, wie beispielsweise 1966, als der bewaffnete Kampf in Namibia ausbrach. Die Politischen bekamen das Wesentliche mit, aber die ganze Geschichte wurde ihnen erst später klar, als der SWAPO-Führer Andimba Ja Toivo zur Verbüßung einer zwanzigjährigen Haftstrafe in ihren Trakt eingeliefert wurde. Der afrikanische Befreiungskampf nahm fortwährend neue Dimensionen an: Angola, Mosambik und nun Namibia.

J. B. Vorster war Premierminister geworden als Nachfolger von Dr. Verwoerd, der im September 1966 im Parlament von einem geistesgestörten Boten ermordet worden war.

Im darauffolgenden Jahr wurden mehrere Umkhonto-Leute, die von der rhodesischen Armee gefangengenommen und der südafrikanischen Polizei ausgeliefert worden waren, zur Verbüßung langer Haftstrafen auf die Insel gebracht. Gemeinsam mit Joshua Nkomos ZAPU (Zimbabwe African Peoples' Union) hatten sie ein Guerillakontingent aufgestellt, das zwischen Sambia und Südafrika Stützpunkte errichten wollte. Der schlecht konzipierte Plan, riesige Gebiete eines Wildreservats und des Busches mit mangelhafter Ausrüstung und geringer Erfahrung zu durchqueren, nahm ein schreckliches Ende.

Im Juli 1967 starb Häuptling Albert Lutuli. Auf seinem üblichen Spaziergang, der ihn unweit seines Hauses über eine Eisenbahnbrücke führte, wurde er von einem Zug überrollt. Viele, darunter auch seine Familie, zweifelten an der Schlußfolgerung der amtlichen Untersuchung, daß es sich um einen Unfall infolge seiner Taubheit gehandelt habe.

Im Exil wurde Oliver Tambo Generalpräsident des ANC. Im Jahre 1969 kam er in Tansania mit Delegationen der Organisation für Afrikanische Einheit, aus Tansania, der FRELIMO (Mosambikanische Befreiungsfront) und der MPLA (Volksbewegung zur Befreiung Angolas) zusammen, die dem Freiheitskampf des ANC volle Unterstützung zusicherten. Der «unheiligen Allianz» von Vorster, Smith und Portugals Caetano sollte mit einer Allianz zwischen den Befreiungsbewegungen begegnet werden.

Die südafrikanische Regierung verabschiedete das «Anti-Terror»-Gesetz, und am 12. Mai 1969 wurden um 2 Uhr nachts die ersten Verhaftungen vorgenommen. Bei den Mandelas waren Zeni und Zindzi zu den Schulferien daheim; die Kinder und ihre Mutter schliefen, als die Polizei an die Tür trommelte und mit Taschenlampen durch die Fenster leuchtete. Sie befahlen Winnie, sich anzukleiden, und als die Kinder sich an ihren Rock klammerten und die Polizei anflehten, sie in Ruhe zu lassen, bat sie darum, die Kinder zu ihrer Schwester Nikiwe Xaba bringen zu dürfen, die in der Nähe wohnte. Ihr Flehen wurde brüsk zurückgewiesen; sie mußte die Kinder verlassen. Erst zwei Tage vorher hatte sie einen Facharzt aufgesucht, der bei ihr ein Herzleiden diagnostiziert hatte – die Sicherheitspolizei wußte davon. Als sich die Kinder am nächsten Morgen mit ihrer Tante in Verbindung setzten, konnten sie keine Angaben über Winnies Aufenthaltsort oder ihren Gesundheitszustand erhalten. Auf der Insel erfuhr Mandela bald von ihrer Verhaftung.

Später hörte sie, daß noch weitere 21 Personen festgenommen worden waren: Unter den vier verhafteten Frauen befanden sich eine Schriftstellerin und eine Gewerkschafterin; einer der siebzehn Männer war 73 Jahre alt. Die meisten von ihnen waren mit Winnie über eine Hilfsorganisation für die Angehörigen politischer Gefangener in Kontakt gestanden; die Polizei hatte einen Spitzel in die Gruppe eingeschleust, der auf freiem Fuß blieb. Winnie und die anderen kamen in Einzelhaft, von jeglicher Kommunikation mit der Außenwelt abgeschnitten. Nach dem neuen Gesetz konnten sie auf begrenzte Zeit festgehalten werden. Einer der Festgenommenen starb noch in derselben Nacht, ein anderer neunzehn Tage später.

Anfangs wurde Winnie in eine winzige Zelle gesperrt. Später erzählte sie ausführlicher darüber:

«Alles, was ich hatte, war eine Plastikflasche mit etwa fünf Glas Wasser, einen Toiletteneimer, drei Decken und eine Sisalmatte. Etwa eine Woche später wurde ich in eine ‹Todeszelle› verlegt: eine Zelle, in der Häftlinge festgehalten werden, die auf ihre Hinrichtung warten.

Das erste, was ich gewöhnlich tue, wenn ich im Gefängnis bin, ist, daß ich mir einen Kalender an die Wand zeichne, damit ich den Überblick über das Datum nicht verliere. Mit der Todeszelle wollten sie einem, glaube ich, das Gefühl der Endlosigkeit vermitteln, daß dein politisches Leben zu Ende gegangen ist. Neben der Zellentür gab es noch zwei Gittertüren, und bis auf den heutigen Tag bleibt die Erinnerung an den Schlüsselbund – das Einschnappen, das Geräusch, das sie absichtlich in der Stille und Abgeschiedenheit des Gefängnislebens machen –, das ging dir durch Mark und Bein. Sie schalteten nie das Licht aus. Ich verlor das Zeitgefühl; ich wußte nicht, ob es Morgen oder Abend war. Ich konnte es nur an den Mahlzeiten erkennen; Mahlzeiten, die nicht eßbar waren. Daß es Morgen war, erkannte ich am Kaffee und am Haferschleim.

Drei weiße Aufseherinnen brachten das Essen. Sie nahmen den Toiletteneimer, drehten den Deckel um und stellten den Teller mit deinem Essen darauf. Deshalb habe ich nie gegessen.

Ich durfte nicht ins Freie, ich konnte nur vor der Zellentür etwas Bewegung machen, indem ich auf und ab ging, auf und ab, etwa zehn bis fünfzehn Minuten lang. Die Seele kann sich nur sehr schwer an eine solche Einsamkeit gewöhnen. Ich fühlte mich durch den totalen Mangel an Kommunikation seelisch so gepeinigt, daß ich plötzlich bemerkte, wie ich zu den Kinder sprach, so als wären sie bei mir in der Zelle. Wenn dort eine Ameise oder Fliege war, dann war das für mich Gesellschaft für den ganzen Tag.

Eines Tages stand dieser Swanepoel an der Zellentür und schleuderte mir eine Bibel ins Gesicht und sagte äußerst sarkastisch: ‹Das hast du davon, bete, daß dein Gott dich aus dieser Zelle befreit!›

Das alles dient nur als Vorbereitung auf die unentrinnbare Hölle – das Verhör. Es soll deine Persönlichkeit brechen, dich zu einem fügsamen Wesen machen, von dem kein Widerstand mehr ausgehen kann, es soll dich terrorisieren.»

Zwei Wochen nach ihrer Verhaftung begann das Verhör unter der Leitung des brutalen Major Swanepoel. Fünf Tage und Nächte durfte Winnie Mandela nicht schlafen. In dieser Zeit wurde sie von einander abwechselnden Teams der Sicherheitspolizei mit Fragen bombardiert. Am dritten Tag zeigte sie ihnen flehentlich ihre blau geschwollenen Hände und Füße. Sie fühlte sich benommen und hatte starkes Herzklopfen. «Um Gottes willen», höhnte Swanepoel, «vermach uns eine Erbschaft, wenn du vorhast, abzukratzen. Du kannst dich nicht mit allen Informationen davonmachen.»

Aus dem Zimmer nebenan konnte sie Geräusche von einem Handgemenge und das Gelächter der Vernehmungsbeamten hören. Andere Häftlinge wurden gezwungen, Tag und Nacht barfuß auf Ziegeln zu stehen, bis sie zusammenbrachen, und wurden dann gezwungen, wieder aufzustehen. Manche wurden an ihren Handgelenken aufgehängt und geschlagen. Es gab eine ganze Reihe gewalttätiger Übergriffe und beleidigender Bemerkungen, die je nach Laune der Vernehmungsbeamten bemessen wurden. Häftlinge starben an den Folgen der Folter, unter ihnen der Imam Haroun, ein religiöser Führer, der in Kapstadt gefangengehalten wurde.

«Durch diese Erfahrung», sagte Winnie später, «erkannte ich erst, wie sehr die Afrikaander die Schwarzen fürchten. Damals entdeckte ich eine Art von Haß, der ich nie zuvor begegnet war.»

Nach fünf Monaten Einzelhaft wurde den 22 Gefangenen im alten Synagogengericht in Pretoria der Prozeß gemacht. Mit leichten Maschinengewehren bewaffnete Polizei patrouillierte vor dem Gebäude. Wurden sie aufgrund des Anti-Terror-Gesetzes festgenommen und eingekerkert, so wurden sie nun nach dem Gesetz zur Bekämpfung des Kommunismus angeklagt und beschuldigt, Leute für den ANC angeworben, Ziele für Sabotageakte ermittelt, verbotene Literatur verteilt, Beerdigungen zur Propagierung politischer Ziele des ANC mißbraucht, mit Guerillas in Verbindung gestanden und Feindschaft zwischen Weißen und Nichtweißen geschürt zu haben.

Winnie Mandela wurde beschuldigt, «Instruktionen» von ihrem Mann auf Robben Island erhalten zu haben. Kurzum, die Anklagen liefen darauf hinaus, sie hätten den ANC in Johannesburg, im Ostkap und in Natal wieder aufleben lassen. Es würde dafür 80 Zeugen geben, von denen die meisten in Haft waren. Besonders schmerzlich für Winnie war die Verhaftung ihrer jüngsten Schwester Nonyaniso «Princess». Nach dem Tod ihrer Mutter hatte sie wie eine Mutter für das kleine Mädchen gesorgt, es auf ihrem Rücken getragen und auf lange Spaziergänge mitgenommen.

Mit außergewöhnlichem Mut weigerten sich Winnies Freunde – darunter Shanthie Naidoo, eine junge Frau, deren Vater von Gandhi adoptiert worden war –, als Zeugen für die Anklage auszusagen und nahmen weitere Gefängnishaft in Kauf. Zwanzig Zeugen machten so fadenscheinige Aussagen, daß die Anklage selbst den Freispruch aller Angeklagten forderte.

Am 16. Februar 1970 verkündete ihnen der Richter: «Ich erkläre Sie für nicht schuldig, Sie sind hiermit aus der Haft entlassen.» Bevor Winnie und ihre Mitkämpfer zu ihren Familien und Freunden zurückkehren und ihre Freilassung feiern konnten, wurden die Zuhörer aufgefordert, den Gerichtssaal zu verlassen, und die 22 Freigesprochenen wurden neuerlich nach dem Anti-Terror-Gesetz verhaftet und zu weiteren «Verhören» wieder in die Einzelhaft abgeführt.

«Die Strategie der Staatsanwaltschaft scheint klar», kommentierte die *New York Times* am 25. Februar 1970: «Sie wird einfach die Angeklagten nach dem Anti-Terror-Gesetz in Haft behalten, bis mehr ‹Beweismaterial› beschafft oder durch die bestialischen Methoden, die zum Markenzeichen der südafrikanischen ‹Justiz› geworden sind, ausgeheckt werden kann.»

In all diesen Monaten konnte Nelson Mandela keine ausreichenden Nachrichten über die Lebensumstände seiner Frau erhalten. Sie konnte ihm aus der Haft nicht schreiben. Zwei Monate nach ihrer Verhaftung ließ der Kommandant Mandela in sein Büro rufen; es wurde ihm mitgeteilt, daß sein Sohn Thembi bei einem Autounfall ums Leben gekommen war. Mandela ging in seine Zelle zurück und blieb dort. Schließlich kam Walter Sisulu zu ihm und fragte ihn, ob etwas nicht stimme; Mandela erzählte ihm alles, und die beiden Männer saßen schweigend beisammen.

In Südafrika und im Ausland wuchsen die Proteste im Zusammenhang mit der Behandlung Winnie Mandelas und ihrer Mitkämpfer. Nachdem einer der Angeklagten aus dem Verfahren ausgeschieden worden war und gesondert angeklagt wurde, wurde Winnie mit neunzehn anderen im Juni diesmal wegen Verstoßes gegen das Anti-Terror-Gesetz wieder vor Gericht gestellt. Und wieder wurden sie alle am 14. September 1970 vom Gericht freigesprochen. Sie hatten 491 Tage in Einzelhaft verbracht.

«Der tröstlichste Gedanke in dieser schweren Zeit», schrieb sie an eine Freundin in London, «war das Bewußtsein, daß wir in unserem Kampf für Menschenwürde nicht alleine stehen. Es war eine unmenschliche Prüfung der Festigkeit unserer Ideale ... Wir sind entschlossen, den Kampf um jeden Preis bis zum Ende zu führen, wenn wir unseren Kindern das Unrecht ersparen wollen, das wir erleiden müssen.»

Im Oktober wurde sie mit einem neuerlichen Bann belegt, der sich auf fünf Jahre erstreckte: nicht genug, daß sie Orlando nicht verlassen durfte, stand sie jede Nacht, am Wochenende und an öffentlichen Feiertagen unter Hausarrest und durfte zu keiner Zeit Besucher empfangen. Als sie erkrankte und von einer ihrer Schwestern besucht wurde, wurde Winnie wegen Übertretung des Banns sofort verhaftet. Der Verfolgung waren anscheinend keine Grenzen gesetzt.

Einen Monat später allerdings durfte sie schließlich mit einer Sondergenehmigung, die zum Verlassen Orlandos berechtigte, ihren Mann für eine halbe Stunde besuchen. Sie hatten einander zwei Jahre lang nicht gesehen.

Auf der Insel hatte Mandela eine von ihm und 22 anderen unterzeichnete Petition* verfaßt, in der die Freilassung sämtlicher politischer Gefangener gefordert wurde. In der Petition wurde darauf hingewiesen, daß deutschfreundliche Afrikaander-Nationalisten während des ersten Weltkriegs – mit Hunderten von Verletzten als Folge – und nochmals während des Krieges gegen Hitlerdeutschland gegen den Staat rebelliert hatten und dennoch nach wenigen

* Siehe Anhang.

Jahren Haft freigelassen worden waren. Mandela und die anderen Unterzeichner forderten die gleiche Behandlung und erklärten, daß sie nur deshalb anders behandelt wurden, weil die Rebellierenden Schwarze waren.

Helen Suzman kam auf die Insel, um mit ihnen über die Petition zu sprechen, und erklärte: «Der Unterschied besteht darin, daß euer Kampf weitergeht. Es stimmt, daß die Rebellen von 1915 freigelassen wurden, aber sie hatten ihren Kampf verloren. Seid ihr bereit, auf den bewaffneten Kampf zu verzichten?»

«Nein», lautete Mandelas Antwort, «erst wenn unser Volk seine Freiheit errungen hat.»

Winnie und Zindzi Mandela

«Kampf für das Recht auf Leben»

1971–1978

«Hätte ich nicht Deine Besuche, Deine wunderbaren Briefe und Deine Liebe gehabt, wäre ich schon vor vielen Jahren zusammengebrochen.»

Nelson an Winnie Mandela

Auf Robben Island verbrachte der Mann, der in *The Times* als der «Koloß des afrikanischen Nationalismus» bezeichnet wurde, Häftling Nr. 466/64, seine Tage auf dem Strand in einem Arbeitstrupp, der Seetang für die Herstellung von Düngemitteln sammelte: eine schwere Arbeit fürs Kreuz mit der zusätzlichen Unannehmlichkeit, daß der Sand, auf dem die Männer den ganzen Tag standen, vom eisigen Wasser des Südatlantik umspült wurde. In der Ferne kreuzten die Schiffe um den Hafen von Kapstadt.

Mandela hatte einmal gesagt, daß «die südafrikanischen Gefängnisse uns verkrüppeln sollen, damit wir nie wieder die Stärke und den Mut aufbringen, unsere Ideale zu verteidigen», aber die Tatsache, daß sie nicht nur als Häftlinge, sondern auch als Schwarze behandelt wurden, erwies sich letztlich als kontraproduktiv, weil es den Widerstand stärkte.

In den frühen siebziger Jahren hatten ihre beharrlich vorgebrachten Beschwerden, gekoppelt mit internationalem Druck, eher bescheidene, aber stets bedeutsame Verbesserungen erreicht: ein Tisch und eine Bank in der Zelle und im Winter das «Recht», sich beim Lesen oder Studieren in eine Decke zu hüllen: heißes Wasser zum Waschen; im Hof ein Volleyballplatz, der später zu einem Tennisplatz wurde. Ihre Forderung nach einem Fußballplatz wurde abgewiesen, weil sie dazu den segregierten Trakt hätten verlassen müssen. Drinnen hatten sie Tischtennis und Schach und einmal im Monat eine Filmvorführung. Jeden Abend wurde Konservenmusik gespielt. Aber Pfeifen war immer noch ein strafbares Delikt, und, was am schlimmsten war, ihre wiederholt vorgebrachte Forderung nach Zugang zu Nachrichten wurde weiterhin ebenso unnachgiebig abgelehnt wie die Bitte um schöpferische Betätigung, wie Tischlerei und Flechtarbeiten.

Da Mandela schon 1982 verurteilt worden war, bevor der Zustrom an politischen Gefangenen eine Änderung der Verordnungen bewirkt hatte, genoß er das Privileg, ein Jurastudium an der Universität London absolvieren zu dürfen, es war aber unmöglich, rechtzeitig für die Prüfungen geeignete Lehrbücher zu bekommen. Dann erlaubten die Behörden den Politischen nicht mehr, an postgraduaten Lehrgängen teilzunehmen, eine schwerwiegende Beeinträchtigung ihres intellektuellen Ehrgeizes. Mandela sattelte auf Wirtschaftswissenschaften um, und da man weder Französisch noch Deutsch lernen durfte, studierte er Afrikaans für Fortgeschrittene.

Und dann ein schwerer Schlag: Für eine Zeitspanne von vier Jahren wurden ihm alle Studierrechte entzogen. Gefängniswärter behaupteten, «Memoiren» in seiner Zelle versteckt gefunden zu haben, und den Politischen war es verboten, Tagebücher zu führen oder persönliche Aufzeichnungen zu machen; Papier wurde ausschließlich zu Studienzwecken und für die 500-Wort-Briefe ausgegeben, die der Familie jetzt einmal monatlich zustanden. «Zeigt mir die Memoiren», forderte er vergeblich.

Nach den Jahren der Arbeit im Kalksteinbruch war er nicht der einzige, dessen Augenlicht sich verschlechtert hatte. Da er an hohem Blutdruck und einem kranken Rücken litt, genoß er gewisse Privilegien: Er bekam ein Bett und statt der Bank einen Stuhl, und er erhielt eine salzfreie Diät. Wie die anderen Rivonia-Männer, die sich von Kategorie D zu C und B emporgedient hatten, durfte er öfter Besuch empfangen, der allerdings nach wie vor auf eine halbe Stunde begrenzt blieb.

Jedesmal, wenn Winnie ihn besuchen kam, mußte sie sich der gleichen Prozedur unterziehen: Zuerst mußte sie sich über den örtlichen Polizeirichter vom Justizminister und von der Polizei eine schriftliche Genehmigung besorgen, dann mußte sie sich vor der Abreise und nach ihrer Rückkehr bei der Polizei melden. Sie durfte nicht mehr mit der Bahn oder mit dem Auto reisen, sondern mußte nach Kapstadt fliegen, was natürlich eine erhebliche finanzielle Belastung war. Großzügige Freunde im In- und Ausland unterstützten sie. Die Einschränkungen, die die Zensur ihren Gesprächen auferlegte, immer zu beachten, war manchmal schwierig. Als sie einmal gefragt wurde, welche Äußerungen die Wärter zum Abbruch des Gesprächs veranlassen könnten, antwortete sie: «Wenn er mich nach Ruth First oder Ruth Matseoane (seine ehemalige Sekretärin) oder nach Oliver Tambo fragte; wenn er über die Situation in der Transkei sprach und Familienmitglieder erwähnte – die Matanzima-Brüder; und als ich ihm erzählte, daß über ihn ein Buch geschrieben wurde.»

Manchmal überredete er die Wärter, eine Fortsetzung des Besuchs zuzulassen: «Er spricht mit ihnen, wie mit kleinen Jungen: ‹Ihr seht doch, daß ich mitten in einem Satz bin und meine Familie schon so lange nicht gesehen habe; ich werde ohnehin weitermachen, tut also eure Pflicht und konzentriert euch aufs Zuhören.›»

Unter seinen Besuchern waren Makgatho und Makazizwe sowie seine ältere Schwester Mabel Notancu Ntimakhwe. Auch seine alte Mutter nahm die lange Reise und die Überfahrt zur Insel auf sich. Nach Ablauf der ihnen zugewiesenen Zeit schaute er ihr auf ihrem Weg zur Fähre nach und ahnte, daß er sie zum letztenmal gesehen hatte. Kurz darauf erhielt er einen Brief von seiner Schwester, die ihm mitteilte, daß ihre Mutter gestorben sei. Winnie und die Kinder fuhren in die Transkei zum Begräbnis.

Ein Verwandter aus der Transkei, der nach dem Begräbnis Robben Island besuchte, erzählte, wie dankbar Mandela den Leuten war, die das Begräbnis organisiert hatten: «Immer wieder fragte er, war der und der dort und der und der? Ich konnte es gar nicht fassen, daß er so gut informiert war. Er bat mich, alle diese Leute zu grüßen und ihnen zu danken, daß sie zum Begräbnis gekommen waren.»

Im Dezember 1973 besuchte der Gefängnisminister Jimmy Kruger die Insel und deutete Mandela und einer von seinem Mithäftling Mac Maharaj angeführten Abordnung an, daß ihr Urteil aufgehoben werden würde, wenn sie sich bereit erklärten, die Transkei anzuerkennen und sich dort niederzulassen – ein Hinweis auf den Wunsch der Regierung, ihre Politik der «unabhängigen» Bantustans zu verkaufen. «Die Politik der getrennten Entwicklung ist absolut unannehmbar», lautete die Antwort; in dieser Frage konnte es keinen Kompromiß geben. Trotzdem sollte die Regierung Mandela dieses Angebot immer wieder machen, und immer war die Antwort «nein». Ironischerweise war Kaiser Matanzima, der Unterhäuptling, der die Transkei mit Unterstützung der südafrikanischen Regierung in die «Unabhängigkeit» geführt hatte, nach Thembu-Brauch Mandelas Neffe. Auch Winnie Mandela wurde von Premierminister Forster die «Freiheit» versprochen, wenn sie bereit wäre, die Transkei als ihr «Heimatland» anzuerkennen. «Was für eine Frechheit!» empörte sie sich. «Wenn irgend jemand Südafrika verlassen sollte, dann ist es die Siedlerregierung.»

Sie war wieder angeklagt worden, ihren Bann gebrochen zu haben, und im Jahre 1974 verbrachte sie sechs Monate im Gefängnis von Kroonstad. Es sei eine wichtige Erfahrung gewesen, sagte sie später. Sie hätte sich dort freier gefühlt, und es sei für sie befriedigender gewesen, für ihre Überzeugung körperlich zu büßen, als diese in Reden auszudrücken. Außerdem sei für die Schwarzen ohnehin das ganze Land ein Gefängnis. Für ihre Familie aber war ihre Haft eine schwere Prüfung. Zindzi weinte, als sie das Urteil erfuhr. «Du darfst nie weinen», sagte ihr die Mutter, «du tust ihnen nur einen Gefallen.» Zeni erinnert sich an Schulferien, als sie und Zindzi von ihrem Vormund, Onkel Harry (Dr. Nthato Motlana), sonntags auf Besuch zu ihrer Mutter gebracht wurden: In der halben Stunde unterhielten sie sich durch eine Glastrennwand mit ihr über die Schule, das Taschengeld und bei wem sie wohnten. Winnie sah immer gut aus. Aber die Mädchen begannen zu merken, daß Freunde sich fürchteten, sie zu Hause zu besuchen, weil immer Gefahr bestand, von der Sicherheitspolizei zum Verhör mitgenommen zu werden.

Viel später erinnerte sich Mandela an seine Gefühle: «Obwohl ich immer versuche, mir nichts anmerken zu lassen, habe ich mich nie an den Gedanken gewöhnen können, daß du im Gefängnis sitzt», schrieb er seiner Frau. «Es gibt wenige Dinge, die mein Leben so durcheinanderbringen wie diese besondere Härte, der wir uns wohl noch einige Zeit ausliefern werden müssen. Ich werde nie die schreckliche Erfahrung der Zeit zwischen Mai 1969 und September 1970 vergessen und dann die sechs Monate, die du in Kroonstad warst.*

Es ist schwer, die Einzelheiten der wiederholten Verhaftungen, Anklagen, Verurteilungen, Berufungen, aufgehobenen Urteile und Haftzeiten zurückzuverfolgen, denen Winnie Mandela ausgesetzt war. Ihr hinhaltender Widerstand stellte das System bloß, dem viele tausend Männer und Frauen auf ähnliche Weise ausgesetzt waren. Bei Zusammenstößen mit der Polizei war sie furchtlos und widersetzte sich aggressiv ihren oft gewaltsamen Übergriffen. Doch ge-

* Brief vom 1. März 1981.

gen eine Reihe von beängstigenden Attentaten, bei denen man sie physisch angriff und Benzinbomben in ihr Haus geworfen wurden, konnte sie nichts unternehmen, und sie erhielt keinen Schutz. Zindzi appellierte an die Vereinten Nationen, die südafrikanische Regierung aufzufordern, die Sicherheit ihrer Mutter zu garantieren. «Wir glauben, daß diese Angriffe politisch motiviert sind», sagte sie.

Die beiden Mädchen waren von einer unglücklichen Zeit im Kloster durch Elinor Birley gerettet worden, die während der Gastprofessur ihres Mannes, Sir Robert Birley – eines ehemaligen Direktors von Eton –, an der Universität von Witwatersrand in Johannesburg lebte. Lady Birley schickte sie nach Waterford, dem gemischtrassischen Internat in Swasiland.

Die Zeit war gekommen, daß die halbwüchsigen Mädchen ihren Vater besuchen durften. Winnie verstand das Trauma: Würden sie zusammenbrechen oder aus der Erfahrung gestärkt hervorgehen und stolz auf diesen Gefangenen sein?

Zeni konnte Mandela nach den Fotos kaum erkennen, auf denen er «sehr groß und dick» wirkte, aber am meisten war sie vom Humor ihres Vaters beeindruckt, und wenn er damals oder auch bei späteren Besuchen jemals irgendwelche Sorgen hatte, so versteckte er sie gut.

Auch Zindzi empfand seinen Humor und seine Wärme als tröstlich. «Davor war ich wütend und hatte auch Angst», vertraute sie einem Journalisten an, «aber ich fand einen diplomatischen und charmanten Mann vor. Es gelang ihm, mich von der Umgebung abzulenken, und er half mir, an angenehmere Sachen zu denken. Er sagte: ‹Weißt du, ich kann mir vorstellen, wie du zu Hause beim Sonntagmittagessen auf meinem Schoß sitzt.›» Obwohl es ihr nicht gestattet war, ihn stehend zu sehen – als sie in den Verschlag geführt wurde, saß er bereits auf der anderen Seite der Glaswand –, konnte sie ihn nachher weggehen sehen, und sie sah, wie fit und stark er war, wie jung und flott sein Gang.

Als die Mädchen ihn das nächste Mal besuchten, fuhren sie schon alleine hin. Der Freund, der sie zum Hafen von Kapstadt begleitete, sah ihnen nach, wie sie zusammen mit einer Gruppe von Wärtern in Rugby-Kleidung die Fähre bestiegen: Es war, sagte er, eine quälende Szene – diese beiden jungen Mädchen und diese Männer, die ihre Burenlieder sangen.

Während der halbstündigen Besuche hatten Winnie und ihr Mann gerade so viel miteinander Kontakt, daß sie jeweils vom anderen angeregt und gestärkt in ihre getrennten Kampfgebiete zurückkehren konnten: Mandela, um in seiner unaufdringlichen Art Gefährten unabhängig von ihren politischen Bindungen bei der Lösung ihrer Probleme beizustehen; Winnie trotz aller Beschränkungen im Herzen Sowetos, jenem Getto mit mehr als einer Million Menschen, wo mit dem Anschwellen von Black Consciousness eine neue Kampfphase begann. Ihrer Ansicht nach wurden die Menschen «sich ihres Wertes und ihrer Macht bewußt und entwickelten Selbstbewußtsein». Der schwarze Mann lernte, stolz auf seine Hautfarbe zu sein.

1969 hatten Steve Biko und Barney Pityana die schwarzen Studenten bei ihrer Loslösung von der gemischtrassischen National Union of South African Students (NUSAS) angeführt, um die rein schwarze South African Students' Organisation (SASO) zu gründen, und 1972 war die Black Peoples' Convention gebildet worden. Von der amerikanischen «Black Power»-Bewegung und von den radikalen Schriften von Frantz Fanon beeinflußt, hatte sich Black Consciousness als Reaktion auf den weißen Rassismus entwickelt, und seine Ziele waren die physische Befreiung, die Befreiung aller Schwarzen von der Abhängigkeit von den Weißen und die Einheit aller Schwarzen: Zum erstenmal stuften sich Inder und Farbige zusammen mit den Afrikanern als «schwarz» ein. Aus dieser Bewegung, die neben der politischen Perspektive auch die Dimension von Religion, Kultur und Bildung umfaßte, entsprang bei der Jugend neues Selbstbewußtsein.

Obwohl von ihrer Philosophie her eher beim PAC als beim ANC angesiedelt, wurden diese jungen Führer anfänglich vom ANC-Vorstand im Exil wegen «ihres Heroismus und ihrer Disziplin», mit der sie den Kampf vorantrieben und die Einheit «der wichtigsten Triebkraft der Revolution: der unterdrückten Völker» anstrebten, begrüßt. Der Ausdruck «schwarz» für jeden, den die Regierung als «nichtweiß» einstufte, sei, schrieb die ANC-Zeitschrift *Sechaba*, ein Novum.

«Azania» war der Black Consciousness-Name für das Land. Er war vom PAC der sechziger Jahre übernommen worden, und seine Herkunft war ungewiß. War es das Land der Barbaren auf den alten britischen Landkarten oder ein Name für ein Sklavenland in Ostafrika? Evelyn Waughs imaginärer afrikanischer Staat in *Black Mischief* hieß Azania. Der ANC lehnte diesen Namen ab.

Eine Streikwelle fegte durch Natal und brach Anfang der siebziger Jahre in den Minen und Industriebetrieben von Transvaal aus. Es lag eine neue Militanz in der Luft, und die Arbeiter hatten begriffen, wie verletzbar Organisatoren waren – eine wichtige Entwicklung. Bei diesen Streiks gab es keine erkennbaren Führer.

Der Zusammenbruch des portugiesischen Kolonialismus nach fünf Jahrhunderten gab den schwarzen Südafrikanern gewaltigen Auftrieb. Als Mosambik am 25. Juni 1975 unabhängig wurde, begrüßte Präsident Samora Machel, der Führer der FRELIMO, Oliver Tambo als seinen Genossen und Kampfgefährten. Auch der Befreiungskampf von Simbabwe erlebte durch Mosambik neuen Auftrieb, und Robert Mugabes Guerillas der Zimbabwe African National Union (ZANU) bekamen einen Stützpunkt im Nachbarland.

In Südafrika wurde allerdings die Freude der Schwarzen durch die Verhaftung von 77 Leuten nach Abschnitt 6 (Section 6) des Anti-Terror-Gesetzes rasch gedämpft. Darunter befanden sich sowohl Black Consciousness-Führer, die FRELIMO-Solidaritätsveranstaltungen geplant hatten, als auch Männer und Frauen, die man der Rekrutierung für den ANC verdächtigte.

Als Winnie Mandelas Bann auslief, wurde er überraschenderweise nicht erneuert. Zum erstenmal seit zwölf Jahren durfte sie Johannesburg verlassen und vor Versammlungen sprechen. Sie schloß sich der Forderung nach Freilassung der 77 an und beschrieb ihre eigene, einige Jahre zurückliegende Erfahrung mit Section 6 des Anti-Terror-Gesetzes, dessen Ziel es sei, «jede Form des Widerstands gegen diesen totalitären Staat zu brechen, eine Traumatisierung, um jede persönliche Autonomie zu zerstören, ein brutaler psychischer Prozeß der Entmenschlichung aller, die es wagen, sich mit diesem Kampf zu identifizieren».

Sie besuchte Durban, wo eine alte Freundin, Fatima Meer, an der Universität von Natal Soziologie unterrichtete. Dort erlebte der Bund schwarzer Frauen, eine gemeinsame Gründung afrikanischer, indischer und farbiger Organisationen, gerade einen Aufschwung. «Ich glaube nicht, daß es auf der Welt ein zweites Land gibt, in dem Frauen so ausgebeutet werden wie bei uns», sagte Winnie in einer Rede vor dem Bund. «Die schwarze Frau muß die Gesetze hinnehmen. Sie wird mit ihnen konfrontiert, und sie hat überhaupt keinen Status ... Der Tod ihres Mannes bedeutet für sie den automatischen Verlust ihres Heims. Sie hat überhaupt keine Rechte, ebensowenig wie ein Kind.»

Die Frauen haben im Kampf um die Sache aller Schwarzen eine hervorragende Rolle gespielt; sie sollten die Nation aufbauen, doch befanden sie sich in «der absolut hoffnungslosen Lage, Kinder in einer von Rassenhaß durchdrungenen Gesellschaft großzuziehen».

In einer Reihe von Reden und Presseinterviews sprach Winnie über die wachsende Wut der jungen Afrikaner. Sie warnte davor, daß die brutale Erfahrung von Gefängnis und Einzelhaft «schmerzhafte Konsequenzen» für das Land mit sich bringen würde und daß Bantu-Education mit seinem Beharren auf den Afrikaans-Unterricht für schwarze Kinder ihr Ziel – die «Verankerung der Herr-Knecht-Beziehung» – nicht erreichen werde. «Es gibt ein afrikanisches Sprichwort», sagte sie, «das besagt, daß ein sterbendes Pferd ausschlägt. Das Land wird unter den letzten Zuckungen des sterbenden Pferdes des Afrikaander-Nationalismus zu leiden haben.»

Am 16. Juni 1976 versammelten sich am frühen Morgen riesige Mengen aufgebrachter schwarzer Schulkinder in Soweto, um einen Protestmarsch gegen die erzwungene Unterrichtssprache Afrikaans durchzuführen. Die Polizei rückte an, um sie daran zu hindern, und erschoß den dreizehnjährigen Hector Petersen und andere Jungen und Mädchen. Als die Kinder mit Stöcken und Steinen antworteten, erhöhte die Polizei durch zielloses Schießen die Zahl der Opfer. Zwei weiße Männer wurden zu Tode gesteinigt. Polizei- und Armeeinheiten mit Kriegsausrüstung strömten in die Townships.

Die südafrikanische Geschichte war von Polizeimassakern an Schwarzen durchzogen, aber so schrecklich war es noch nie gewesen: eine modern ausgerüstete Armee, die gegen Schulkinder vorging. Als die Zahl der Toten und Verletzten anstieg, führten Unruhen im ganzen Land zu einer massiven Zerstörung von Gebäuden, die die weiße Herrschaft repräsentierten. Die jungen Schwarzen, die sich der Polizei mit Todesmut entgegenstellten und die Armee verhöhnten, waren die Produkte von Bantu-Education: dem System, das Dr. Verwoerd entwickelt hatte, um sie zur Knechtschaft zu konditionieren.

Schüler wandten sich an die Black Parents' Association (Schwarzer Elternverein) um dringende Hilfe für die trauernden Familien. Winnie Mandela war eines der prominenten Mitglieder, zusammen mit Dr. Manas Buthelezi, einem angesehenen Theologen, Mrs. Phakathi, der Präsidentin des YMCA (Young Men's Christian Association – Verein Junger Christlicher Männer), und Dr. Nthato Motlana, dem Leiter eines Bürgerkomitees in Soweto. Sie fanden Ärzte, die Motlana bei der Identifizierung der Leichen behilflich waren, Begräbnisunternehmen, die Särge spendeten, und Taxis, die die Menschen zu den Begräbnissen fuhren. Die Black Parents' Association (BPA) wurde zum Sprachrohr nicht nur der verzweifelten Eltern, sondern auch der rebellischen Schüler, die, obwohl sie sehr wohl fähig waren, für sich selbst zu sprechen, keinerlei Lust hatten, mit den Behörden zusammenzutreffen.

«Wir wissen, was wir wollen», sagte Winnie Mandela bei einer öffentlichen Protestversammlung. «Unsere Ziele sind uns teuer. Wir *bitten* nicht um die Mehrheitsregierung; sie ist unser Recht, und wir werden sie um jeden Preis bekommen. Wir sind uns bewußt, daß wir einen steinigen Weg vor uns haben, aber wir werden bis ans bittere Ende um Gerechtigkeit kämpfen.» Innerhalb weniger Wochen war sie eine von jenen Männern, Frauen und Studenten, die nach dem Internal Security Act (Staatssicherheitsgesetz) – einer Neufassung des Gesetzes zur Bekämpfung des Kommunismus – verhaftet wurden. Sie wurden fünf Monate lang im Fort-Gefängnis von Johannesburg festgehalten.

Während Zehntausende von schwarzen Schülern die Schulen boykottierten, Lehrer ihre Stellen aufgaben und Eltern an Proteststreiks teilnahmen, ging die Rebellion weiter – eine «Feuertaufe», in der die Jugend ihre Angst vor Gewalt verlor, wie die Untersuchungskommission der Regierung feststellte. Der tausend Seiten starke Bericht erwies sich als eine massive Anklage gegen das Apartheidsystem als dem Verursacher von «Haß» gegen die Weißen und zitierte bittere Zeugenaussagen, die getrennte Entwicklung, Group Areas, vor allem aber Zuzugskontrolle und Paßgesetze verurteilten.

Innerhalb von sechzehn Monaten wurde nach offiziellen Angaben etwa 600 Menschen getötet, mit Ausnahme von zwei Personen ausschließlich Schwarze und vorwiegend Schüler, die von der Polizei erschossen wurden. Inoffizielle Schätzungen sprechen von 1000 Toten. Fast 4000 Verletzte; Tausende mehr verschwanden hinter

Gittern, manche, um fünf Jahre in Einzelhaft zu verbringen, andere, um nie mehr von ihren Eltern gesehen zu werden. Hunderten gelang die Flucht über die Grenze nordwärts, wo sie auf eine militärische Ausbildung oder eine gute Schulbildung hoffen konnten.

Auf Robben Island war der 16. Juni elendiglich naß und kalt gewesen. Mandela und die anderen im Seetang-Arbeitstrupp wollten unter solchen Wetterbedingungen nicht arbeiten. Sie wurden gezwungen, hinauszugehen. Die Wärter beschuldigten sie des passiven Widerstands, und als sie an jenem Nachmittag frierend und vom Seetang verdreckt zurückkehrten, mußten sie feststellen, daß das heiße Wasser in den Duschen abgedreht worden war. Sie ahnten, daß irgend etwas Wichtiges vorgefallen sein mußte, aber erst später erfuhren sie, daß die Kinder von Soweto, wie Winnie Mandela es ausdrückte, «sich im Namen ihrer Eltern erhoben und gekämpft hatten».

Schülern, die für ihre Teilnahme am Aufruhr verurteilt wurden, wurde bald ein eigener Teil der Insel zugewiesen; wie die Namibier und die unter dem Anti-Terror-Gesetz Verurteilten mußten sie dem Einfluß von Mandela, Sisulu und anderen erfahrenen Führern entzogen werden. Mindestens neun der Schüler waren unter achtzehn.

Untereinander konnten die Männer diese Ereignisse besprechen, aber es war absolut verboten, sie während der Besuchszeit oder in Briefen zu erwähnen. Mandela aber schrieb zu jener Zeit seiner Frau über eine Tomatenstaude, die er im Garten, für den er jetzt in einem besonderen Teil der Insel verantwortlich war, unabsichtlich beschädigt hatte. Er beschrieb die Schönheit der Pflanze, wie sie immer mehr gewachsen war, wie er sie umsorgt hatte, und als sie starb, riß er sie aus der Erde, wusch die Wurzeln und dachte über das Leben nach, das daraus hätte entstehen können. Winnie verstand, daß das eine Metapher für das Heranwachsen von Kindern in der südafrikanischen Situation war – als Eltern gibt man ihnen, was man nur kann, hegt dieses Leben, bis es heranwächst, und dann wird es vernichtet –, seine Gefühle waren die Gefühle der Eltern, deren Kinder zu Hunderten niedergemäht wurden. «Wenn er unverhüllt davon geschrieben hätte, hätte ich den Brief nie erhalten», erklärte sie später.*

* *Ein Stück meiner Seele ging mit ihm*, Reinbek 1984.

Erinnerungen an Freundschaften und an Ereignisse, die vor ihrer Verhaftung geschehen waren, bildeten einen wichtigen Teil des Gefängnisalltags. Die Männer erinnerten sich und erinnerten einander; sie tauschten Nachrichten aus Briefen untereinander aus, und manchmal trauerten sie miteinander. Mehrere Freunde aus den vierziger Jahren waren gestorben: Yusuf Dadoo und Michael Scott, Bram Fischer und Lilian Ngoyi. Fischer starb im zehnten Jahr seiner lebenslänglichen Haft im Zentralgefangenenhaus von Pretoria im Mai 1975 an Krebs; nach seinem Begräbnis verlangten die Behörden die Rückerstattung seiner Asche ans Gefängnis. Und Robert Sobukwe, der Führer des rivalisierenden PAC, der sich in den Jahren seiner Haft mit Mandela versöhnt hatte und der seit seiner Entlassung von der Insel gebannt in Kimberley lebte, starb ebenfalls an Krebs; er war Anfang Fünfzig.

Daß Folter und Mord zu einem wichtigen Bestandteil von Verhören geworden waren, offenbarte sich am deutlichsten durch die letzten Tage von Steve Bikos Leben: Nach dreiwöchigen Verhören im Polizeihauptquartier von Port Elizabeth wurde er nackt und fast schon im Koma einer 700-Meilen-Fahrt auf dem Rücksitz eines Landrovers zum Gefängnis von Pretoria ausgesetzt, wo er am nächsten Tag, am 12. September 1977, starb. Sein enger Freund, Mapetla Mohapi, war ebenfalls in der Haft gestorben, und ein junger Inder, Ahmed Timol, stürzte aus dem zehnten Stockwerk des Hauptquartiers der Johannesburger Sicherheitspolizei. Die südafrikanische Polizei und das Staatssicherheitsbüro (BOSS) waren Kräfte, mit denen man auch außerhalb des Landes rechnen mußte: ein Führer von SASO, Abraham Tiro, war bloß der erste einer Reihe von Aktivisten, die durch eine Briefbombe ums Leben kamen; er hielt sich zu der Zeit in Botswana auf.

Im Oktober 1977 gab es so gut wie keinen Führer oder Organisator der Black Consciousness-Bewegung auf freiem Fuß. Alle Organisationen, einschließlich Kulturvereine, Gewerkschaften und Selbsthilfegruppen, waren verboten, ebenso wie die beiden schwarzen Zeitungen; auch sympathisierende Weiße waren gebannt, wie Reverend Beyers Naude, dem afrikaanse Leiter des Christian Institute.

Die Verhaftung von Dr. Motlana, dem Vorsitzenden des Zehner-Komitees in Soweto, war ein weiterer Beweis, daß die Regierung keine authentisch afrikanischen Organisationen oder Führer tolerieren würde. Dieses Komitee repräsentierte den bislang positivsten Versuch städtischer Schwarzer, Alternativen zur Regierungspolitik und den von der Regierung eingesetzten Vollzugsorganen anzubieten, die sowohl im städtischen Bereich als auch in den Bantustans verächtlich als Handlanger und Marionetten bezeichnet wurden. Motlana, der am Anfang in der Jugendliga des ANC in Fort Hare und in der Trotzkampagne von 1952 aktiv gewesen war, war ein angesehener Vertreter der Schwarzen von Soweto geworden, und sein Ruf muß nur noch gewachsen sein, als die Regierung ihn und Winnie Mandela für die Unruhen vom Juni 1976 verantwortlich machten. In dem darauffolgenden Prozeß konnten er und Winnie nicht nur die Anklage widerlegen, sondern gewannen auch eine Schadensersatzklage in Höhe von 6000 Rand.

Für Winnie Mandela hatte aber der Staat eine weitere und sehr spezielle Form von Strafe bereit. Am frühen Morgen des 16. Mai 1977 kamen zwanzig Polizisten in Tarnuniform zu ihrem Haus in Soweto und befahlen ihr, ihre Sachen zusammenzupacken. Sie mußte auf sieben Jahre verbannt werden. Die Regierung fürchtete ihren Einfluß auf die Schüler; außerdem kam diese brutale und willkürliche Entwurzelung vom einzigen Heim, das sie und Mandela kannten, nur eine Woche vor dem Soweto-Besuch von Andrew Young – dem amerikanischen Botschafter bei den Vereinten Nationen.

Die Polizei karrte sie mit der siebzehnjährigen Zindzi 300 Meilen südwestwärts in ein Dorf mit dem Namen Brandfort im Flachland des Oranje-Freistaats, wo sie Mutter und Tochter vor dem Haus Nummer 802 in einem staubigen Location abluden. Es war die fremdeste Umgebung, die sich der Staat einfallen lassen hätte können: politisch und kulturell die Verkörperung des Afrikaandertums; Hendrik Verwoerd hatte dort seine Jugendjahre verbracht, während sein Vater für die Holländische Reformierte Kirche mit Bibeln und religiösen Traktaten hausieren ging. Die Mandelas sprachen keine der lokalen Sprachen: Afrikaans und Sotho.

Die Voortrekker Straat, wie die Hauptstraße hieß, verband die Einrichtungen des *dorp* für die 2000 Weißen: Kirchen, eine Standard Bank, eine Barclays Bank, ein Postamt, zwei Hotels, einen Supermarkt, eine Tankstelle mit Zeitungen, eine Eisenbahnstation und eine Afrikaans-Schule. Ein nicht asphaltierter Weg, der vom Büro der Bantu-Verwaltung überwacht wurde, führte zum Location Phatakahle (mit Vorsicht zu behandeln), was, wie ein Journalist bemerkte, für die Neuangekommene ganz besonders passend war. Hier bestanden die öffentlichen Einrichtungen für die nahezu 3000 Schwarzen aus einem Bantu-Laden und einer Bierhalle – ausreichend für die Grundbedürfnisse von Schwarzen, die nicht mehr waren als «Arbeitskräfteeinheiten».

«Meine Zellen», nannte Winnie ihr Drei-Zimmer-Betonhaus: ohne Verputz, ohne Fließwasser, ohne Strom, ein Eimerklo vor dem Haus. Es war eine Behausung wie alle anderen, nur daß ihre mit Schutt angeräumt war, und die Möbel, die sie auf behördlichem Auftrag von zu Hause mitbringen mußte, gingen nicht durch die kleinen Türen und mußten nach Orlando zurückgeschickt werden.

Nicht nur durfte sie Brandfort nicht verlassen, sie wurde auch jede Nacht, an Wochenenden und an Feiertagen unter Hausarrest gestellt; Besucher waren verboten, und wenn sie das Haus verließ, durfte sie nie mit mehr als jeweils einer Person zusammensein. Inspektor Prinsloo, ein düsterer Mann, bewachte sie, beobachtete sie von seinem Wagen aus, folgte ihr, wo immer sie hinging: «tat seine Pflicht», sagte er, «vermieste ihr mit Hingabe das Leben», sagte ein amerikanischer Beobachter.

Wenn der Staat die Absicht gehabt hatte, Mandelas Frau durch dieses Exil unter besonders feindseligen Weißen und analphabetischen Schwarzen in die Knie zu zwingen, wenn nicht gar zu brechen, dann ging seine Rechnung nicht auf. Brandfort stellte die Ohren auf, als diese edle, wunderschöne schwarze Frau in den Supermarkt, ins Postamt und in die Bank stolzierte: weiße Reservate, die Schwarze nicht zu betreten wagten; diese stellten sich draußen an den kleinen Schaltern an. Und als sie und Zindzi nicht nur das einzige «Mode»geschäft betraten, sondern auch gleich Kleider anprobierten, wurde in dem darauffolgenden Tohuwabohu die Polizei gerufen. Für Winnie zeigte das Verhalten der Weißen den psychischen Hintergrund ihrer Angst: Der Afrikaander hatte sich in sein Lager zurückgezogen und hatte sich dort selbst eingesperrt. Sie hielt das für traurig.

Ihre Nachbarn waren vor dem Umgang mit dieser «gefährlichen Kommunistin» gewarnt worden, aber allmählich faßten sie Mut; sie konnten ihrer Wärme und Großzügigkeit nicht lange widerstehen. Sie war entsetzt über die Lebensbedingungen – die Armut, den Hunger und die Servilität – und begann über Möglichkeiten der Abhilfe nachzusinnen.

Aber der allgegenwärtige Inspektor Prinsloo brachte sie bald nach Bloemfontein vor Gericht. Winnie war zu einer Nachbarin gegangen, um sich zu erkundigen, wo man Kohle kaufen konnte, und während sie dort war, war ein Mann mit einem Huhn vorbeigekommen, das er soeben gekauft hatte. Winnie hatte ihn nach dem Preis gefragt. Für den Staatsanwalt war das eine «Versammlung» von drei Personen, eine Übertretung der Bannbestimmungen, und dann fuhr er fort, ihr das «Tragen von ANC-Farben» vorzuwerfen: Sie trug ein Kleid in Schwarz, Grün und Gelb. «Unter den beschränkten Rechten, die mir noch zustehen», antwortete Winnie, «befindet sich die Wahl meiner Garderobe.» Der Polizeirichter befand sie für schuldig und sprach ein Urteil auf Bewährung aus. Draußen vor dem Gericht jubelten ihr die Menschen zu.

Der südafrikanischen Presse war es verboten, eine gebannte Person zu zitieren, so daß es einem Korrespondenten der *New York Times* vorbehalten war, ihre Meinung zu veröffentlichen. «Die Regierenden dieses Landes sind wirklich verrückt geworden», sagte sie. «Ich meine, in welchem anderen Land würde der Preis eines Huhns als Beweis vorgebracht werden?» Als sie Berufung einlegte, wurde das Urteil widerrufen, und Winnie wurde freigesprochen.

Nur allzubald stand sie wieder vor Gericht, diesmal weil sie Besucher empfangen hatte. «Ich werde an dich denken», schrieb ihr Mandela bei einer solchen Gelegenheit, «besonders wenn du auf die Anklagebank mußt und den erwarteten und unerwarteten Verdrehungen der Anklage zuhören mußt. Ich stehe fest hinter dir und weiß nur zu gut, daß du wegen deiner Liebe und Loyalität zu den Kindern und zu mir und zu unserer großen Familie leiden mußt ...*

Es amüsierte Winnie, daß der Staat so viel Mühe und Geld für solche Fälle verausgabte, und es erstaunte sie, daß Menschen so kleinlich und unsensibel sein konnten. Aber was sie und ihren

* Brief vom 1. März 1981.

Mann zutiefst wütend machten, wenn sie Gelegenheit hatte, ihre Ängste mit ihm zu teilen, war die Wirkung, die ihre Lage auf Zindzi hatte. Prinsloos ständige Überwachung, die Verhaftung von Zindzis Freunden, die aus Soweto auf Besuch gekommen waren, der Streß und die Entbehrungen des Lebens in Brandfort hatten bei ihr eine ernste Depression ausgelöst, und sie mußte zu einem kritischen Zeitpunkt ihr Studium unterbrechen, um einen Psychiater aufzusuchen. Erst als ihr Vater die Angelegenheit vor das Oberste Gericht gebracht hatte, bekam sie das Recht, Besuche zu empfangen. Winnie war es nicht möglich gewesen, den Antrag einzubringen, weil schwarze Frauen unter südafrikanischem Recht als Minderjährige gelten.

Zu Mandelas Begeisterung wurde Zindzi zu einer Schriftstellerin und hatte bereits einen Artikel veröffentlicht. «Du hast deinen ersten Scheck bekommen. Das ist für jemanden in deinem Alter kein geringer Erfolg», lobte er sie. Und dann riet er ihr: «Schreiben ist ein prestigereicher Beruf, der den Autor in den Mittelpunkt der Welt stellt; um dort zu bleiben, muß man wirklich hart arbeiten und darf das Ziel nie aus dem Auge verlieren: gute und originelle Themen, einfacher Ausdruck und unersetzbare Worte.»

Um ihn zu beruhigen, hatte ihm Zindzi geschrieben, daß Brandfort «ein ganz netter Ort» sei, und er antwortete:

> «Ich kann es nicht glauben. Mutter hat fast alles verloren; sie wird dort nie einen Job finden, außer vielleicht als Hausangestellte, als Farmhilfe oder als Wäscherin; sie wird ihr ganzes Leben in Armut verbringen. Sie hat mir das Haus beschrieben, in dem ihr jetzt wohnen müßt, das Klosett und die Waschgelegenheiten, die ihr benützen müßt …
>
> Aber trotzdem, mein Liebling, bin ich froh, daß du dabei bist, dich zu arrangieren, und daß du versuchst, trotzdem glücklich zu sein. Ich habe mich wunderbar gefühlt, als ich die Worte ‹ein ganz netter Ort› las. Solange du einen eisernen Willen hast, kannst du das Unglück in sein Gegenteil verkehren. Wenn es nicht so wäre, wäre Mutter bereits ein komplettes Wrack.» *

* Brief vom 4. September 1977.

Zindzi drückte sich am liebsten in Gedichten aus, mit denen sie schon in der Waterford-Schule brilliert hatte. Meistens zerknüllte sie das, was sie geschrieben hatte, und warf es in den Papierkorb. Ihre Mutter wurde Meisterin im Aufstöbern solcher Gedichte, und 1978 wurde zusammen mit Fotografien eines alten Freundes der Familie, Peter Magubane, ein Gedichtband veröffentlicht. Zindzi widmete das Buch ihren Eltern.*

Zindzis Buch erhielt einen 1000-Dollar-Preis im ersten jährlichen Janusz-Korczak-Literaturwettbewerb, ein Preis für Bücher über Kinder, die von Selbstlosigkeit und Menschenwürde handeln. Sie bekam keinen Reisepaß, und Magubane nahm in New York an ihrer Statt den Preis entgegen. Er war im Andenken an einen jüdischen polnischen Kinderarzt gestiftet worden, der sich geweigert hatte, die Kinder im Warschauer Ghetto zurückzulassen, und mit ihnen in den Nazi-Gaskammern von Treblinka ums Leben kam.

«Das Zentrum und der Eckstein des Kampfes für Freiheit und Demokratie in Südafrika ist in Südafrika selbst», hatte Mandela 1962 gesagt. Während des Jahres 1977 filterten Guerillakämpfer und Saboteure zurück über die Grenze, und der bewaffnete Kampf begann. Das waren junge Männer, die auf den Schlachtfeldern der Townships von Soweto, New Brighton und Langa ausgebildet worden waren; jetzt wurde ihre Bereitschaft zur Selbstaufopferung als Maßstab für ihre Entschlossenheit gesehen, alles abzulehnen, was sie «das System» nannten.

Unter den ANC-Rekruten, die bald nach ihrer Rückkehr gefaßt, nach dem Anti-Terror-Gesetz verhaftet und vor Gericht gestellt wurden, befand sich Solomon Mahlangu. Er hatte selbst niemanden erschossen, wurde aber zum Tode verurteilt. Trotz Appellen und Protesten sowohl von westlichen Regierungen als auch vom Osten, ja sogar von der Witwe eines der Weißen, der im Vorfall getötet wurde, in den Mahlangu verwickelt gewesen war, wurde er gehängt. Auch einen weiteren Rekruten Anfang Zwanzig, Mosima Sexwale, wurde zusammen mit Veteranen der Prozeß gemacht, die schon Strafen auf Robben Island hinter sich hatten. Als er zu achtzehn Jahren Gefängnis verurteilt wurde, sagte er, daß er bereit sei, dieses

* «Black as I am», Guild of Tutors Press of International College, Los Angeles 1978.

Opfer für seine Ideale zu erbringen, und daß er keinen Zweifel daran hege, daß diese Ideale eines Tages triumphieren würden.

Die politischen Gefangenen konnten nicht wissen, daß es einen Kampf zwischen Umkhonto, der Polizei und der Armee gegeben hatte, aber Stück für Stück verdichteten sich die Informationen, daß sich der Kampf vorwärts bewegte. Im Jahre 1977 gab es aufgrund der Sicherheitsgesetze 95 Prozesse, ein Indikator sowohl für die Eskalierung des Kampfes als auch für die Fehler, die begangen wurden: Die Anklagen betrafen die Rekrutierung für militärische Ausbildung, die Bildung von Zellen, das Schmuggeln von Waffen und Sprengmaterial oder die Teilnahme an Sabotage- und Guerillaaktivitäten.

Zindzi Mandela nahm am Prozeß gegen den Studentenrat von Soweto teil, dem eine führende Rolle bei den fortgesetzten Protesten nach der Erhebung vom Juni 1976 zur Last gelegt wurde. Es war der Beginn ihrer Rolle als Stellvertreterin für ihren Vater im Gefängnis und ihre Mutter im Exil.

Zeni hatte in der Zwischenzeit Prinz Thumbumuzi Dlamini, den Sohn des Königs Sobhuza von Swasiland, geheiratet. Sie genossen diplomatische Privilegien, was ihnen einen «Kontakt»-Besuch bei Mandela ermöglichte: Es sollte seit seiner Einweisung ins Gefängnis seine erste Erfahrung eines normalen menschlichen Kontakts mit seiner Familie sein. Im Juni 1978 fuhren sie mit ihrem einjährigen Baby von Mbabane nach Robben Island, und als sie im Gästezimmer alle zusammentrafen, dachte Zeni, ihr Vater würde zusammenbrechen. Fast hätte sie das Kind fallen gelassen, als sie ihm zur Hilfe eilte, aber ihr Mann nahm ihr das kleine Mädchen ab, und Zeni und ihr Vater fielen einander in die Arme. Dann nahm Mandela das Baby, und als sie saßen und sich miteinander unterhielten, sah Zeni, daß er genau wußte, was er tun sollte, obwohl er kein kleines Kind in den Armen gehalten hatte, seit sie selbst klein war. «Er bemerkte, als man dem Baby die Windeln wechseln mußte, und wußte sogar, wie man es zum Rülpsen bringt, dann spielte er mit ihr, bis sie einschlief.»*

Mandela hatte bereits sechs Enkelkinder: Thembis beide Töchter, Makgathos beide Söhne und Makaziwes Tochter und Sohn.

* *Ein Stück meiner Seele ging mit ihm*, Reinbek 1984.

Jetzt wählte er den Namen des Babys aus. Zaziwe (Hoffnung), und zwei Wochen später fand die Taufe in der anglikanischen Kirche von Bloemfontein statt. Winnie wurde es gestattet, die 30 Meilen von Brandfort nach Bloemfontein zu fahren, wenn sie versprach, vor Einbruch der Nacht heimzukehren. Die Taufpaten waren der einundneunzigjährige Dr. Moroka, der während der Verweigerungskampagne Generalpräsident des ANC gewesen war, und Helen Joseph, eine enge und sehr geliebte Freundin der Mandelas. «Sie ist uns heilig», hatte Winnie von dieser Frau gesagt, deren lange Geschichte des Widerstands gegen jede Form von Polizeiverfolgung «unsere wahre Geschichte» darstellt. Der Bann verhinderte es, daß Großmutter und Taufpatin mehr tun konnten, als einander zuzulächeln. Im Alter von 73 Jahren hatte Mrs. Joseph soeben zwei Wochen im Gefängnis verbracht, weil sie sich geweigert hatte, der Polizei Informationen über einen Besuch zu geben, den sie Winnie in Brandfort abgestattet hatte.

Mandelas 60. Geburtstag im Juli 1978 war Anlaß, den Mann, den die *New York Times* als den wahrscheinlichen Präsidenten Südafrikas unter einer schwarzen Regierung bezeichnete, international zu feiern. Im britischen Unterhaus in London wurde zu seinen Ehren eine Sitzung einberufen, und da Mandela selbst die Masse der Grußkarten aus allen Teilen der Welt nicht in Empfang nehmen konnte, wurden sie an Nr. 802, Location, Brandfort, adressiert. Dort versammelte sich die Familie, um für alle politischen Gefangenen zu beten.

«Hätte ich nicht deine Besuche, deine wunderbaren Briefe und deine Liebe gehabt», schrieb Mandela später an Winnie, «wäre ich schon vor vielen Jahren zusammengebrochen.» Jeden Morgen, hatte er ihr in einem früheren Brief geschrieben, staubte er ihr Foto vorsichtig ab; jetzt fuhr er fort: «Hier habe ich eine Pause gemacht und etwas Kaffee getrunken, danach habe ich die Fotos auf meinem Bücherregal abgestaubt. Ich beginne mit Zenis Foto, das an der Außenseite steht, dann kommt Zindzis und am Ende deines ...»*

* Brief vom 6. Mai 1979.

Zindzi Mandela

«Laßt Mandela frei!»

1978–1981

«Ich habe die Schrecken der Polizeigewalt kennengelernt. Ich habe das Grauen erlebt, zusehen zu müssen, wie meine Eltern ihre ganze materielle Existenz opferten, um für Gerechtigkeit, Ehre und Menschenwürde zu kämpfen. Ich habe sie für die Sache alles aufgeben sehen. Ich habe Millionen von Eltern das tun sehen, aber ich habe auch gesehen, daß sie durch diese Opfer immer mehr von der Freiheit verloren, für die sie kämpfen wollten ...»

Zindzi Mandela

Die erzwungene Inaktivität des Gefängnislebens zwang Mandela und seine Kampfgefährten, «sich zurückzulehnen und sich den Sachverhalt einmal anzusehen», wie es Mac Maharaj, der eine zwölfjährige Strafe absaß, formulierte. Aus dem Trubel des Alltags herausgerissen, in dem sie immer nur einen Teil der Welt wahrnahmen, hatten sie Gelegenheit, sich die allgemeine Richtung von Entwicklungen und Veränderungen vor Augen zu führen. Mandela suchte beim Zusammensetzen der Nachrichten aus der Außenwelt nach Widersprüchen im Verhalten des Regimes und nach Möglichkeiten, wie diese durch die Befreiungsbewegung vergrößert werden könnten, um den Aktionsradius der Regierung zu schmälern.

Eine Menge Widersprüche sollte er finden, als P. W. Botha, der neue Premierminister, einen Zickzackkurs einschlug, der einerseits die verstärkte internationale Kritik durch reformistische Rhetorik zu entwaffnen versuchte, andererseits aber nicht nur die weiße, sondern die nationalistische Herrschaft der Afrikaander festigte. Das Afrikaandertum mußte um jeden Preis überleben.

Botha war im September 1978 an die Macht gekommen, nachdem ein Korruptionsskandal J. B. Vorster zu Fall gebracht hatte. Sein Nachfolger als Verteidigungsminister war General Magnus Malan.

Seit der südafrikanischen Invasion in Angola im Jahre 1975 und der Eskalation des Krieges in Namibia, hatte sich die Armee fast verdoppelt und umfaßte 1979 geschätzte 500000 Mann. Auch Schwarze wurden in Kampfeinheiten rekrutiert. Und nach Angaben des US-Marineforschungslaboratoriums detonierte Südafrika am 22. September 1979 im Südpazifik eine Atombombe.

Während die Polizei weiterhin Waffenverstecke in weit voneinander entfernten Gebieten zwischen Soweto und Kapstadt entdeckte, lancierten im Mai 1979 Umkhonto-Guerillas eine neue Offensive, bei der Polizeistationen in den schwarzen Townships angegriffen wurden. Drei Polizisten wurden getötet.

General Malans Rat an das Land war, daß man nicht effektiv kämpfen konnte, wenn 85 Prozent der Bevölkerung mit den Guerillas sympathisierten; die Verteidigung gegen den letzten Angriff («onslaught») muß sich deshalb nicht nur auf das Militär, sondern auch auf Wirtschaft und Politik stützen.

«Totaler Angriff» («total onslaught») war der neue Slogan der Regierung, der abgenützte Phrasen von früher wie *swart gevaar*, «Kommunismus», «kränklicher Humanismus», «Liberalismus» ersetzte.

Die Botha-Malan-Strategie zur Erhaltung der weißen Macht stützte sich auf die Notwendigkeit der Kooptierung von mittelständischen Schwarzen, indem man ihnen eine Chance im System bot. Diese Perspektive fand die Unterstützung des Big Business. Die «Veränderungen», mit denen man sich brüstete, umfaßten die Einleitung von Elektrizität in einigen Townships, eine Lockerung der Restriktionen für schwarze Gewerbetreibende und die Öffnung von gewissen Hotels, Restaurants und Theatern für die schwarze Bourgeoisie. Verbesserte Ausbildungsmöglichkeiten, besonders im technischen Bereich, wurden einigermaßen durch die Tatsache unterminiert, daß die Kluft bei den Ausgaben für Bildung für die verschiedenen Rassen unvermindert groß war: 621 Rand für jeden weißen Schüler und 72 Rand für jeden afrikanischen Schüler (nach Daten des Parlaments für das Jahr 1978/79).

Gewiß war die Regierung nun bereit, Schwarzen für Häuser in städtischen Townships Pachtverträge für einen Zeitraum von 99 Jahren zu gewähren; wenn aber der Pächter seine Arbeitsstelle verliert oder ein Gesetz bricht, dann verliert er das Recht auf die Pacht. In Soweto allein befanden sich 25 000 Familien auf der Warteliste für Häuser.

Das Gerede von «Veränderung» bezweckte in den Augen eines amerikanischen Korrespondenten «die Spaltung zwischen wohlhabenden Stadtbewohnern und verarmten bäuerlichen Landbewohnern» und untergrub so «eine geeinte Front der Schwarzen im Kampf um den Sturz des weißen Regimes». Ironischerweise war eine militant antikommunistische Regierung dabei, «Rasse» als dem wesentlichsten Trennungsfaktor durch «Klasse» zu ersetzen.

Teil der neuen Propaganda war es, Apartheid zu vertuschen: Das Ministerum für Bantu-Verwaltung wurde auf «Plural Relations» und dann auf «Kooperation und Entwicklung» umbenannt. Ein neuer Minister, Piet Koornhof, sagte den Amerikanern im Juni 1979, daß

Apartheid «im Sterben lag, ja bereits tot war»; ein Anspruch, der vom Premierminister rasch widerlegt wurde, als er sagte, daß er den Ausdruck «gute Nachbarschaft» dem Wort «Apartheid» vorziehe.

Die Sprecher der Schwarzen äußerten ihre Meinung: Percy Qoboza (der 1977 anläßlich des Verbots der Tageszeitung *World* im Gefängnis war), Herausgeber der *Sunday Post*, schrieb: Sollte Apartheid wirklich tot sein, müßten dringend Vorkehrungen für deren Begräbnis getroffen werden, weil «der Leichnam noch unter uns weilt und einen schrecklichen Gestank verbreitet». Dr. Nthato Motlana sagte, daß er nicht glauben könne, daß die Schwarzen auf eine solche «Bauernfängerei» hereinfallen würden. Die Schlagzeilen in der westlichen Presse boten der südafrikanischen Regierung wenig Trost: «Ein Alptraum liegt vor Südafrika, Die Uhr läuft ab für Südafrika, Pretoria sagt nein zur Hoffnung, Paßwesen: Täglicher Affront für schwarze Südafrikaner.»

Ein wesentlicher Faktor der Regierungspolitik, die auf die Spaltung der städtischen Schwarzen in Privilegierte und Verelendete abzielte, war die Entfernung dieser zweiten Kategorie (außer wenn man sie als Arbeitseinheiten mit kurzfristigen Arbeitsverträgen brauchte) von den 87 Prozent des Landes, das als «weiß» beansprucht wurde. Seit Einsetzen des Apartheidsystems waren zwei Millionen Afrikaner in die zehn Homelands zwangsumgesiedelt worden: «Abgeladen wie Kartoffelsäcke», sagte Bischof Desmond Tutu, der Generalsekretär des Südafrikanischen Kirchenrates. 1979 sollten nach zwei neuen Gesetzen weitere Millionen deportiert werden.

Black Sash, eine Organisation weißer Frauen, die seit sechzehn Jahren Afrikanern Hilfe bot, die sich im Netz der Paßgesetze verstrickt hatten, hatte noch nie so viel Wut und ein so starkes Gefühl einer «drohenden Katastrophe» erlebt. Der Zorn würde sich nicht auf die Homelands beschränken, warnten die Frauen. «Die Leute werden nicht einfach dasitzen und zusehen, wie ihre Söhne und Töchter verhungern. Sie werden in den Städten bleiben, und wenn sie von ihren illegalen Behausungen vertrieben werden ... wird ihre Wut anwachsen, die wiederum die Wut jener entfachen wird, die legal in der Stadt leben und denen man so viele Versprechungen gemacht hat, die nicht gehalten wurden.»

Die Führer der Geschäftswelt wurden nicht nur von Black Sash in ihrer Zeitschrift gewarnt, sondern auch von Allister Sparks, dem Herausgeber der *Rand Daily Mail*. Sash wies darauf hin, daß ein «sichtbares Bündnis zwischen der Regierung und dem Big Business im Rahmen der ‹totalen Strategie›» Tausenden von Menschen persönliche Katastrophen verursachte und nur dazu führen könnte, «daß der politische Konflikt zwischen Schwarz und Weiß unwiderruflich mit dem wirtschaftlichen Konflikt zwischen Marxisten und Kapitalisten identifiziert wird». Sparks schrieb im September 1979, daß «immer mehr Schwarze – besonders junge Schwarze – Apartheid mit dem kapitalistischen System gleichzusetzen begännen und ihren Kampf zum Sturz von Apartheid als einen Kampf zum Sturz des kapitalistischen Systems» sehen.

Nach vier Jahren wirtschaftlicher Rezession, die dem Massaker von Soweto im Jahre 1976 folgte, erlebte Südafrika mit einem drastisch steigenden Goldpreis eine Hochkonjunktur. Die Mehreinnahmen beim Gold von über 40 Prozent, verglichen mit 1978, kamen zu einem kritischen Zeitpunkt und glichen den Preisauftrieb von Öl und Waffen bei weitem aus. Dem oberflächlichen weißen Beobachter mußte das Land wohlhabend und stabil erscheinen. Aber beim Giganten Anglo American Corporation verdienten die 400000 schwarzen Minenarbeiter weniger als ein Fünftel des Lohns der weißen Minenarbeiter, und als der Goldpreis auf 400 Dollar pro Unze anstieg, wurde ihre Forderung nach einer Weihnachtsprämie abgelehnt. Mandela hatte die Goldminen «das bösartigste Ausbeutungssystem» genannt.

Im ganzen Land betrug die Arbeitslosigkeit bei den Schwarzen 25 Prozent, und die Tendenz war ansteigend. Das bedeutete fast zwei Millionen Arbeiter, die sich um Jobs anstellten, zu denen jährlich Hunderttausende von rebellischen Schulabgängern kamen. Für Weiße gab es Tausende freie Stellen, und weiße Einwanderer wurden vom Staatspräsidenten begrüßt und zur Annahme der Staatsbürgerschaft eingeladen, mit dem Versprechen von «Frieden, Glück und Wohlstand» für sie und ihre Nachkommen.

«1976», sagte Bischof Tutu, «kam der Zorn aus den Köpfen der Menschen. Heute kommt er aus dem Bauch, und das ist viel ernster.»

«Das Schießpulver ist da», sagte der Vorsitzende des Lehrer-Aktionskomitees von Soweto, «es wartet nur auf den zündenden Funken.»

Die ganze Zeit über verfolgten Schwarze und Weiße die Nachrichten über die Ereignisse in Rhodesien. Schließlich erzielte der Guerillakrieg in Verbindung mit wirtschaftlichem und diplomatischem Druck 1979 einen Durchbruch: Mit der Unterstützung der Frontlinienstaaten und des Commonwealth sowie der unwahrscheinlichen von Henry Kissinger vorangetriebenen Kooperation der südafrikanischen Regierung beriefen die Briten in Lancaster House eine Konferenz ein, bei der alle Konfliktparteien zusammenkamen und einen Waffenstillstand aushandelten. Nach sieben Jahren des bewaffneten Kampfes war Simbabwe unabhängig, und Robert Mugabe wurde Premierminister. Ian Smith, der noch vor ein paar Jahren geschworen hatte, daß es zu seinen Lebzeiten keine schwarze Mehrheitsregierung geben würde, sagte nun, daß «das Zusammenleben und -arbeiten mit unseren Feinden nie ein Problem war».

Für Südafrika stellte sich die Frage mit größerer Dringlichkeit als je zuvor: Mußte es ein noch schrecklicheres Opfer an Menschenleben und Fähigkeiten geben, ehe die weiße Regierung die elementaren Fakten zur Kenntnis nahm, die im Norden so klar ausgesprochen wurden?

Vom Exil aus erklärte der ANC das Jahr 1980 zum «Aktionsjahr» und feierte den 25. Jahrestag der Freiheitscharta. Oliver Tambo ließ eine Botschaft von politischen Gefangenen auf Robben Island verbreiten; im Namen von Mandela herausgegeben, war sie von Maharaj verfaßt und aus dem Gefängnis geschmuggelt worden:

> «Das Gewehr hat in unserer Geschichte eine wichtige Rolle gespielt. Der Widerstand des schwarzen Mannes gegen das Vordringen der weißen Kolonialmacht wurde mit dem Gewehr zerschlagen. Unser Kampf um unsere Befreiung von weißer Herrschaft wird mit Waffengewalt in Schach gehalten ... Der Zoll an Toten und Verwundeten seit dem Aufstand von 1976 hat alle früheren Massaker übertroffen.
>
> Was liegt vor uns? Von den Herrschenden können wir nichts erwarten. Von ihnen kommen nur Befehle an die über ihrem Gewehr kauernden Soldaten, ihr Geist bewegt den Finger, der den Abzug liebkost. Vage Versprechungen, Herumgepfusche an der Apartheid-Maschinerie, ein Herumgeschiebe an der Verfassung, massenhafte Festnahmen und Haftstrafen, Seite an Seite mit erneuten Versuchen, die Einheit der Schwarzen zu schwächen und zu verhindern und die Kräfte der Veränderung zu spalten – das sind die vorgezeichneten Wege, auf denen sie sich bewegen werden.

Denn sie sind weder fähig noch bereit, auf den Wahrspruch der Massen unseres Volkes zu hören.»

Der Wahrspruch lautete: Apartheid hat versagt. Und die Gefangenen forderten «schwarze Einheit». Das war die erste Bedingung für den Sieg: «Dies ist nicht der Zeitpunkt, wo wir uns den Luxus von Spaltung und Uneinigkeit leisten könnten. Wir müssen unsere Reihen auf allen Ebenen und in allen Lebenslagen schließen... Unterschiede müssen der Erreichung eines einzigen Zieles untergeordnet werden – dem vollständigen Sturz von Apartheid und Rassenherrschaft.» Und voller Zuversicht verkündeten die Männer: «Die Welt ist auf unserer Seite ... der Sieg ist gewiß.»

Eine von Mandelas Stärken als Führer war seine Entschlossenheit, unter Menschen mit unterschiedlichen Standpunkten gemeinsame Ansatzpunkte zu suchen. Es sei lebenswichtig, sagte er, das Trennende nicht nur in der Theorie, sondern auch in der täglichen Praxis zu bekämpfen. Auf der Insel, erzählte Fikile Bam, ein Mitglied der Unity Movement, legte er eine große Toleranz an den Tag, war immer zum Zuhören bereit, nahm sich Zeit, ehe er eine Meinung äußerte, und noch mehr Zeit, ehe er die Positionen anderer kritisierte, außer er war sich ganz sicher, daß er richtig verstanden hatte. Persönlich stieß er auf Kritik bei den jüngeren Männern und bei Leuten mit rigiden ideologischen Positionen, die etwa seine Höflichkeit den Wärtern gegenüber als Zeichen von Gemäßigtheit und «Weichheit» auslegten. Das, sagte Bam, war ungerecht. Er war den Wachbeamten gegenüber immer standfest und hatte absolutes Vertrauen in sich selbst und seine Gefühle vollkommen unter Kontrolle. Er hatte es auch nicht nötig, mit verbalen Kraftakten etwas zu beweisen. Zusammen mit Sisulu blieb er der am meisten geachtete und sogar verehrte Führer.

Was die Einheit auf dem Festland betraf, so ergingen sich die Anhänger von Black Consciousness und Häuptling Gatsha Buthelezi, der erste Minister des Homelands KwaZulu und Kopf von Inkhata, der von ihm gegründeten nationalistischen Zulu-Bewegung, in gegenseitigen Vorwürfen; ein Streit, der seine Parallele im Ausland hatte, wo Buthelezi mit dem ANC nicht zurechtkam. Er verwendete die ANC-Farben und beanspruchte für sich, Führer der größten Organisationen schwarzer Nationalisten zu sein, aber Inkhatha ging in keiner Weise eine aktive Konfrontation mit der Regierung ein.

Der ANC erlebte durch neue Aktionsformen bei den «Massen» einen gewaltigen Aufschwung: Anfang 1980 griffen Umkhonto-Guerillas zum erstenmal eine weiße Polizeistation an; schwerbewaffnete Ölanlagen in der Nähe von Johannesburg wurden sabotiert; und außerhalb von Pretoria, nahmen drei junge Umkhonto-Männer, die das Land nach dem Juni 1976 verlassen hatten, Geiseln in einer Bank und forderten Mandelas Freilassung. Alle drei sowie drei weibliche Geiseln wurden erschossen, als die Polizei die Bank stürmte. An die 20000 Menschen säumten bei ihrem Begräbnis die Straßen von Soweto und drängten sich in den Friedhof. Die meisten Schwarzen, berichtete eine Untersuchung, betrachteten sie als «Helden und mutige Männer, die verzweifelt eine Änderung hatten herbeiführen wollen».

Druck für eine friedliche Veränderung wurde nicht nur von den englischsprachigen Zeitungen, sondern auch von zwei einflußreichen Afrikaander-Zeitungen ausgeübt. Der Herausgeber von *Die Vaderland* warnte, daß das Land lernen müsse, sowohl mit radikalen als auch mit «traditionellen» schwarzen Führern zu verhandeln. «Je radikaler sie sind, desto mehr Unterstützung haben sie», räumte er ein. *Die Beeld* sagte, daß solche Führer «nicht bloß Agitatoren und Aufwiegler (sind). Sie kämpfen für ihre Rechte, ebenso wie die Afrikaander um die ihren kämpfen» – dasselbe Argument, das Mandela und seine Gefährten in ihrer Petition zehn Jahre früher verwendet hatten. Und der Ruf nach einer Nationalversammlung, die er fast zwanzig Jahre früher gefordert hatte, fand nun weite Verbreitung. Eine Riesenschlagzeile LASST MANDELA FREI! kündigte am 9. März 1980 den Beginn einer von der schwarzen Zeitung *Sunday Post* initiierten Kampagne an.

Schwarze Führer bestanden darauf, erst dann an einer Nationalversammlung teilzunehmen, wenn alle politischen Gefangenen befreit wären, die Exilierten zurückkehren könnten, das Verbot von ANC, PAC und anderen schwarzen Organisationen aufgehoben und das Apartheidsystem verschrottet würde. «Wir glauben, daß Alice-im-Wunderland-Lösungen, die derzeit in diesem Land gefordert werden, uns langsam und schmerzvoll in eine Krise führen», sagte der Herausgeber der *Post*, Percy Qoboza.

Als die Kampagne an Kraft gewann, lautete die Schlagzeile in der *Post* der folgenden Woche LASST MEINEN VATER GEHEN. Fotografien von Zindzi und ihrer Nichte Zaziwe und von Winnie Mandela, die mit *Amandla!* grüßte, schmückten einen Artikel über Mandelas Leben.

Am Vorabend des 20. Jahrestags von Sharpeville organisierten weiße Studenten eine Versammlung im Großen Saal der Universität von Witwatersrand. «Warum sollten wir nicht die ersten Menschen in der Geschichte sein, die ihre Machtposition freiwillig aufgeben?» fragte Sheena Duncan, die Leiterin von Black Sash. Qoboza richtete seine Stellungnahme an das weiße Südafrika: «Das sichtbarste Zeichen vom Vertrauen der Regierung wäre die Freilassung Nelson Mandelas.»

Zindzi Mandela sagte dem riesigen Auditorium: «Ich bin nicht als Tochter hierhergekommen, die um die Freilassung ihres Vaters bittet. Ich bin als eine Vertreterin meiner Generation hier, die noch nie erfahren hat, was ein normales Leben ist.» Sie erzählte vom Leben aller jener, die ohne Vater und manchmal ohne Mutter auskommen müssen. Ihre Generation hat schwere Verbrechen gegen das Volk erlebt. Die Gespräche ihrer Kindheit handelten von den letzten Paßrazzien, wessen Vater oder Mutter verhaftet worden war, in welchem Gefängnis sie seien, wann man sie zum letztenmal besucht hatte und wessen Heim die letzte Polizeirazzia diesmal erwischt hatte.

«Als die Jahre vergingen und wir nicht nur einen Prozeß nach dem anderen von unseren Eltern, unseren Brüdern, unseren Schwestern miterlebten, sondern zusehen mußten, wie immer mehr ihr Leben unter den Händen derer verloren, die die Freiheit haben, sie jederzeit von ihren geliebten Menschen zu entreißen, dämmerte uns allmählich unsere bittere Lage. Ohne andeuten zu wollen, daß ich mehr gelitten habe als andere schwarze Kinder, habe ich doch die Schrecken der Polizeigewalt kennengelernt. Ich habe das Grauen erlebt, zusehen zu müssen, wie meine Eltern ihre ganze materielle Existenz opferten, um für Gerechtigkeit, Ehre und Menschenwürde zu kämpfen. Ich habe sie für die Sache alles aufgeben sehen. Ich habe Millionen von Eltern das tun sehen, aber ich habe auch gesehen, daß sie durch diese Opfer immer mehr der Freiheit verloren, für die sie kämpfen wollten ... Ich habe gesehen, wie das Leid meines Volkes zur Weißglut wurde. Ich habe die donnernde Eruption des Vulkans Soweto erlebt, als meine Generation es nicht mehr länger ertragen konnte.»

Was sie entsetzte, sagte sie, sei, daß ihr Vater während seiner gesamten politischen Karriere immer wieder Lösungen für die Probleme des Landes angeboten hatte und daß er vor der Eskalierung von Gewalt in einer nicht mehr kontrollierbaren Form gewarnt hatte. Und Zindzi schloß: «Der Ruf nach Mandelas Freilassung sagt daher nichts anderes, als daß es noch immer eine Alternative zum unvermeidbaren Blutbad gibt.»

Drei Tage später, am 23. März 1980, folgten bei einer Gedenkkundgebung für Sharpeville in der katholischen Kirche Regina Mundi in Soweto 5000 Menschen Dr. Motlanas Ruf nach Freilassung von Mandela und den anderen politischen Gefangenen. Bischof Tutu, dessen Reisepaß als Strafe für seine direkte Sprache soeben eingezogen worden war, unterzeichnete im Namen des Südafrikanischen Kirchenrats die «Laßt Mandela frei!»-Petition der *Post*. «Sinnloses Leiden und Blutvergießen, wie es das Volk von Simbabwe auf sich nehmen mußte», stellte der Kirchenrat fest, «kann nur vermieden werden, wenn Mandela und den anderen Führern im Gefängnis oder im Exil ermöglicht wird, an der Neugestaltung einer einheitlichen südafrikanischen Gesellschaft mitzuwirken.»

Während Tausende die Petition unterschrieben, darunter Winnie Mandela, erhielt die Kampagne auch internationale Unterstützung. Am 13. Juni 1980 rief der Sicherheitsrat der Vereinten Nationen die Regierung auf, Mandela und die anderen politischen Gefangenen freizulassen; nur so könne eine «sinnvolle Diskussion über die Zukunft des Landes» geführt werden.

Die afrikaanse nationalistische Presse, deren Ruf nach einer Nationalversammlung im Kielwasser von Mugabes Sieg in Simbabwe zur Beschleunigung der Kampagne beigetragen hatte, denunzierte sie nun als einen «glatten Propagandatrick». Aber eine wichtige Stimme ließ sich aus der konservativen Geschäftswelt hören: Der Chef der Forschungsabteilung der SA Foundation, die das Image Südafrikas im Ausland verbessern wollte, sagte, daß Mandelas Freilassung ein «Symbol für die Entschlossenheit der Regierung» darstellen würde, eine «Rassenversöhnung» herbeizuführen.

Am 15. April 1980 geißelte der Polizei- und Gefängnisminister alle, die sich in der Kampagne um die Freilassung Mandelas engagierten. Er zitierte ein Editorial in der *Cape Times* vom 12. März, das das Ende des Krieges in Rhodesien und die Wahl einer schwarzen Regierung in diesem Land Südafrika eine Lehre sein sollte. «Die Freilassung Mandelas wäre ein ausgezeichneter Beginn ...»

«Wenn das nicht eine himmelschreiende Beeinflussung der südafrikanischen Öffentlichkeit ist», sagte der Minister, «dann weiß ich nicht. Diese Forderung ist von so gut wie jeder englischsprachigen Zeitung in Südafrika aufgegriffen worden. Aber das ist nichts Neues. Diese Kampagne für die Freilassung Mandelas ist nichts Neues ...» Und er fuhr fort mit einem, wie er es nannte, «faktischen» Bericht über Mandelas Vergehen; Mandela sei mit Reisedokumenten, die ihm der «russische KGB» besorgt hatte, durch Afrika gereist und hätte Länder hinter dem Eisernen Vorhang besucht, um Sabotage- und Terrorkampagnen zu koordinieren. (Großbritannien als «Land hinter dem Eisernen Vorhang» zu bezeichnen ist wohl einmalig!) Mandela, schloß er, «ist heute ein ebenso eingefleischter Kommunist, ein ebenso eingefleischtes Mitglied des südafrikanischen ANC, wie er es sein ganzes Leben lang war».

Kurzum, die Regierung weigerte sich, Mandela freizulassen. Der Premierminister platzte vor Wut, als kritische Studenten an der afrikaanse Stellenbosch Universität seine Erklärung, daß er den «Erzmarxisten» nie freilassen würde, ausbuhten und -pfiffen. Ein Gericht hatte Mandela verurteilt, und er mußte sein «lebenslänglich» absitzen.

Ein einzigartiger Protest kam von General van den Bergh, dem ehemaligen Leiter von BOSS, der bei der Regierung in Ungnade gefallen war. Er äußerte, daß Mandela kein «Kommunist» sei und den schwarzen Nationalismus verträte, «ebenso wie die Afrikaander noch immer den Afrikaander-Nationalismus vertraten».

Ende Mai war es klar, daß die Regierung die Gelegenheit für friedliche Verhandlungen beiseite gewischt hatte. Die burische Bevölkerung hatte den unausrottbaren Willen, unter ihren eigenen Bedingungen zu überleben, und sie hatten sich mit einer immensen militärischen und ökonomischen Macht entschieden, der schwarzen Revolution die Stirn zu bieten. Der Kampf drohte lange zu dauern, mit furchtbaren Konsequenzen.

Die «Laßt Mandela frei!»-Kampagne war stellvertretend für die Forderung nach Freilassung aller politischen Gefangenen. Diese konnten nun die Erfolge der Kampagne nachlesen. Ihr sechzehnjähriger Kampf um Zugang zu Nachrichten war endlich erfolgreich: Am 13. Mai 1980 verkündete der Gefängnisminister Louis le Grange, daß sie täglich eine englischsprachige und eine Afrikaans-Zeitung erhalten durften. Und sie durften beim Gefängnishändler mit dem Geld, das sie bei der Gartenarbeit verdient hatten, Lebensmittel und Toilettenartikel kaufen. Die Tage der harten Arbeit waren vorüber, mindestens für Mandela und die anderen im Sondertrakt.

Jedesmal, wenn Winnie von ihrem Besuch bei Mandela heimkehrte, sprach sie von einer «wunderbaren Laune», von «unserem Premier auf Urlaub». «Glaubt nicht den Geschichten in der nationalistischen Presse über einen altersschwachen Greis», sagte sie. «Er ist aufrecht und stolz, wie am Tag seiner Verhaftung. Und viel zuversichtlicher», fügte sie hinzu.

Und über sich selbst: «Ich freue mich so sehr auf die Besuche», vertraute sie Allister Sparks an, «aber die Rückreise ist schrecklich. Ich fühle mich so leer. Ja, ich bin zuversichtlich, daß er eines Tages von der Insel loskommt. Daran habe ich keinen Zweifel. Aber trotzdem muß ich immer wieder an die vielen Jahre unseres Lebens denken, die sich in nichts aufgelöst haben, unsere besten Jahre. Nelson ist jetzt 63 Jahre alt, und ich bin wie ein junges Mädchen, das sich noch immer nach den Erfahrungen des Ehelebens sehnt.»*

Winnie war soeben neuerlich gebannt worden und saß auf weitere fünf Jahre in Brandfort fest. Drei Jahre davor hatte sie im Mai 1979, kurz nachdem Zindzi sie verlassen hatte, um nach Johannesburg zurückzukehren, einer Freundin in London geschrieben: «Da es ja immer wieder Wunder gibt, werde ich sofort nach Auslaufen meines Banns (wenn das jemals passiert) zur Kirche gehen und Gott danken, daß er es möglich gemacht hat, daß dieser Brief dich in einer Zeit erreichte, als ich an alle unsere teuren Freunde dachte und eine Bestandsaufnahme meiner selbst durchführte, eine Eigenschaft, die allen Exilierten gemein ist. Das Zusammensein

* *Observer*, Januar 1982.

mit Zindzi hat in den letzten beiden Jahren den Aufprall des Schmerzes gelindert; jetzt ist sie fort, um sich auf die Prüfungen vorzubereiten, und wohnt bei Helen.

Es ist zum erstenmal, daß ich echt spüre, worum es bei meinem Kleinsibirien eigentlich geht. Die leeren langen Tage schleppen sich dahin, einer wie der andere, egal, wie sehr ich mich bemühe, zu studieren. Die Einsamkeit ist tödlich, die grauen desolaten Streichholzschachtelbarracken starren dich ebenso leblos an wie ihre Insassen, die eine menschliche Frustrationskette bilden, wenn sie an meinem Fenster vorüberziehen. Vom Augenblick an, an dem die Bar öffnet, bis um acht Uhr abends, sind sie hoffnungslos betrunken; Schulkinder, die zu Hause nichts zu essen vorfinden, wenn sie von ihren Pseudoschulen heimkommen, gehen einfach in die Bar zu ihren Eltern.

Sie genießen nicht einmal die ‹Ehre›, Bewohner dieses Ghettos zu sein, sie sind überschüssige Arbeitseinheiten der fetten Farmer, die sie von ihren Farmen vertrieben haben. Der höchste Lohn für die Mütter, die Glück haben, beträgt 5 Rand monatlich. Das Sozialleben besteht aus nächtlichen Polizeirazzien und Begräbnissen!

Das muß furchtbar klingen, und doch hat das Exil auch etwas Reinigendes an sich. Jede einzelne Minute erinnert einen daran, daß die schwarze Haut allein schon ein Engagement in unserer kranken Gesellschaft darstellt; das stärkt auch sehr. Ich habe keinen Zweifel an der Richtigkeit unserer Sache, und ich weiß, wie nahe wir historisch gesehen unserem Ziel sind. Was kann großartiger sein, als Teil einer solchen Aufgabe zu sein, wie minimal auch immer unser Beitrag sein mag.»

In jenen drei Jahren hatte Winnie Mandela ihr Leben in Brandfort verändert, wie Auslands- und Lokalkorrespondenten entdeckten, als sie einzeln zu ihr kamen, um sie über die Auswirkungen des Exils zu interviewen. Nie gab es auch nur einen Anflug von Selbstmitleid, immer nur schallendes Gelächter, besonders wenn sie über Prinsloos unermüdliche Hingabe an seine Aufgabe sprach: Eines Abends war sie um 21 Uhr 30 vors Haus getreten, um ihr Badewasser auszuschütten, und da saß er und beobachtete sie von seinem Auto aus. Unter den Weißen im *dorp* hatte sie sich mit drei Personen angefreundet, für die meisten aber, erzählte sie, war es, als ob sie «eine schreckliche Drohung» symbolisiere: «die tiefsitzende

Angst des Afrikaanders vor seiner Auslöschung». Der Bürgermeister, Besitzer eines Hotels und eines Ladens für alkoholische Getränke, vertraute einem Korrespondenten an: «Ja, die Leute waren nicht besonders erfreut, als sie hierher kam. Aber wir haben uns an sie gewöhnt. Wir akzeptieren sie jetzt. Sie ist sauber und hat ein gutes Benehmen. Sie kommt hier herein, um Sachen zu kaufen: Champagner, Cinzano, solche Sachen. Ich habe mit ihr gesprochen, und sie ist eine gebildete Frau.»*

Die Veränderung hatte eingesetzt, als ihre Nachbarn begannen, sie zu akzeptieren, so daß sie sagen konnte: «Ich lebe mit den Menschen; wir lieben einander. Daß ich hier bin, hat ihnen mehr Bewußtsein gebracht, als es eine Organisation jemals gekonnt hätte; der ANC sollte dankbar sein, ich brauche nicht auf einem Podium zu stehen und zu schreien.» Kinder begannen sie zu grüßen, indem sie mit der *Amandla!*-Geste die Faust hoben. Schwarze, die sahen, wie Weiße warten mußten, während Winnie «ihr» öffentliches Telefon vor dem Postamt benutzte, begannen bald selbst das Telefon zu benützen. 1981 hatte es kleinere Streiks der Arbeiter in einer Bäckerei und der Straßenkehrer um höhere Löhne gegeben. Für Brandfort waren das wichtige politische Schritte.

Eine Kinderkrippe und Mahlzeiten für die Kinder, eine Essensversorgung für die Alten, eine Klinik und eine Nähgruppe, die Frauen durch den Verkauf von Schuluniformen ein kleines Einkommen verschaffte – das waren die praktischen Bemühungen, um deren Unterstützung sich die westlichen Botschaften rissen: Wenn Winnie nicht hinaus in die Welt durfte, dann kamen ihre Vertreter zu ihr.

Die sichtbarste Auswirkung ihrer Anwesenheit in Brandfort war ihre jahrelange Arbeit an der Schaffung einer Oase im trockenen Location; und als ihr Garten mit der Wiese, den Blumen, dem Gemüse und den Obstbäumen erblühte, wurden ihre Nachbarn angeregt, ihrem Beispiel zu folgen. Samen für das Gemüse besorgte der Südafrikanische Christliche Rat.

Im Haus gab es zwar noch immer kein Badezimmer, aber es wurde Fließwasser eingeleitet, und Freunde hatten ihr einen Paraffinkühlschrank und ein Batterie-Fernsehgerät beschafft. Es gab

* Allister Sparks, *Observer*, Januar 1982.

Stöße von Büchern, schöne afrikanische Töpfe und bunte Farbflekken von Stickereiarbeiten, die ihr die Nachbarn schenkten. Jetzt konnten Besucher zum Haus kommen und unter dem Weidenbaum neben der Klinik Tee trinken.

Anfang 1981 besuchte ein Korrespondent des *Christian Science Monitor* Winnie und fragte sie nach ihrer Einschätzung von Präsident Reagans Politik des konstruktiven Engagements. Die Regierung der Vereinigten Staaten, antwortete sie, werde zunehmend als Verteidigerin, ja sogar Befürworterin des weißen Minderheitsregimes in Südafrika gesehen, und der Präsident habe sich als «kein Freund der Schwarzen» erwiesen. Winnie erklärte, daß die Politik der südafrikanischen Regierung den Zorn der schwarzen Bevölkerung in einem Ausmaß schüre, daß eine gewaltsame Revolution jetzt «unvermeidlich» sei, und sie übte heftige Kritik an westlichen Investoren, deren Engagement in Südafrika ihrer Meinung nach zur fortgesetzten Versklavung der schwarzen Arbeiter beitrage.

«Wir haben ein einziges Ziel», sagte sie, «und das ist der Sturz der Minderheitsregierung, der Siedlerherrschaft.» Und sie wies darauf hin, daß die Regierung ihre eigene Zerstörung betrieb: «Wenn man den Menschen jedes einzelne Recht nimmt, ist es unweigerlich, daß sie zu einer Kraft werden, mit der man rechnen muß. Die Regierung ist dabei, die Massen für uns zu organisieren.» Die südafrikanische Regierung sei für die Eskalierung der Gewalt verantwortlich. «Sie haben selbst eine Revolution geschaffen, und jetzt geben sie uns die Schuld.» Sie verteidigte das Recht der Schwarzen, von überall Hilfe anzunehmen, einschließlich vom Sowjetblock, um ihre Befreiung zu erreichen. Wenn Amerika den Kampf zum Sturz des Minderheitsregimes schon nicht unterstützen will, so sollte es wenigstens alle kommerziellen, sportlichen und diplomatischen Kontakte mit Pretoria abbrechen.

Im Laufe von zwanzig Jahren war sie eine eigenständige Führerin geworden; und sie war noch schöner geworden. «Ich glaube, es sind die Kinder», sagte Zeni, als man darüber sprach. «Sie erhalten sie glücklich und beschäftigt, und wenn sie spielen, dann sieht man dieses Leuchten in ihren Augen.» Sie hatte vier Enkelkinder: Zeni und Thumbumuzis zwei Mädchen, Zaziwe, die 1977, und Zamaswazi, die 1978 geboren wurde, ihren 1980 geborenen Sohn Zinhle, und Zindzis Baby, das Mädchen Zoleka, das 1980 auf die Welt kam und dessen Vater Johannes «Oupa» Seakamela war. «Oupa» war für Winnie in den ersten schwierigen Jahren eine große Hilfe gewesen, als sie sich in Brandfort niederließen, und selbst als seine enge Beziehung zu Zindzi in die Brüche ging, blieb er ihr und Zeni wie ein Bruder. Zindzi bekam nachher noch einen Sohn, Zondwa.

In der Zwischenzeit hatte Winnie ihr Soziologiestudium fortgesetzt und durfte fallweise UNISA, die Fernuniversität in Pretoria, besuchen, an der auch ihr Mann und die anderen politischen Häftlinge studierten.

«Ist deine Mutter nie deprimiert?» wurde Zeni gefragt. «Sollte das je der Fall sein, dann versteckt sie es gut», war die Antwort. Oliver Tambo hatte einmal von Nelson Mandela gesagt, daß er ihn noch nie deprimiert gesehen hatte. Wenn er physische Beschwerden hatte, berührte er sie in seinen Briefen nur obenhin: «Am 16. August war ich bei einem orthopädischen Chirurgen», schrieb er Winnie im September 1979, «und er untersuchte meine rechte Ferse, die mir hin und wieder zu schaffen macht.»

Dann beschrieb er die Fahrt nach Kapstadt, wo der Chirurg seine Praxis hatte:

> «Das Meer war stürmisch, und obwohl ich mich an einer geschützten Stelle an Deck befand, schien es zu regnen. Das Schiff schwankte ununterbrochen und nahm jede Welle mit dem Bug. Auf halbem Weg zwischen der Insel und Kapstadt schien eine Armee von Dämonen am Werk zu sein, und als die Dias herumgewirbelt wurde, sah es so aus, als würde sie in ihre Bestandteile zerfallen. Ich heftete meine Augen auf den Rettungsring in meiner Nähe. Zwischen mir und dem Ring waren vielleicht fünf Beamte, zwei so jung, daß sie meine Enkel hätten sein können. ‹Wenn etwas passiert und dieses Schiff untergeht›, sagte ich mir, ‹dann werde ich meine letzte Sünde auf Erden begehen und mich demütig dafür entschuldigen, wenn ich in den Himmel komme. Ich werde sie alle über den Haufen rennen und als erster beim Rettungsring sein.› Glücklicherweise ist das Unglück ausgeblieben.»

Im März 1981 überlegte er sich, sich zusammen mit Prinzessin Anne und Jack Jones um die Position eines Protektors der Universität London zu bewerben:

> «Die Unterstützung von 7199 Stimmen gegen zwei so prominente Kandidaten muß den Kindern und allen unseren Freunden im In- und Ausland einen enormen Auftrieb gegeben haben. Besonders für dich muß es ein

gutes Gefühl gewesen sein, das diese miserable Hütte in ein Schloß verwandelt und die engen Zimmer so geräumig gemacht hat wie jene von Windsor. Ich möchte, daß alle unsere Unterstützer wissen, daß ich nicht einmal hundert Stimmen erwartet habe, ganz zu schweigen von 7199 gegen eine britische Prinzessin und gegen einen so namhaften englischen Reformer wie Mr. Jack Jones.»

Er hatte gehofft, daß ihn Winnie im August 1980 in Delhi vertreten könnte – es wurde ihm der Nehru-Preis für Völkerverständigung verliehen –, aber die südafrikanische Regierung hatte ihr den Reisepaß verweigert. Daher verlas Oliver Tambo das Statement, das Mandela aus Robben Island hinausschmuggeln mußte, nachdem die Gefängnisbehörden sich weigerten, es nach Indien weiterzuschikken.

Er erinnerte sich an seine Studententage in Johannesburg, als er zum erstenmal Pandit Nehrus Buch *Die Einheit Indiens* in die Hände bekam, und bezog sich auf die «intensive, aber enge Form des Nationalismus» der Jugendliga:

«Mit zunehmender Erfahrung, zusammen mit den sich überstürzenden Ereignissen im In- und Ausland, erarbeiteten wir uns neue Perspektiven, und je breiter unser Horizont wurde, desto mehr begriffen wir, wie falsch so manche unserer jugendlichen Ideen gewesen waren. Die Zeit sollte uns die Worte von Panditji verständlich machen: ‹Der Nationalismus hat seine Meriten, aber er ist ein unzuverlässiger Freund und ein unsicherer Historiker. Er macht uns blind für vieles, was geschieht, und verzerrt manchmal die Wahrheit, besonders wenn es um uns und unser eigenes Land geht.›

In einer Welt, in der die atemberaubenden Fortschritte in Technologie und Kommunikation den Abstand zwischen früher unerreichbar weit voneinander entfernten Gebieten verkleinert haben; in der veraltete Überzeugungen und eingebildete Unterschiede zwischen den Menschen rasch beseitigt werden, in der Kooperation und wechselseitige Abhängigkeit entstanden sind, fühlten auch wir uns gezwungen, unsere Engstirnigkeit abzulegen und uns an die neuen Realitäten anzupassen.

Wie der Gesamtindische Kongreß, eine der ersten nationalen Befreiungsbewegungen der kolonialen Welt, begannen auch wir, unsere Lage in globalen Zusammenhängen zu sehen. Wir lernten bald die Mahnung eines großen politischen Denkers und Lehrers, daß kein Volk in irgendeinem Teil der Welt wirklich frei sein kann, solange seine Brüder in anderen Teilen der Welt noch unter Fremdherrschaft stehen ...»

Mandela in den fünfziger Jahren

«Wir wollten, daß sie die Macht mit uns teilen»

1982–1985

«Die große schlanke Gestalt mit Silberhaar, dem makellosen olivgrünen Hemd und der gut gebügelten marineblauen Hose hätte genausogut ein weiterer General im Dienst der südafrikanischen Gefängnisverwaltung sein können. Aber er war schwarz. Und er war ein Gefangener, vielleicht der berühmteste auf der ganzen Welt, der Mann, über den sie in Europa Lieder schreiben und nach dem sie in London Straßen benennen, der Führer des Afrikanischen Nationalkongresses.»

Nicholas Bethell

Winnie Mandelas zuversichtliche Erwartung, daß ihr Mann «eines Tages von der Insel loskommen» würde, wurde erfüllt, aber nicht so, wie sie es gemeint hatte – der Weg führte nicht in die Freiheit. Eines Nachts im April 1982 bekamen Mandela, Sisulu und drei andere Rivonia-Männer – Kathrada, Mhlaba und Mlangeni – den Befehl, ihre Sachen zusammenzupacken, und wurden urplötzlich aufs Festland gebracht. Als ihre Gefährten am nächsten Morgen erwachten, fanden sie die fünf Zellen leer: Sisulu war ihr Vertrauter gewesen, Mandela ihr Vater.

Winnie erfuhr von der Übersiedlung aus der Zeitung, dann hörte sie es auch im Fernsehen. Schließlich erhielt sie vom Gefängnisministerium einen Brief, in dem sie informiert wurde, daß ihr Mann ins Hochsicherheitsgefängnis von Pollsmoor verlegt worden war. Ein Grund wurde nicht angegeben; sie mutmaßte, daß sie damit der administrativen Tätigkeit ein Ende setzen wollten, die er auf der Insel ausgeführt hatte: Er verwaltete die Geldmittel, die ihm geschickt wurden, um jungen Häftlingen ein Studium zu ermöglichen. Oder war es die Absicht der Regierung gewesen, den Mythos «Mandela auf Robben Island» zu brechen?

Vom Kapstädter Hafen wurden die fünf Männer in einem geschlossenen Armeewagen – die ganze Zeit stehend – in einstündiger Fahrt nach Pollsmoor im weißen Vorort von Tokai gebracht. Sie konnten nichts von der Landschaft sehen – das Tal zwischen dem Tafelberg und den Hügeln jenseits des Gefängnisses – eine der schönsten Gegenden Südafrikas mit ausgedehnten Weingärten und Föhrenhainen. Es war der Beginn einer grausamen Verarmung ihres Lebens: das Abgeschnittensein von der Landschaft, das Eingesperrtsein zwischen hohen Mauern, so daß, wie Mandela später einem Besucher anvertraute, er zu verstehen begann, was Oscar Wilde mit «das kleine blaue Zelt, das Gefangene Himmel nennen», gemeint hatte.

Pollsmoor, ein moderner Komplex von langen Gebäuden aus gelbem Ziegelwerk, beherbergte Tausende von Häftlingen aller Rassen in jeweils voneinander getrennten Trakten. Mandela und seine vier Gefährten wurden im dritten Stockwerk eines «Isolations»gebäudes in eine große Gemeinschaftszelle mit Zugang zu einem L-förmigen, von hohen Mauern umgebenen Hof gesperrt. Mit ihnen zusammen eingekerkert war ein junger Mann, Patrick Maqueba, der eine zwanzigjährige Strafe abbüßte.

Mandela setzte seine Tagesroutine fort, stand für seine zweistündigen Leibesübungen um 3 Uhr 30 auf – er nannte es «ordentlich ins Schwitzen kommen» – und las und studierte während des Tages.

Die Männer entdeckten, daß manche der Haftbedingungen besser waren als auf der Insel: bessere Verpflegung und manchmal Essen, das ihnen Freunde aus Kapstadt mitbrachten; sie konnten nun eine ganze Reihe von Zeitungen bekommen, darunter *Guardian Weekly* und *Time*, und auch Radio hören: «Leider nur UKW», bedauerte Mandela, «so daß wir nur südafrikanische Sender, aber nicht BBC hören können.»

Wie Winnie nach ihrem ersten Besuch in Pollsmoor feststellte, war der Warteraum angenehm, und im Verschlag konnte sie durch die größere Glastrennwand ihren Mann von der Taille aufwärts sehen; anstatt über Telefon, wurde der Ton über spezielle Mikrofone übertragen, und zum erstenmal seit zwanzig Jahren konnte sie seine Stimme klar hören. Er sah sehr gut aus und klang auch gut. Es fehlte auch die scharfe Ankündigung des Aufsehers: «Ihre Zeit ist um!» «Mrs. Mandela, Sie haben noch fünf Minuten», sagte Inspektor Gregory. «Ein wirklich netter Mann», sagte Zeni von diesem Gefängnisbeamten, der sich verändert hatte, als er Mandela und seine Gefährten auf der Insel näher kennenlernte, und der die Gruppe nach Pollsmoor begleitete. Diese bescheidenen Verbesserungen wurden von dem Paar, das im Laufe der Jahre so viel schlechte Behandlung, so viele Entbehrungen durchmachen mußte, hochgeschätzt.

Bei einem späteren Besuch ein Jahr danach, im März 1983, durchbrach Mandela die Vorschrift und sprach über die Haftbedingungen. Er hatte die Unterhaltung eröffnet, erzählte Winnie später, indem er den Gefängniswärtern, die den Besuch beaufsichtigten, sagte, daß er die Erlaubnis hatte, die Frage seiner Gesundheit mit seiner Familie zu erörtern: «Ich muß sie aber als ein Ergebnis der Umstände hier sehen. Das ist ein Recht.» Es war zum erstenmal, daß er einen Ton der Verzweiflung angeschlagen hatte, schrieb sie einer Freundin nach London, als er ihr erzählte, daß sich die Bedingungen drastisch verschlechtern würden und daß die Mithäftlinge seiner Zelle ihn beauftragt hätten, sie davon in Kenntnis zu setzen, mit dem Ziel, diese Klage an «relevante Personen und an die Presse» weiterzuleiten.

Am schmerzhaftesten war der Verlust des Gemeinschaftslebens, das die Männer über die Jahre in ihrem Teil von Robben Island genossen hatten. Während sie früher jeder eine eigene Zelle hatten, waren sie hier in Pollsmoor alle gemeinsam untergebracht und von den anderen Insassen völlig getrennt. Auf der Insel hatten sie sich in ihrem Teil frei bewegen können und hatten den großen Teil des Tages im Freien zugebracht. Jetzt gab es keinen Spaziergang; sie hatten keinen Grashalm gesehen, seit sie die Insel verlassen hatten. Jene, die studieren wollten, konnten von den anderen nicht erwarten, daß sie sich still verhielten, und auch andere kleine «Privilegien», die das Leben angenehmer gestalteten, wurden entzogen. Ein viel schwerwiegenderes Problem war das Gesundheitsrisiko durch das Wasser, das durch die Zellenwand sickerte, wenn es regnete; die Männer verlangten dringend nach einer medizinischen Untersuchung. Mandela, der gezwungen war, einen zu kleinen Schuh zu tragen, brauchte eine Operation an einer Zehe. Es war eine bittere Ironie, daß Robben Island jetzt rückblickend als angenehmer Aufenthaltsort erschien.

Winnies Bericht über den Protest ihres Mannes gegen die Haftbedingungen wurde im Ausland breit publiziert, wobei gewisse Ausschmückungen hinzugefügt wurden, da er und seine Gefährten immer mehr internationale Aufmerksamkeit auf sich lenkten. Seit der Überstellung der Männer waren keine Nachrichten aus Pollsmoor hinausgedrungen. Im Juli 1983 wurde es Helen Suzman gestattet, sie zu besuchen, und sie erzählte einem Korrespondenten der *New York Times*, daß Mandela auf sie einen kräftigen und gutgelaunten Eindruck gemacht hatte. Nach seinen Angaben sei die Zelle groß genug, und es war der Gefängnishof und nicht die Zelle, der nach seinen Angaben manchmal überschwemmt sei. Und was seine kranke Zehe anbelangte, so hätte sich Mandela erstaunt über ihre Nachfrage gezeigt. «Das ist seine Art», kommentierte Winnie. «Als er mit Helen sprach, hat er es heruntergespielt. Als ich ihn besuchte, hat er sogar den Schuh ausgezogen und hat mir die Zehe durchs Fenster gezeigt» – eine Erinnerung, bei der sie lachen mußte – «Ich sah seinen Fuß zum erstenmal seit 21 Jahren.»

Walter Sisulu feierte seinen siebzigsten Geburtstag in der Zelle; ein randvolles Auditorium im Großen Vortragssaal der Universität von Witwatersrand gab ihm in seiner Abwesenheit eine stehende Ovation.

Der Neuankömmling, der mit den fünf Rivonia-Männern eingesperrt worden war, Patrick Maqubela, war ein junger Anwalt, der für ANC-Verstöße schuldig gesprochen und wegen Hochverrats zu zwanzig Jahren verurteilt worden war; Delikte, die früher unter das Gesetz zur Bekämpfung des Kommunismus fielen – die «Unterstützung der Ziele einer unrechtmäßigen Organisation» –, galten nun als Verrat, wodurch der Staat weitaus höhere Strafen anordnen konnte. Maqubela hatte bei Griffiths Mxenge gearbeitet, einem Anwalt, der sich der Sache der Familien der Männer angenommen hatte, die in der Haft und beim Überfall der südafrikanischen Armee auf ANC-Häuser in Mosambik ums Leben gekommen waren. Ein sowohl im Ostkap als auch in Durban hochangesehener Mann, war Mxenge Schatzmeister des Komitees zur Freilassung Mandelas gewesen. Am 20. November 1981 wurde sein übel zugerichteter Leichnam in einem Radstadion in der Nähe von Durban aufgefunden.

Mxenges Tod war bloß ein Beispiel für den gewaltsamen Tod, der Aktivisten drohte, die sich dem Staat erfolgreich entgegenstellten. Die Mandelas trauerten um den Tod ihrer Freundin Ruth First, die an ihrem Arbeitsplatz an der Universität von Maputo im August 1982 in Mosambik von einer Briefbombe getötet wurde. «Eine solche Verschwendung, so viel Schönheit, ein solches Energiebündel», schrieb Winnie. «Wie kann jemand nur so grausam sein, ein so fruchtbares Leben zu durchtrennen?»

Unter den ermordeten Männern und Frauen befand sich auch Joe Gqabi, der ANC-Vertreter von Simbabwe und ein guter Bekannter von Mandela und Sisulu; er hatte eine lange Haft auf Robben Island hinter sich. Die massive Aufstockung der südafrikanischen Armee von 500000 auf 620000 Mann war von Angriffen auf angebliche ANC-Basen in den Nachbarländern begleitet. 1981 wurden in einem Vorort von Maputo Häuser von ANC-Flüchtlingen von einem südafrikanischen Armeekommando überfallen; dreizehn Männer und Frauen wurden getötet. Ein Jahr später waren Häuser in Lesothos Hauptstadt Maseru das Ziel; im Morgengrauen wurden die Menschen in ihren Betten ermordet – unter den 42 Toten waren fünf Frauen und Kinder und zwölf Basotho. Als Vergeltung jagte Umkhonto zehn Tage später einen Teil des Kernkraftwerks von Koeberg in der Nähe von Kapstadt in die Luft, sein dramatischster Sabotageakt seit dem Angriff auf die Sasol-Kohleaufbereitungsanlage zwei Jahre davor. Die Sabotage von Eisenbahnlinien und Apartheid-Gebäuden, wie etwa die Büros von schwarzen Kommunalräten, wurde intensiviert.

Aber die Leute, erzählte Oliver Tambo Anthony Sampson, dem britischen Journalisten, begannen sich zu fragen, warum der ANC noch immer an seiner Politik der harten Ziele festhielt – Angriffe auf Objekte, die am nächsten Tag wieder repariert wurden –, «wenn man schon beim bloßen Versuch lebenslänglich bekommt oder gehängt wird». Das Massaker von Maputo war «eine sehr häßliche Sache» gewesen; das Massaker von Maseru war «noch häßlicher». Eine nach diesem Überfall durchgeführte Meinungsbefragung unter den Weißen stellte fest, daß 68 Prozent sich darüber freuten. Er war sich sicher, daß 100 Prozent der Schwarzen trauerten und mit der ANC-Politik ungeduldig waren. Das bildete den Hintergrund für den ersten Autobombenangriff von Umkhonto im Mai 1983; das Ziel war das Hauptquartier der Luftwaffe in Pretoria. «Es war nicht die Absicht, Zivilisten zu treffen», sagte Tambo, «aber wir mußten auf diese Serie von Massakern antworten.» Neunzehn Personen wurden getötet und 200 verletzt, darunter Zivilisten und Schwarze.

Als Mandela über den Tod so vieler Menschen las, spürte er ein tiefes Bedauern. Einem Besucher gegenüber sagte er später: «Es war ein tragischer Unfall ...Unsere Ziele sind Gebäude und Eigentum. Es mag sein, daß jemand im Kampf ums Leben kommt, in der Hitze des Gefechts, aber wir glauben nicht an Mord.»*

Tambo verstand Mandelas Gefühle: Die südafrikanische Presse verbreitete sich über die Opfer unter den Zivilisten und verschleierte die Tatsache, daß es sich um ein militärisches Ziel gehandelt hatte. Die Leute in den Townships aber hatten einem Bericht der

* Interview mit Nicholas Bethell, 27. Januar 1985.

New York Times zufolge das Gefühl, der ANC habe endlich gelernt, ein reales Ziel und nicht nur ein symbolisches zu treffen.

Im Juli 1984 übte Tambo heftige Kritik an den Männern, die für einen Autobombenanschlag verantwortlich waren, der einem Militärkonvoi gegolten hatte, statt dessen aber fünf schwarze Zivilisten tötete; «unerträglich» nannte er das Versagen der Kader, die nötigen Vorkehrungen zu treffen. Aber es gehe nicht allein um die Bombe, «sondern darum, daß es überhaupt notwendig ist, Bomben einzusetzen. Schuld ist das Apartheid-System,» Eine Ansicht, die Mandela ganz gewiß teilen würde: Er betrachtete einen Vorfall, bei dem ein südafrikanischer Offizier in Natal getötet wurde, als «durchaus gerechtfertigt». Umkhonto-Männer, denen sich Sicherheitskräfte näherten, die jetzt Anweisung hatten, zu töten, anstatt zu verhaften, hatten in Notwehr das Feuer eröffnet; der Leutnant und mehrere Umkhonto-Männer kamen dabei ums Leben.*

Die südafrikanischen Versuche der Destabilisierung von Nachbarstaaten, insbesondere die Invasionen nach Angola, wo die SWAPO Basen errichtet hatte, und die Unterstützung für die MNR-Rebellen in Mosambik, die für den Sturz der Samora Machel-Regierung kämpften, verursachten unendliches Leid in Ländern, die schon durch ihren langen Krieg gegen Portugal stark geschwächt waren. Plötzlich veranlaßte Präsident Botha im März 1984 ein «gutnachbarliches» Abkommen mit Präsident Machel: Er versprach, der MNR jede Unterstützung zu entziehen, wenn Machel sich bereit erklärte, die ANC-Leute, die von Mosambik aus operierten, auszuweisen. Machel führte prompt seinen Part des Abkommens aus – ein schwerer Schlag für den ANC –, die südafrikanische Regierung hingegen fuhr stillschweigend fort, die MNR zu unterstützen, ein Vertrauensbruch, der erst 1985 aufgedeckt wurde.

Keines dieser Ereignisse konnte bei Winnies monatlichen Besuchen in Pollsmoor erwähnt werden, sie konnten auch nicht die Gründung der Vereinigten Demokratischen Front offen besprechen. Als aber Mandela der Ehrenschutz übergeben wurde, gelang es ihm, seinen Dank zu übermitteln; eine stehende Ovation begrüßte seine Botschaft an die erste nationale Konferenz der UDF im August 1983. Rund sechshundert Organisationen waren zusam-

* Ebenda.

mengekommen – Bürgerrechtsgruppen, Gewerkschaften, Kirchen, Studentenorganisationen, Kulturvereine und politische Gruppen aller Rassen und aus allen Teilen des Landes, auch aus Dörfern, die bis dahin noch nie an politischen Aktivitäten teilgenommen hatten. Die gewählten Führer waren Mitglieder des Indian Congress, Albertina Sisulu, Helen Joseph und Archie Gumede, dessen Vater in den späten zwanziger Jahren Generalpräsident des ANC gewesen war; er selbst war Angeklagter im Hochverratsprozeß gewesen. Dr. Allan Boesak, der Präsident des Weltkirchenrates und ein dynamischer Redner, übernahm ebenfalls den Ehrenschutz. Unter den Mitgliedern befanden sich viele «Chartisten» (Leute, die die Freiheitscharta unterstützten). Das allgemeine Wahlrecht (eine Person – eine Stimme) in einem vereinten Südafrika war das politische Ziel. Die «Laßt Mandela frei!»-Kampagne wurde zu neuem Leben erweckt.

Als Winnie Mandela am 12. Mai 1984 mit Zeni und deren jüngstem Kind in Pollsmoor ankamen, wurde sie in das Büro von Inspektor Gregory gebeten. Sie nahm sofort an, daß ihr Mann krank sei, aber Gregory hatte eine Nachricht von der Gefängnisbehörde: Mandela durfte ab nun «Kontakt»-Besuche empfangen. Zeni beschrieb den Augenblick, als ihr Vater und ihre Mutter einander nach zwanzig Jahren zum erstenmal küßten und einander lange Zeit in den Armen festhielten.

Mandela, Sisulu und ihre vier Gefährten blieben in ihrer Gemeinschaftszelle im dritten Stock von den anderen Häftlingen und ihren Leuten isoliert. Tag für Tag studierten sie die Zeitungen, hörten das staatlich kontrollierte Radio und diskutierten über jede einzelne neue Entwicklung in der Welt außerhalb der Grenzen Pollsmoors.

Wochen des Triumphes für Botha in jenem Winter 1984, so wollte es scheinen: Im Westen war das Nkomati-Abkommen als ein weiteres Zeichen seiner reformistischen Politik begrüßt worden. Und er hatte von der weißen Wählerschaft die überragende Unterstützung für eine neue Verfassung erhalten und dabei den rechten Flügel der Afrikaander geschlagen. Unter seiner Präsidentschaft sollte ein Dreikammernparlament errichtet werden, in dem die dreieinhalb Millionen Farbigen und Inder zusammen mit den 4600000 Weißen vertreten sein würden; ihr Mitspracherecht unterlag allerdings dem Veto der Weißen. Die «Rechte» der 21 Millionen Afrikaner würden auf die Bantustans und die kommunalen Vertretungen in den Townships beschränkt bleiben.

Ein Sturm der Entrüstung brach aus: Schwarze, aber auch viele Farbige und Inder, sahen, wie dienstfertige Farbige und Inder kooptiert wurden, um die Unterdrückung durch die Afrikaander zu zementieren, während die Welt im Glauben bestärkt wurde, daß man dabei war, Apartheid abzuschaffen. Weniger aufmerksame Kritiker im Westen wurden entwaffnet: Margaret Thatcher empfing Präsident Botha trotz heftiger Kritik und Protestdemonstrationen. Er war der erste südafrikanische Regierungschef seit den Tagen von General Smuts, der einem britischen Premierminister einen offiziellen Besuch abstattete; dann fuhr er weiter zu einem Empfang beim Papst. Nachdem die französische Regierung sich weigerte, Botha zu empfangen, fand Mandela eine Gelegenheit, vor dem französischen Volk «den Hut zu ziehen», als seine Tochter Zeni in seinem Namen einen Preis der Anwaltsvereinigung von Bordeaux entgegennahm.

Das weiße Südafrika gab dem heimkehrenden Botha einen triumphalen Empfang, aber die Wahlen zum Dreikammernparlament lösten noch wütendere Demonstrationen aus. Mehr als 80 Prozent der Wahlberechtigten boykottierten die Wahlen. Als das Parlament schließlich im September mit großem Pomp eröffnet wurde, war das Land von Rassenunruhen erschüttert.

Extreme Armut, wirtschaftliche Rezession und eine anhaltende Dürre trieben die Menschen in den elenden Bantustans und Townships in Verzweiflung. Einer drastischen Mietenerhöhung im Vaal-Dreieck (das Gebiet zwischen Johannesburg und Vereeniging) begegnete man mit einem Mietenboykott. Ein Township, Sebokeng, wurde von 7000 Soldaten umzingelt, während die Polizei die Häuser durchkämmte und die erzürnten Bewohner durchsuchte und verhaftete. «Wir sind im Krieg», hörte man die Schwarzen immer häufiger sagen. Winnie Mandela äußerte sich ähnlich, als sie über Sebokeng sprach, und sie fügte hinzu: «Wenn die Armee geholt werden muß, um ein Township einzukreisen, in dem die Leute gegen Mietenerhöhungen demonstrieren – in dem die Leute protestieren, wie es in jedem demokratischen Land üblich ist –, dann muß die politische Lage den Nullpunkt erreicht haben.»

Der Druck war so stark geworden, daß die beiden großen Gewerkschaftsbündnisse, die sich bis jetzt bei politischen Demonstrationen eher zurückgehalten hatten – FOSATU (Federation of SA Trade Unions – Südafrikanischer Gewerkschaftsbund) und CUSA (Council of SA Unions – Südafrikanischer Gewerkschaftsrat) –, sich UDF und COSAS (Council of SA Students – Südafrikanischer Studentenrat) anschlossen und einen Ausgehstreik im Vaal-Dreieck organisierten: den größten Streik in Südafrika seit Menschengedenken, der die Industrie zum Stillstand brachte.

Zu der Zeit war der Bischof von Johannesburg, Desmond Tutu, in Amerika: Aus Oslo wurde mitgeteilt, daß er den Friedensnobelpreis erhalten sollte. Vor 23 Jahren war Häuptling Lutuli Nobelpreisträger gewesen, und er hatte internationale Sanktionen gegen die südafrikanische Regierung und ihre Apartheidpolitik gefordert. Im Laufe all dieser Jahre beständigen Drucks im amerikanischen Kongreß zur Unterstützung von Lutulis Initiative hatte es wenig sichtbaren Fortschritt gegeben. «Größer als der Vormarsch mächtiger Armeen ist ein Gedanke, dessen Zeit gekommen ist», schrieb Victor Hugo. Diese Zeit war gekommen; nicht so sehr vielleicht in den Vereinigten Staaten, aber ganz gewiß in der ganzen Welt.

Tutus Rolle und Prestige, die Kraft, die Leidenschaft und der Witz seiner Appelle waren ein Faktor unter anderen Faktoren, daß die amerikanische Südafrika-Politik sich veränderte. Präsident Reagans «constructive engagement» hatte sich als Fiasko erwiesen und die südafrikanische Regierung nur gestärkt. Jesse Jacksons Kampagne während der Präsidentenwahl hatte Südafrika auf die Landkarte des öffentlichen Bewußtseins gesetzt, während im Kongreß die schwarzen und liberalen Abgeordneten mit der wichtigen Unterstützung von Randall Robinsons «Trans-Africa»-Organisation ganze Arbeit leisteten. Tag für Tag berichtete das Fernsehen über die Unbeugsamkeit der Afrikaander, die Brutalität der südafrikanischen Polizei und Armee und dem draufgängerischen und entschlossenen Mut der Schwarzen.

Am Abend vor Thanksgiving besetzten «Befreit Südafrika»-Demonstranten die südafrikanische Botschaft in Washington und beschleunigten so die landesweite Kampagne, in der Demokraten und Republikaner, Schwarze und Weiße, Prominente und der sogenannte «Mann von der Straße» ihre Verhaftung riskierten. Und es entstand eine Bewegung, die für den Rückzug von Investitionen aus Südafrika plädierte.

Eine führende Figur in dieser Bewegung und beim Druck im Hinblick auf Sanktionen im Kongreß war Senator Edward Kennedy. Während einer Südafrikareise im Januar 1985 besuchte er Winnie Mandela in ihrem Haus in Brandfort und suchte um eine Besuchserlaubnis bei Nelson Mandela an, was ihm entschieden verweigert wurde. Einige Tage später wurde an seiner statt einem britischen Konservativen, Lord Bethell, einem Mitglied des Europäischen Parlaments, der Zutritt nach Pollsmoor erlaubt. 22 Jahre lang war es Mandela verboten gewesen, Gefängnisbedingungen und politische Themen mit seiner Familie zu diskutieren; jetzt durfte er plötzlich mit wildfremden Personen darüber sprechen.

Der Justizminister H. J. Coetsee sagte Lord Bethell ganz offen, daß der Besuch genehmigt worden war, damit er bestätigen könne, daß Mandela gut behandelt wurde und sich in guter gesundheitlicher Verfassung befand. Es war eindeutig, daß die Behörden die internationale Aufmerksamkeit nicht vergessen hatten, die Winnie Mandelas Bericht 1983 auf sie gelenkt hatte.

Nicholas Bethell beschrieb die Szene: Ich wartete im Büro des Direktors im Hochsicherheitsblock auf Nelson Mandela ... Beamte in gelben Khaki-Uniformen mit Goldsternen auf ihren Epauletten, manche mit Schirmmützen, die sie wie Feldwebel eines Garderegiments über die Augen gezogen hatten, wieselten ein und aus und sprachen aufgeregt auf Afrikaans. Mindestens drei Männer betraten den Raum, von denen einer auf mich zukam. «Guten Tag», sagte er. Auch ich grüßte ihn. «Sie müssen mit Winston Churchill verwandt sein», fuhr er fort, womit er wahrscheinlich auf mein Übergewicht anspielte. «Jedenfalls freue ich mich und fühle mich geehrt, Sie empfangen zu dürfen.»

Er schien sehr daran interessiert, daß ich mich wohl fühlte, und lud mich ein, mich an den Schreibtisch zu setzen, wo ich mein Notizbuch auspackte. Es dauerte ein paar Sekunden, bis mir bewußt wurde, daß das der Mann war, den ich besuchen kam.

Die große schlanke Gestalt mit Silberhaar, dem makellosen olivgrünen Hemd und der gut gebügelten marineblauen Hose hätte genausogut ein weiterer General im Dienste der südafrikanischen Gefängnisverwaltung sein können. Ja, sein Verhalten war selbstbewußter als das aller anderen, und er fiel als der Anführer auf. Aber er war schwarz. Und er war ein Gefangener, vielleicht der berühmteste auf der ganzen Welt, der Mann, über den sie in Europa Lieder schreiben und nach dem sie in London Straßen benennen, der Führer des Afrikanischen Nationalkongresses, einer Organisation, die sich die Zerschlagung des Apartheidsystems zum Ziel gesetzt hat, wenn es sein muß, mit Gewalt.

Mandela erzählte Bethell über «die wirklich sehr schlimmen Jahre» auf Robben Island, über die Schläge und die psychische Marter und über die einschneidenden Verbesserungen um 1974. «Jetzt kann es eine wesentliche Verbesserung nur mehr durch die Auflösung des gesamten südafrikanischen Systems geben», sagte er.

Er bestätigte, daß er sich bei guter Gesundheit befand: Es sei nicht wahr, wie Gerüchte behaupteten, daß er an Krebs leide. Und auch nicht, daß ihm eine Zehe amputiert worden sei. Aber die Zustände in der Zelle gäben noch immer Anlaß zur Klage: «Auf der Wand ist ein feuchter Fleck. Das muß wohl an der Bauweise liegen. Und es ist nicht recht, daß wir sechs von allen anderen Häftlingen getrennt gehalten werden. Wir hätten gern mehr Kontakt.» Er wünschte sich auch mehr Privatheit für sein Studium. «Unsere grundlegende Forderung, die wir schon 1969 formuliert haben, ist die, den Status von politischen Gefangenen zu erhalten: zum Beispiel das Recht, Tagebuch zu führen und von der Familie besucht zu werden. Ich meine, von der afrikanischen Familie, nicht bloß von Ehefrauen, Brüdern und Kindern, was die Familie europäischen Zuschnitts ist.»

Das Problem, bemerkte Bethell später, seien also nicht brutale Haftbedingungen. «Das Problem ist, daß Mandela und seine Freunde überhaupt im Gefängnis sind. Mandela, Sisulu und Kathadra haben achtzehn Jahre auf Robben Island und drei in Pollsmoor zugebracht, und alles, was man ihnen zur Last legen kann, ist die Planung der Zerstörung von Eigentum. Das ist eine Strafe, die das Delikt bei weitem übersteigt, selbst wenn man das Argument beiseite läßt, daß sie jedes Recht hatten, gegen Apartheid Gewalt einzusetzen, da sie ja weder über aktives noch passives Wahlrecht verfügten noch das Recht hatten, in ihrem Land dort zu wohnen, wo es ihnen beliebt.» Mandela hatte gesagt: «Der bewaffnete Kampf wurde uns von der Regierung auferlegt. Und wenn sie jetzt von uns verlangen, ihn aufzugeben, dann befindet sich der Ball auf ihrer Seite des Netzes. Sie müssen uns legalisieren, uns wie eine politische Partei behandeln und mit uns verhandeln. Solange sie das nicht tun, werden wir mit dem bewaffneten Kampf leben müssen. Einfach weiterzureden ist sinnlos. Die Regierung hat die Schraube zu stark angezogen.»

«Natürlich», fügte er hinzu, «würden wir im ANC einen Waffenstillstand ausrufen, wenn es zu Verhandlungen käme ... Derweilen sind wir aber gezwungen weiterzumachen, wenn auch innerhalb gewisser Grenzen.» Das Ziel war der Angriff auf militärische Einrichtungen und auf Symbole der Apartheid, nicht die Ermordung von Menschen. «Ich würde zum Beispiel nicht wünschen, daß unsere Leute den Major hier ermorden!» Der Major, Fritz van Sittert, der Mandela und seine fünf Kampfgefährten bewachte, beaufsichtigte den Besuch; er übte keine Zensur, aber stellte sicher, daß zwischen Bethell und Mandela keine Dokumente oder andere Gegenstände ausgetauscht wurden. Mandela fuhr fort: «Ich würde einen solchen Tod nur im Falle eines Spitzels rechtfertigen, der unser Leben in Gefahr bringt.»

Bethell war gebeten worden, Mandelas Unterschrift unter ein Dokument einzuholen, das die Vollmacht erteilte, Mandela als Kandidaten für die Wahl des Rektors der Universität von Edinburgh aufzustellen. Die Gefängnisbehörden wollten das nicht zulassen. Mandela konnte nur sein Entzücken ausdrücken, daß ein Teil der Studenten und Professoren ihn zum Rektor wünschte: «Ich bin ein Politiker», bemerkte er, «und natürlich gefällt es mir, Wahlen zu gewinnen, aber in diesem Fall handelt es sich um eine so freundliche Geste, daß es mir egal ist, ob ich gewinne oder verliere.»

Bethell berichtete, daß er freundliche Worte für den Gefängnisdirektor, Brigadier Munroe, fand: «Der Brigadier tut sein Bestes, unsere kleinen Probleme zu lösen. Aber der arme Mann hat sehr wenige Befugnisse. Alles, was uns sechs betrifft, muß er nach Pretoria weiterleiten.» Und Mandela erzählte darüber, daß die Post der Gefangenen manipuliert wird: Sein Brief an Bischof Tutu, in dem er ihm zum Nobelpreis gratulierte, wurde blockiert, und einer seiner Gefährten erhielt einen Brief, der in Streifen zerschnitten worden war. Das sei nicht die Schuld des Brigadiers, sondern der Politiker. Mit dem Personal gebe es keine Probleme, weder rassische noch sonstige.

Der Brigadier lud Bethell ein, Mandelas Zelle im Isolationstrakt des langen niederen Gebäudes zu besichtigen. Sie machten sich auf den Weg über Korridore und Treppen, eine Prozession von Wärtern, dem Besucher und Polizeibeamten, die Türen mit schweren Schlüsseln aufsperrten. «Aber immer», sagte Bethell, «war es Mandela, der den Weg wies, der mich einlud, ihm durch jede Tür voranzugehen, und der mich mit Fragen über Großbritannien und die Welt bombardierte: Glaubte ich, daß Gorbatschows Besuch (in Großbritannien) das Ost-West-Verhältnis entspannen würde? Welche Hoffnungen legte ich in die Shultz-Gromyko-Gespräche? Würden sich die Liberalen in der britischen Politik endlich durchsetzen? Was war Mrs. Thatchers Erfolgsrezept? Wer war jetzt Führer der Labour Party?»

Die letzte Tür, die aufgesperrt wurde, enthüllte die «Mandela-Klause» im dritten Stock, ein großer Raum mit sechs Betten, vielen Büchern, und Wasch- und Toiletteneinrichtungen. Da die Eingangstür hinter ihnen geschlossen wurde, führte Mandela Bethell durch eine offene Innentür in einen langen, L-förmigen Hof, der von hohen weißen Mauern umgeben war. Dort kultivierte Mandela in mehreren Öltrommeln seinen «Garten» mit Tomaten, Brokkoli, Bohnen, Gurken und Erdbeeren. Sein Stolz auf sein Gemüse erinnerte Bethell an einen Grundbesitzer, der seine Farm herzeigt; als Landbewohner, sagte er, sehne er sich nach Grün. Nachdem er den Besucher seinen Mitbewohnern vorgestellt hatte, zeigte er auf den feuchten Fleck an der Zellenwand. Und dann, als ein Inspektor die schwere Außentür aus Stahl aufsperrte, schüttelte er Bethell die Hand und sagte: «Das ist meine Grenze, hier muß ich Sie verlassen.»*

Bald nach diesem Besuch führten ein amerikanischer Professor, Samuel Dash, und seine Frau ein ähnliches, zweistündiges Gespräch mit Mandela. Er sah viel jünger aus als seine 66 Jahre, berichtete Dash, und er war gefaßt, zuversichtlich und ehrfurchtgebietend; die Amerikaner hatten nicht das Gefühl, einem Guerillakämpfer oder einem radikalen Ideologen gegenüberzustehen, sondern einem

* Interview mit Nicholas Bethell, 27. Juni 1985.

Staatsoberhaupt. Zu Professor Dashs weiterer Überraschung wußte Mandela, daß er als Anwalt in der Watergate-Kommission des Senats gewirkt hatte, und war sehr gut über die Konferenz in Südafrika über die Verurteilung von Kriminellen informiert, bei der der Professor einen Vortrag gehalten hatte.

Dash fragte Mandela nach seiner Meinung zur Absicht der Regierung, die Gesetze über gemischtrassische sexuelle Beziehungen und Ehen (Immorality Act und Mixed Marriages Act) abzuschaffen. Solche Reformen schafften höchstens die «Nadelstiche» des Systems ab, sagte Mandela. Es sei nicht sein Ziel, eine weiße Frau zu heiraten; die zentrale Frage sei politische Gleichberechtigung. Und zur Angst vieler Weißer, daß eine solche Gleichheit die Unterwerfung unter eine verbitterte schwarze Mehrheit bedeuten würde, erklärte er: «Die Weißen Südafrikas gehören hierher, sie leben hier. Wir wollen, daß sie hier mit uns leben und die Macht mit uns teilen.» Das war eine Bestätigung der ANC-Politik, die in der Freiheitscharta niedergelegt worden war. Wieder führte er die Prozession hinauf zur Zelle, und als eine Stahltür nach der anderen aufgesperrt wurde, witzelte er, daß es um seine Ausbruchschancen schlecht bestellt sei.*

Die Berichte der nächsten amerikanischen Besucher, die von den südafrikanischen Behörden zugelassen wurden, hatten einen ganz anderen Unterton. Sie waren beide von der «extremen Rechten», einer ein Kolumnist einer «Moonie»-Zeitung, *Washington Times*, der andere ein Mitkämpfer von Reverend Jerry Falwell, dem Führer der sogenannten «Moralischen Mehrheit». Unter der Schlagzeile «Mandela drängt auf ‹gewaltsame› Revolution» beschrieben sie ihn als «Terroristen und Revolutionär», der «keine Alternative» zur gewaltsamen Revolution und «keinen Raum für eine friedliche Veränderung» in Südafrika sieht. Dem folgte ein Bericht über das, was Mandela während des kurzen Interviews tatsächlich gesagt hatte: Da die Situation im Land seit der Zeit seiner Inhaftierung unverändert geblieben, wenn nicht schlechter geworden sei, gäbe es keine Alternative zur Waffengewalt.

Mit Lord Bethell hatte er darüber gesprochen, daß er Sozialist sei und an die klassenlose Gesellschaft glaube. «Ich sehe im Augenblick

* Interview im *New York Times Magazine*, 7. Juli 1985.

keinerlei Grund, einer bestimmten politischen Partei anzugehören», fügte er hinzu. «Auch Geschäftsleute und Bauern, ob weiß oder schwarz, können sich unserer Bewegung anschließen, um gegen Rassendiskriminierung zu kämpfen. Es wäre ein schwerer Fehler, diese breite Front einzuengen.» Er schätze die Sowjetunion, weil sie ein Land sei, das schon vor langer Zeit Rassismus verurteilt und die Befreiungsbewegungen unterstützt habe; das bedeutet allerdings nicht, daß er mit ihrer Innenpolitik einverstanden sei. Er war auch Kaiser Haile Selassie dankbar gewesen, der ihn 1962 in Äthiopien empfangen hatte: ein Feudalherrscher, aber er hatte den ANC unterstützt.

Er sei «entschieden kein» Kommunist, sagte er dem Kolumnisten der *Washington Times*, sondern ein afrikanischer Nationalist, der von der Idee einer klassenlosen Gesellschaft beeinflußt worden sei. Und er sei ein Christ, ein Mitglied der Methodistischen Kirche. Über den Einsatz von Gewalt befragt, wies er darauf hin, daß christliche Länder in den Krieg gezogen seien, um gegen verschiedene Formen von Ungerechtigkeit zu kämpfen. Als er daran erinnert wurde, daß Martin Luther King eine Strategie der Gewaltlosigkeit verfolgt hatte, antwortete er, daß die Lage in Südafrika gänzlich anders sei: In den Vereinigten Staaten sei die Demokratie in der Verfassung verankert; die weiße Gemeinschaft dort sei liberaler, und die Behörden müßten sich demokratischen Gesetzen unterwerfen. In Südafrika hingegen gäbe es zwei verschiedene Welten: für die Weißen Demokratie, für die Schwarzen «eine Kolonialmacht, die sich auf Krücken aus dem Mittelalter daherschleppt».

Investitionsstopp und Wirtschaftssanktionen: diese Strategie fand seine begeisterte Unterstützung; sie hätte schon «eine ganze Menge durcheinandergebracht». Und was das Argument anbelange, daß es die Schwarzen am meisten treffen würde: «Wir haben unseren Gürtel enger geschnallt. Für unsere Befreiung muß es Opfer geben.»*

Der Eindruck, den Mandela bei seinen Besuchern hinterließ, die Gelegenheit, die er auf diese Weise bekam, sich an die Weltöffentlichkeit zu wenden, konnte nicht ganz das gewesen sein, was sich der Justizminister vorgestellt hatte. Im Europäischen Parlament in-

* *Washington Times*, 22. August 1985.

itiierte Lord Bethell als Stellvertretender Vorsitzender des Menschenrechtsunterausschusses einen Antrag, der die Außenminister aufforderte, Druck auf die südafrikanische Regierung zur Freilassung Mandelas auszuüben, und ein Artikel in der konservativen *Mail on Sunday*, der über seinen Besuch in Pollsmoor berichtete, wurde von einem eindrucksvollen Editorial begleitet, das so begann: «*Mail on Sunday* ist stolz darauf, heute die Worte Nelson Mandelas veröffentlichen zu können, diesem unangefochtenen Führer der schwarzen Bevölkerung Südafrikas ...» Das Editorial räumte zwar ein, daß Mandela glaubte, die «böse Apartheidpolitik» nur mit Gewalt stürzen zu können, fügte aber hinzu: «Große Gewalt wird aber auch diesem Mann angetan, indem er eingesperrt wird ... Große Gewalt wird seinem Volk angetan, wenn ihm seine unbestrittenen politischen Rechte vorenthalten werden.»

«Diese Zeitung», schloß das Editorial, «schließt sich ohne Vorbehalte allen jenen in der Welt an, egal welcher politischen Überzeugung, die ausrufen: Laßt Mandela frei, jetzt!» *

* *Mail on Sunday*, 27. Januar 1985.

«Eure Freiheit und meine sind untrennbar»

1985

«Nicht nur ich habe während dieser langen, einsamen und vergeudeten Jahre gelitten. Ich liebe das Leben nicht weniger als ihr. Aber ich kann mein Geburtsrecht nicht verkaufen, ebensowenig wie ich bereit bin, das Geburtsrecht des Volkes auf Freiheit zu verkaufen. Eure Freiheit und meine sind untrennbar. Ich komme wieder.»

Am 31. Januar 1985 verkündete Präsident Botha vor dem südafrikanischen Parlament: «Die Regierung ist bereit, die Freilassung Mr. Mandelas in die Republik Südafrika unter der Bedingung zu erwägen, daß er sich verpflichtet, keine Gewaltakte mit politischer Zielsetzung zu planen, zu veranlassen oder zu begehen, sondern sich so verhält, daß er nicht gleich wieder verhaftet werden muß ... Es ist deshalb nicht die südafrikanische Regierung, die Mr. Mandelas Freilassung im Wege steht, sondern er selbst. Er hat die Wahl. Alles, was man jetzt von ihm erwartet, ist, daß er der Gewalt als einem politischen Instrument bedingungslos abschwört. Das ist schließlich ein Verhaltenskodex, der in allen zivilisierten Ländern der Welt respektiert wird.»

Am 8. Februar besuchte Winnie Mandela in Begleitung des Anwalts der Familie, Ismail Ayob, ihren Mann, um seine Antwort auf das «Angebot» des Präsidenten einzuholen. Mandela wollte sich direkt an seine Leute wenden und begann, seine Erklärung zu diktieren, aber einer der Aufsicht führenden Justizwachbeamten protestierte. Mandela wandte ein, daß er das Recht habe, dem Präsidenten in einer Form zu antworten, die ihm angemessen erscheine, und da der Beamte den Raum verließ, fuhr er mit seiner Arbeit fort. Daraufhin erschien ein ranghöherer Beamter und befahl ihm aufzuhören. Entschlossen empfahl Mandela der Gefängnisverwaltung, den Präsidenten anzurufen, und beendete sein Diktat.

Am Sonntag, den 10. Februar, verlas Zindzi die Erklärung ihres Vaters an das im Jabulani-Amphitheater in Soweto versammelte «Volk». Die Veranstaltung war von der UDF anläßlich von Tutus Friedensnobelpreisverleihung organisiert worden, und durch Zindzi konnten Mandela und seine Gefährten den Organisatoren danken und dem Bischof ihre herzlichen Glückwünsche übermitteln. Winnie Mandela befand sich trotz ihrer Bannauflagen inmitten der jubelnden Menschenmenge, als ihre Tochter die Ansprache verlas:

Zindzi Mandela, Februar 1985, in Soweto, wo sie Nelson Mandelas ablehnende Antwort auf Präsident Bothas Angebot verlas, ihn unter bestimmten Bedingungen freizulassen.

Mein Vater und seine Kampfgenossen möchten zu allererst an euch, das Volk, die folgende Erklärung abgeben. Sie wissen, daß sie nur euch und ausschließlich euch Rechenschaft schuldig sind. Und sie wollen, daß ihr ihre Ansichten direkt und nicht durch andere erfahren sollt.

Mein Vater spricht nicht nur für sich selbst und für seine Mitgefangenen im Pollsmoor-Gefängnis, sondern er hofft auch für alle zu sprechen, die sich wegen ihres Widerstands gegen Apartheid im Gefängnis befinden, für alle, die verbannt sind, für alle im Exil, für alle, die unter dem Apartheidsystem leiden, für alle, die gegen Apartheid sind, und für alle, die unterdrückt und ausgebeutet werden.

Während unseres langen Kampfes hat es immer wieder Marionetten gegeben, die vorgaben, in eurem Namen zu sprechen. Sie haben sowohl hier als auch im Ausland diesen Anspruch erhoben. Sie sind aber folgenlos geblieben. Mein Vater und seine Kollegen werden nicht ihrem Beispiel folgen.

Mein Vater sagt: «Ich bin ein Mitglied des African National Congress. Ich bin immer ein Mitglied des ANC gewesen, und ich werde es bleiben, bis ich sterbe. Oliver Tambo ist für mich viel mehr als ein Bruder. Er ist seit fast 50 Jahren mein bester Freund und Kampfgefährte. Wenn es unter euch einen gibt, dem meine Freiheit teuer ist, dann ist es Oliver Tambo, und ich weiß, daß er für meine Freiheit sein Leben hingeben würde. Zwischen seinen und meinen Ansichten gibt es keinen Unterschied.

Ich bin überrascht über die Bedingungen, die die Regierung mir auferlegen will. Ich bin kein gewaltsamer Mann. 1952 haben meine Kollegen und ich an Malan geschrieben und eine Konferenz am grünen Tisch zur Lösung der Probleme unseres Landes vorgeschlagen, aber das wurde ignoriert.

Als Strijdom an der Macht war, haben wir dasselbe Angebot gemacht. Es wurde wieder ignoriert.

Als Verwoerd an der Macht war, haben wir eine Nationalversammlung gefordert, damit alle Menschen Südafrikas ihre Zukunft gemeinsam bestimmen können. Auch das war vergeblich.

Erst als sich uns alle anderen Formen des Widerstands verschlossen, sind wir zum bewaffneten Kampf übergegangen.

Lassen wir Botha zeigen, daß er sich von Malan, Strijdom und Verwoerd unterscheidet. Lassen wir *ihn* auf Gewalt verzichten. Lassen wir ihn sagen, daß er Apartheid abschaffen wird.

Lassen wir ihn das Verbot der Organisation des Volkes, des ANC, aufheben. Lassen wir ihn alle wegen ihrer Opposition gegen Apartheid Inhaftierten, Verbannten und Exilierten freilassen. Lassen wir ihn freie politische Aktivität garantieren, damit das Volk entscheiden kann, von wem es regiert werden will.

Mir ist meine eigene Freiheit sehr wertvoll, aber noch wertvoller ist mir *eure* Freiheit. Zu viele sind gestorben, seit ich ins Gefängnis kam. Zu viele haben für die Liebe zur Freiheit gelitten. Ich schulde es ihren Witwen und Waisen, ihren Müttern und Vätern, die um sie getrauert und geweint haben. Nicht nur ich habe während dieser langen, einsamen und vergeudeten Jahre gelitten. Ich liebe das Leben nicht weniger als ihr. Aber ich kann mein Geburtsrecht nicht verkaufen, ebensowenig wie ich bereit bin, das Geburtsrecht des Volkes auf Freiheit zu verkaufen. Ich bin im Gefängnis als Vertreter des Volkes und eurer Organisation, des African National Congress, der verboten ist. Was für eine Freiheit wird mir da angeboten, solange die Organisation des Volkes verboten bleibt? Was für eine Freiheit wird mir da angeboten, solange ich jederzeit wegen eines Paßvergehens verhaftet werden kann? Was für eine Freiheit wird mir da angeboten, als Familie mit meiner geliebten Frau zu leben, die in der Verbannung in Brandfort bleiben muß? Was für eine Freiheit wird mir da angeboten, die mich zwingt, um eine Bewilligung zu bitten, wenn ich in einer anderen Stadt leben will? Was für eine Freiheit wird mir da angeboten, wenn ich einen Stempel in meinem Paß brauche, um mir eine Arbeit zu suchen? Was für eine Freiheit wird mir da angeboten, wenn ich nicht einmal südafrikanischer Staatsbürger bin?

Nur freie Menschen können verhandeln. Häftlinge können keine Verträge schließen. Herman Toivo Ja Toivo gab bei seiner Freilassung keine Versprechungen, noch wurde er dazu aufgefordert.»

Mein Vater sagt: «Ich kann und will keine Versprechungen machen, solange ich und ihr, wir, das Volk, nicht frei sind. Eure Freiheit und meine sind untrennbar. Ich komme wieder.»

Während er die Erklärung abfaßte – seine erste Gelegenheit, sich an seine Leute zu wenden –, erfuhr Mandela vom Unfalltod von Winnies Schwester, Nikiwe Xaba. Sein Schock und seine Trauer wurden durch Winnies Verzweiflung und durch das Bewußtsein verstärkt, daß drei Mitglieder seiner Familie in letzter Zeit gestorben waren. Er schrieb ihr:

«Bei solchen Gelegenheiten frage ich mich oft, ob ich mich wohl dazu entschieden hätte, dich zurückzulassen, wenn ich in der Lage gewesen wäre, die unzähligen Gefahren und Härten vorauszusehen, denen du in meiner Abwesenheit ausgesetzt warst und bist. Ich bin fest davon überzeugt, daß ich es nicht getan hätte, aber ich hätte mir weitaus mehr Gedanken gemacht, als das vor 24 Jahren der Fall war.

So wie ich es sehe, liegt die wahre Bedeutung der Ehe nicht nur in der gegenseitigen Liebe, welche die Partner miteinander verbindet, obwohl diese zweifellos einen der Ecksteine darstellt, sondern auch in der treuen Stütze, welche die Partner einander versprechen und die in kritischen Augenblicken immer voll dasein muß.

Deine Liebe und Unterstützung ... die Kinder, die du der Familie geschenkt hast, die vielen Freunde, die du dir erworben hast, die Hoffnung, diese Liebe und Wärme wieder zu genießen, das ist, was Leben und Glück für mich bedeuten ...

Doch hat es Augenblicke gegeben, an denen diese Liebe und dieses Glück, dieses Vertrauen und diese Hoffnung zur reinen Qual geworden sind, als das Gewissen und die Schuldgefühle jede Faser meines Wesens zerrütteten, als ich mich fragte, ob je ein Engagement rechtfertigen kann, eine junge und unerfahrene Frau in einer herzlosen Wüste zurückzulassen, sie buchstäblich in die Hände von Wegelagerern zu werfen; eine wunderbare Frau ohne deren Stütze in Zeiten der Not.»*

Winnie hatte einen Sturm von Gefühlen während ihrer lebenslangen Trennung durchlitten, vertraute sie ihm in ihrer Antwort an, aber sein Brief habe ihrer erschütterten Seele gutgetan. Und sie teilte ihm mit, wie stolz sie auf seine Botschaft an das Volk gewesen war. «Ich habe mich oft gefragt», fügte sie hinzu, «wie ich reagieren würde, wenn ich dich, Onkel Walter und die anderen auf der Treppe von Pollsmoor abholen würde, um euch heimzubringen ...»**

Walter Sisulu, Kathrada, Mbeki und die anderen Rivonia-Männer in Pollsmoor und auf Robben Island hatten alle Präsident Bothas Bedingungen für ihre Freilassung abgelehnt. Kathadra schrieb einem Freund in London: «Es mag der Eindruck entstanden sein, als sei die ‹Freiheit› für uns zum Greifen nah gewesen. Aber in Wahrheit ist dieses Versprechen (Bothas) von Anfang an nicht so gemeint gewesen. Ich möchte mich keiner falschen Bescheidenheit schuldig machen, wenn ich sage, daß ich nicht das Zeug zum Helden habe. Aber es waren wirklich keine schlaflosen Nächte nötig, um zu einer Entscheidung zu gelangen. Die Einladung zur ‹Freiheit› war so eindeutig darauf ausgerichtet, uns zu demütigen, daß wir gar nicht anders konnten, als sie abzulehnen.»

Für Albertina Sisulu war die unvermeidbare Ablehnung bloß eine

* Brief vom 4. Februar 1985.

** *Ein Stück meiner Seele ging mit ihm*, Rowohlt 1984.

weitere Episode in einer langen Geschichte des Sieges über Entbehrungen und Repressionen. Sie hatte mit ihrem bescheidenen Krankenschwestergehalt fünf Kinder großgezogen; an manchen Tagen gingen sie hungrig zu Bett, an anderen Tagen halfen Nachbarn aus. Ihr zweiter Sohn, Zwelakhe, Journalist und Führer der Gewerkschaft der Medienarbeiter, hatte viele Monate im Gefängnis zugebracht; ihre ältere Tochter war schwer gefoltert worden. Sie selbst war seit den sechziger Jahren gebannt und teilweise unter Hausarrest. Erst kürzlich war sie wegen des Singens von ANC-Liedern bei einem Begräbnis zu vier Jahren Gefängnis verurteilt worden. Und während sie gegen Kaution auf freiem Fuß war und auf die Berufungsverhandlung wartete, wurde sie neuerlich verhaftet und dieses Mal als eine der UDF-Führer des Hochverrats angeklagt. Ihr Mann konnte von der Zelle aus in den Zeitungen den Verlauf des Prozesses mitverfolgen.

«Macht Südafrika unregierbar!» rief Oliver Tambo im Februar sein Volk auf, und in der Tat waren sie in den Townships spontan dabei, genau das zu tun. Nach Jahren der Rhetorik und der unrealistischen Prophezeiungen erklärte der ANC zuversichtlich: «Die Zukunft ist nah ... Die Bedingungen eines revolutionären Sprungs nach vorne beginnen zu reifen.»

Noch ein paar Monate zuvor hatte Botha Aufwind genossen; jetzt, nach einer schweren Dürre und einer ernsten ökonomischen Rezession, standen er und seine Politik vor dem Abgrund. Das Nkomati-Abkommen von 1984, das den ANC seiner Basen in Mosambik beraubte, hatte den Kampf ins Innere Südafrikas verlegt; und wie ungeeignet seine Reformversprechen auch gewesen sein mögen, so waren sie letztendlich doch nichts anderes als das Eingeständnis, daß das Apartheidsystem am Ende war.

Bothas Polizeimacht unterstrich die Inhaltsleere seiner Versprechungen. Im Ostkap hatte die Polizei immer schon nach eigenen Gesetzen gelebt, was sie am 25. Jahrestag von Sharpeville und Langa auch wieder deutlich demonstrierte. Wieder einmal schoß die Polizei am 21. März in eine Menge von unbewaffneten Afrikanern. Wieder einmal ereignete es sich in einem Township namens Langa, diesmal nicht in Kapstadt, sondern bei Uitenhage. Zwanzig Frauen und Männer wurden erschossen, siebzehn von ihnen in den Rücken.

In einem Sturm der Entrüstung wurden die Demonstranten daraufhin gewaltsamer, gingen gezielter vor – vom Steinewerfen zur Brandlegung –, wobei Symbole der Apartheid zerstört wurden. Die Erklärung des Ausnahmezustands durch die Regierung am 22. Juli, wodurch Militär und Polizei die Ermächtnis erhielten, ungestraft zu töten, verschärfte die Wut im In- und Ausland nur noch.

Da Mandela und seine Gefährten in Pollsmoor keinen Fernsehapparat hatten, konnten sie von diesen Ereignissen, die die Welt Tag für Tag mit ansehen konnte, nur in den Zeitungen lesen und Vermutungen anstellen: wie Polizei und Armee in die Townships einfielen und von ihren Panzerwagen aus Menschen, auch Kinder, abknallten, als wären sie Großwild; wie Polizisten – schwarze und weiße – Demonstranten auspeitschten, sowohl schwarze wie weiße; und wie die Polizei Tausende einkreiste – Führer von Bürgerrechtsgruppen, Kirchenleute, Gewerkschafter, Studenten –, um sie ohne Kontakt mit der Außenwelt ins Gefängnis zu stecken. Führerlose Mobs gingen vom Steinigen von Polizisten zum Verbrennen von «Kollaborateuren» über: schwarze Polizisten, Bürgermeister, Stadträte und als Spitzel Verdächtigte, an die man leichter herankam als an die weißen Unterdrücker, die sie repräsentierten. Die Weißen schienen immun zu bleiben, nicht nur physisch, sondern auch geistig geschützt in ihren segregierten Vorstädten, da wegen der Zensur keine Szenen im Fernsehen gezeigt wurden, in denen die Polizei weiße Studenten niederknüppelte, sondern nur Nachrichten über Gewaltakte zwischen Schwarzen gebracht wurden.*

Begräbnisse, an denen 3000 Trauergäste teilnahmen, 20000, 30000, in staubigen Townships und kleinen Dörfern landauf, landab: jedes eine Lobpreisung der toten Märtyrer und ein Aufruf zur Rebellion. «Wir werden niemals wieder die alten sein», sagte eine Frau in einem ländlichen Provinznest, ein Ort von unsäglicher Armut, wo die Dorfbewohner um einen dreizehnjährigen Jungen und um einen 21jährigen trauerten, die beide von der Polizei erschossen worden waren. «Diese Morde haben unser Leben für immer verändert. Sie haben uns, einer gewaltlosen Gemeinde, die Gewalt aufgedrängt.»

* Die 4600000 Weißen hatten 13 Millionen Handfeuerwaffen legal in ihrem Besitz: *Financial Times*, 6. September 1985.

Begräbnisse, an denen Bischof Tutu versuchte, die Wut tollkühner Jugendlicher zu glätten, und ein Gebet sprach, das Trevor Huddleston einmal geschrieben hatte: «Gott segne Afrika. Beschütze seine Kinder. Beschütze seine Führer. Und gib ihm Frieden.» Begräbnisse, an denen ANC-Fahnen über den Gräbern flatterten und Freiheitslieder gesungen wurden: Kompositionen von Canon James Calata, dem ANC-Führer aus den dreißiger und vierziger Jahren, der in Cradock im Ostkap Pastor gewesen war. Bei einem Begräbnis in Cradock besiegelten die Leute ihre Widerstandsbereitschaft, indem sie Mandela und Tambo priesen und Botha warnten, auf den Strom der Geschichte zu achten, ehe es zu spät sei: Es war das Begräbnis von Calatas Enkel, Fort, von Matthew Goniwe – einem stillen jungen Oberlehrer der Schule – und von zwei anderen Bürgerrechtskämpfern, die auf ihrem Heimweg von einer UDF-Versammlung in Port Elizabeth von einer «Todesschwadron» getötet und abscheulich verstümmelt worden waren. Inmitten der riesigen Menge von Trauergästen, die von Kapstadt, Johannesburg und Port Elizabeth nach Cradock angereist waren, befanden sich Allan Boesak und Beyers Naude, das Oberhaupt des Südafrikanischen Kirchenrates. Letzterer, ein Afrikaander, hatte einen langen intellektuellen, politischen und psychischen Weg seit der Zeit zurückgelegt, als er noch ein eifriger Afrikaander-Nationalist und Mitglied des geheimen Broederbond gewesen war. Und Molly Blackburn war dabei, Mitglied von Black Sash, der Progressive Federal Party und der Provinzverwaltung der Kapregion, eine Freundin der vier jungen Männer und Symbol für alle jene Weißen, die sich mit dem Befreiungskampf der Schwarzen identifizierten.

Es folgten immer mehr Begräbnisse: Am Sonntag, dem 11. August, wurde Victoria Mxenge neben ihrem Mann im Township Rayi in der Nähe von King William's Town in der Ciskei begraben. Sie war, ebenso wie er, ermordet worden. Sie war seinerzeit einer der Anwälte gewesen, die Albertina Sisulu und die anderen UDF-Führer im Hochverratsprozeß verteidigten. Die Redner beim Begräbnis sprachen von Mandela mit seiner Häftlingsnummer, D 220, oder sie nannten ihn «Onkel Nelson». Er hatte ihnen eine Botschaft zukommen lassen: Victoria Mxenges Ermordung war «eine Niedertracht, die wir niemals vergessen oder verzeihen werden».

Nicht einmal die Trauergäste bei Begräbnissen waren vor der Polizei- und Militärgewalt sicher. Die ganze Zeit über stieg die Zahl der Todesopfer an: fast 900 Tote innerhalb von 21 Monaten. «Unsere Leute werden wie die Fliegen getötet. Sie geben nicht einmal mehr die Namen der Toten bekannt», sagte Bischof Tutu. Die Beweise für den weitverbreiteten Gebrauch der Folter verdichteten sich: Nach einer Untersuchung des Instituts für Kriminologie an der Universität Kapstadt, die von der Fordstiftung finanziert wurde, berichteten 83 Prozent der Verhafteten über Anwendung physischer Gewalt, darunter ein hoher Anteil an Schwarzen, besonders aus dem Ostkap. Dort wurde die Sicherheitspolizei ihrem Ruf gerecht: Ein dreizehnjähriger Junge, der nach dem Begräbnis von Cradock verhaftet worden war, war an Kopfverletzungen gestorben; und drei Männer aus Ginsberg, Steve Bikos Heimattownship, waren innerhalb von Stunden nach ihrer Verhaftung gestorben. Es gab allerdings ein neues Element: Eine Amtsärztin, Dr. Wendy Orr, deren «überwältigendes Beweismaterial» das «systematische Quälen und Mißhandeln» von Gefangenen belegte und den Obersten Gerichtshof dazu veranlaßte, der lokalen Polizei Mäßigung anzuordnen. Dr. Orr wurde unverzüglich auf einen Posten zu Betreuung von Altersheimen versetzt.

«Lassen Sie Mandela frei, sprechen Sie mit ihm», wurde Botha sowohl im In- als auch im Ausland von Kritikern gedrängt: Nur so könnte die Spirale der Gewalt angehalten und die Wirtschaft revitalisiert werden. Das von der Regierung finanzierte Human Sciences Research Council (Humanwissenschaftliche Forschungsstelle) empfahl Verhandlungen mit den Führern aller Rassen zur Etablierung eines demokratischen und allen Südafrikanern zugänglichen Systems und fügte angesichts der Tatsache, daß 66 Prozent der Schwarzen sich für Gewaltanwendung aussprachen, hinzu, daß eine Verzögerung von Reformen «katastrophale Konsequenzen» haben könnte. Die außerordentliche Macht der Sicherheitsgesetze, sagte die Forschungsstelle, stellten «eine Bedrohung der Sicherheit des Staates» dar.

Aber einen Monat später, am 15. August, als Präsident Botha eine mit großer Spannung erwartete Rede vor einem Provinzkongreß der Nationalpartei – ein «Manifest» – hielt, schlug er – wie ein Kommentar es ausdrückte – einer einmaligen Gelegenheit die Tür ins Gesicht. «Mit den Augen der Welt auf sich gerichtet», schrieb die

Business Day, eine Zeitung, die die Ansichten der Geschäftsleute von Johannesburg wiedergab, «benahm er sich wie ein tölpelhafter Politiker.» «Drängt uns nicht zu weit», warnte Botha die internationale Gemeinschaft. Die südafrikanische Währung, der Rand, erreichte den niedrigsten Stand aller Zeiten.

Während dieser und folgender Reden vor Kongressen der Nationalpartei versuchte Botha den rechtsextremen Flügel der Afrikaander zu besänftigen. Er forderte die Südafrikaner auf, gegen die «Kräfte der Finsternis» zusammenzustehen, «die ausländische Hilfe anfordern, um unser Vaterland zu zerstören». Das Prinzip des allgemeinen Wahlrechts in einem einheitlichen System, sagte er, «würde zur Herrschaft einer rassischen Gruppe über die anderen und zu Chaos führen». Das war Zynismus und eine tragische Farce; denn was anderes hatte Südafrika bereits, wenn nicht die Herrschaft einer Gruppe über die andere, und was war los in den Townships, wenn nicht Chaos? Seine Regierung, so lautete seine Argumentation weiter, sei gegen eine «weiße Herrschaft über alle anderen Minderheiten»; das Problem bestünde nur darin, wie man die Macht zwischen der weißen Minderheit und einer Reihe von verschiedenen anderen Minderheiten aufteilen könne. Plötzlich waren die Weißen holländischer, englischer, walisischer, schottischer, irischer, deutscher, portugiesischer, italienischer, griechischer und französischer Herkunft eine homogene Gruppe, während die Schwarzen praktisch aufgesplittert waren in Xhosa, Zulu, Basotho, Batswana und die vielen anderen Stämme. Botha war – mit den Worten der *New York Times* vom 2. Oktober 1985 – ein «trickreicher Semantiker»: «In einem Atemzug beschreibt er die schwarzen Südafrikaner als ein Gewimmel von verschiedenen Stämmen und Kulturen, im nächsten aber bezeichnet er sie als einheitliche Gruppe, die die weiße Minderheit beherrschen will.»

Botha sprach von «Reformen». Der aus Vertretern der drei Rassen bestehende Präsidentenrat hatte die Abschaffung der Paßgesetze gefordert, die ohnehin nicht funktioniert hatten und «Bitterkeit und Haß» gegen die Weißen auslösten, was Botha ebenso zu erwägen versprach wie die (nominelle) Rückerstattung der südafrikanischen Staatsbürgerschaft an die zu Bürgern von «Homelands» gemachten Schwarzen. Die Schwarzen würden vielleicht sogar in einem Vierkammernrat eine Stimme erhalten; seine Vorstellungen ließen vermuten, daß dies nach dem Vorbild des Eingeborenenrates der dreißiger und vierziger Jahre erfolgen sollte, der von den Afrikanern als «Spielzeugtelefon» lächerlich gemacht wurde.

Das Group Areas-Gesetz würde aufrechterhalten bleiben – es stelle «keine Diskriminierung» dar, ebensowenig wie das Rassenklassifizierungsgesetz* –, und auch die getrennten Schulen würden nicht abgeschafft werden: «Wenn andere Bevölkerungsgruppen Rechte und einen Anspruch auf menschliche Behandlung haben», erklärte er ohne einen Anflug von Ironie, «dann sage ich, daß auch die Weißen Anspruch auf Gerechtigkeit haben.» 1983/84 betrugen die Ausgaben für ein weißes Kind 1654 Rand, für ein schwarzes Kind 234 Rand.

Bothas Verbohrtheit, seine zerstörerische Politik und seine rigide Weigerung, den Ausnahmezustand aufzuheben, gaben der Kampagne für internationale Sanktionen gegen Südafrika enormen Aufschwung. Die Wirtschaft wurde durch das amerikanische «disinvestment» – die wichtige Entscheidung der Chase Manhattan Bank, keine weiteren Kredite zu gewähren – und durch die ernst zu nehmende Sanktionsdiskussion sowohl unter Republikanern als auch unter den Demokraten im Kongreß geschwächt. Großbritannien blieb weit hinter solchen Sanktionen zurück, und als Mandela das Ehrendoktorat der Rechte von der Universität Strathclyde in Schottland verliehen wurde, sprach er in seiner Rede, die von seinem Schwiegersohn Prinz Thumbumuzi Dlamini verlesen wurde, von den «mitfühlenden Menschen», aber auch von seiner Trauer über jene im Vereinigten Königreich, die sich von «Materialismus und Profitgier» leiten ließen und sich wenig um Moral scherten. Auslandesinvestitionen, sagte er, verfestigten das Apartheidsystem.

Mrs. Thatcher und ihre Minister, die sich dieser Investitionstätigkeit und der Tatsache, daß Südafrika einer der wichtigen Handelspartner Großbritanniens ist, sehr wohl bewußt sind, hielten ihm unlogische Argumente entgegen: Sanktionen funktionierten nicht, erklärten sie, und äußerten die Befürchtung, daß gerade die Schwar-

* 1984/85 wurden von den fast 800 neu klassifizierten Personen 518 Farbige zu Weißen erklärt; vierzehn Weiße wurden zu Farbigen; sieben Chinesen wurden weiß und zwei Weiße wurden zu Chinesen; drei Malaysier wurden weiß; ein Weißer wurde Inder; siebzehn Inder wurden Malaysier; ein Malaysier wurde Chinese; 89 Schwarze wurden Farbige und fünf Farbige wurden schwarz.

zen darunter am schwersten zu leiden hätten; dieser Dialog, den der *Guardian* eine «schlaffe Karotte» nannte, war effektiver als der große Knüppel. Mrs. Thatcher war von Häuptling Gatsha Buthelezi beeindruckt gewesen, der Europa und Amerika häufig besuchte und der sich gegen Sanktionen aussprach, die seiner Meinung nach dem Volk der KwaZulu, das er vertrat, schaden würden. Sein Standpunkt, kommentierte die *Financial Times* (22. August 1985), stehe im «diametralen Gegensatz» zu den Positionen von UDF, AZAPO und ANC, und selbst jene, die mit seiner Strategie (des Widerstands gegen das System von innen) sympathisierten, hatten ernste Bedenken gegen den Mann selbst, der offensichtlich unfähig zu sein schien, eine gemeinsame Basis mit den anderen Anti-Apartheid-Gruppen zu finden und «Kritik nicht vertragen kann».

Die bloße Androhung von Sanktionen hatte, zusammen mit den gewaltsamen Unruhen in Südafrika, einen «Kapitalboykott» ausländischer Banken bewirkt und den Rand fast zusammenbrechen lassen. Frankreich war das erste Land, das gewisse Sanktionen offiziell beschloß, und das amerikanische Repräsentantenhaus – das mit 380 gegen 48 Stimmen für Sanktionen votierte – provozierte Präsident Reagan zur Anordnung einer Reihe von Maßnahmen, die zwar weniger durchgreifend waren als die Kongreßempfehlungen, aber ihre psychologische Wirkung dennoch nicht verfehlten: Der stellvertretende Außenminister Louis Nel sah in ihnen eine Legitimation für die Sanktionslobby rund um den Erdball. Nach einer stürmischen Debatte im Europarat erklärte sich die britische Regierung unwillig zu beschränkten Restriktionen bereit. Mrs. Thatcher und ihr Außenminister bestanden aber weiterhin auf der Lauterkeit ihrer Motive bei ihrem Widerstand gegen Sanktionen; nach wie vor ging es ihnen in erster Linie um das Schicksal der Schwarzen, denen man durch Sanktionen Schaden zufügen würde.

Die Schwarzen selbst straften dieses Argument trotz des gigantischen Anstiegs der Arbeitslosigkeit Lügen. «Der Preis ist hoch», sagte Allan Boesak, «aber das Ende ist in Sicht.» Einer Meinungsumfrage zufolge sprachen sich 77 Prozent der Schwarzen für Sanktionen aus; eine nachfolgende Befragung ermittelte 73 Prozent. Vom Ostkap aus setzten die Schwarzen einen erfolgreichen Konsumentenboykott in Gang, von dem nur die weißen Geschäfte ausgenommen waren, die sich der Sache der Schwarzen gegenüber aufgeschlossen zeigten; als Strafmaßnahme nahm die Polizei schwarze Geschäftsleute in polizeilichen Gewahrsam, die vom Boykott profitierten.

Die Frontlinienstaaten – Angola, Botswana, Mosambik, Tansania, Sambia und Simbabwe – drängten trotz der Opfer und Risiken auf mehr ökonomischen Druck auf Pretoria, um «dem Apartheidregime ein Ende zu setzen». Botswana war das jüngste Opfer eines südafrikanischen Terrorüberfalls: Ein Kind, drei Frauen und acht Männer waren getötet und viele mehr verletzt worden – die Opfer waren verschiedener Nationalität.

Anläßlich des dreißigsten Jahrestages der Freiheitscharta hielt der ANC im Juni eine Nationale Konferenz in Sambia ab, dem Land, in dem sich einer der beiden Hauptstützpunkte für die politische Arbeit des ANC im Exil befindet.* Zum erstenmal wurden Mitglieder anderer Rassen, die früher zur Teilnahme an den Vorstandssitzungen des ANC eingeladen worden waren, in das Nationale Exekutivkomitee gewählt: einer davon war Joe Slovo, die anderen Mac Maharaj, ein weiterer Inder und zwei Farbige. Die Position des ANC wurde neuerlich bestätigt: keine Diskussion über die Südafrikalösung auf Verhandlungsebene, solange sich die Führer im Gefängnis befinden; Verhandlungen jeglicher Art müßten um die Übergabe der Macht an die demokratische Mehrheit gehen; die Frage eines einheitlichen, demokratischen und nichtrassistischen Landes war kein Verhandlungsgegenstand.

Von Mandela und seinen Gefährten in Pollsmoor kam eine Botschaft für die 250 Delegierten, die aus allen Teilen der Welt zusammengekommen waren: Trotz der vielen Jahre, welche die Gefangenen von ihren ehemaligen Weggefährten trennten, und trotz des «Mangels an effektiven Kommunikationswegen», blieben sie eine Organisation mit einem engen inneren Zusammenhalt. Die Einheit, betonte die Botschaft, sei der Felsen, auf dem der ANC stehe, das Prinzip, das sie auf ihrem schwierigen Weg vorwärts über die Jahre hinweg begleitet habe. «Der ANC hat das politische Bewußtsein der Massen in einem Ausmaß vorangetrieben, wie es uns bisher un-

* Der andere, in Tansania, besteht aus der Solomon Mahlangu ANC-Schule und einem Flüchtlingszentrum.

bekannt gewesen ist», schloß die Botschaft der Gefangenen. «Wir ergreifen über die Meilen hinweg fest eure Hände.»

In Sendungen des ANC-Radios «Freedom» in Lusaka und Addis Abeba animierte der Militärkommandant von Umkhonto, Joe Modise, der im Hochverratsprozeß von 1956 einer der Angeklagten gewesen war, die Menschen, Waffen und Brandbomben herzustellen und sich durch «Entwaffnung der Unterdrücker» mit erbeuteten Waffen einzudecken. Die Entschlossenheit des ANC, «den Staatsterror rücksichtslos zu bekämpfen», bedeutete in Oliver Tambos Worten, daß man nicht zulassen könne und wolle, daß in den weißen Gebieten des Landes ein Zustand von Frieden und relativer Ruhe herrsche, während die schwarzen Townships in Flammen stünden. Das bedeutete aber nicht, daß der ANC die Weißen als Feinde betrachtete. «Wir wollen keinen Rassenkrieg. Wir werden die Weißen nicht auf jeden Fall und überall angreifen; was wir wollen, ist eine Ausweitung des Volkskrieges, bis er die gesamte Nation erfaßt hat.»

Die Geschäftswelt Südafrikas reagierte auf die wirtschaftliche und politische Krise und forderte die Regierung immer eindringlicher zu Verhandlungen mit den schwarzen Führern auf, «auch wenn sich einige derzeit in Haft befinden» – ein eindeutiger Bezug auf Mandela und Sisulu –, und als Präsident Botha ihr Drängen auf Gespräche mit dem ANC ignorierte, geleiteten zwei einflußreiche Geschäftsleute eine Delegation nach Sambia zu Gesprächen mit Oliver Tambo, Thabo Mbeki (Govan Mbekis Sohn) und anderen ANC-Führern. Bald darauf traf eine Delegation der Progressive Federal Party, der parlamentarischen Opposition, ANC-Vertreter im Exil, und Alfred Nzo, der Generalsekretär, verlas ein gemeinsames Communiqué, in dem beide Gruppen der «dringenden Notwendigkeit» Ausdruck verliehen, «das Apartheidsystem abzuschaffen und ein unrassistisches und demokratisches Südafrika aufzubauen». Bezüglich der Absicht des ANC, den bewaffneten Kampf voranzutreiben, konnten sie sich zwar nicht einigen, die Bedeutung der Freilassung von Nelson Mandela wurde aber auch von den Geschäftsleuten akzeptiert.

Die nächste geplante Delegation kam aus dem Herzen des Afrikaandertums – der Stellenbosch Universität. Acht Studenten wollten mit Mitgliedern der ANC-Jugendliga sprechen; die Regierung konfiszierte ihre Pässe. Worauf Pastoren der Holländischen Reformierten Kirche beschlossen, Lusaka einen Besuch abzustatten. Sie meinten, daß sich die Regierung politisch «ins Aus» begeben hatte, und freuten sich auf ein Treffen mit dem ANC, aber auch ihnen wurde die Ausreise verweigert.

Oliver Tambo war bereits von einflußreichen Gruppen in Washington und New York herzlich aufgenommen worden. Früher, sagte er, hatten die Vereinigten Staaten den ANC «als eine Gruppe von Terroristen und Kommunisten» abgetan. Jetzt jedoch sei er zuversichtlich, wenn sogar Beamte der Reagan-Regierung zugeben mußten, daß es ohne die Beteiligung des ANC keine Lösung in Südafrika geben könne. Dieses Eingeständnis wurde von Außenminister George Shultz bestätigt, der im Oktober erklärte: «Die einzige Alternative zu einer radikalen und gewaltsamen Lösung (in Südafrika) ist eine politische Einigung hier und jetzt, ehe es zu spät ist.» Er forderte die Freilassung von Mandela und Verhandlungen mit dem ANC. Präsident Reagans nationaler Sicherheitsberater Robert McFarlane fügte einen Ausdruck offizieller Bestürzung über Präsident Bothas Weigerung, Mandela freizulassen, hinzu. Schwarzen und Weißen sollte «ein glaubwürdiger Dialog» ermöglicht werden.

Würden Mrs. Thatcher und ihr Außenminister, Sir Geoffrey Howe, dem steigenden Druck nach Gesprächen mit Tambo und dem ANC standhalten können? Bischof Trevor Huddleston hatte leidenschaftlich zu einer aufgeklärteren Politik aufgerufen, doch während die Thatcher-Regierung auf der einen Seite die Freilassung Nelson Mandelas forderte, weigerte sie sich gleichzeitig, mit der Organisation, deren Führer er ist, in Gespräche einzutreten. Dies, meinte der diplomatische Korrespondent der *Times*, Nicholas Ashford, stelle eine potentielle Gefahr für die langfristigen Interessen Großbritanniens in Südafrika dar. Meinungsbefragungen – die einzige Möglichkeit, die Meinung von Schwarzen zu sondieren, da sie ja nicht wählen können – hatten gezeigt, daß Mandela breite Unterstützung genoß. «Die Kolonialgeschichte Großbritanniens», führte Ashford aus, «ist gespickt mit solchen Augenblicken der Notwendigkeit, in denen wir mit Leuten in Verhandlungen treten mußten, die gegen uns die Waffen erhoben haben» – und er erwähnte Kenyatta und Makarios – «oder, wenn wir weiter zurückblicken, General Smuts in Südafrika selbst, der heute als Denkmal über unseren Parliament Square blickt.»*

Nach seiner Meinung gefragt, sagte Oliver Tambo, daß die britische Regierung die lange Geschichte des ANC seit 1912 kenne, und wenn «sie noch immer der Meinung ist, daß wir eine Organisation sind, die zu berücksichtigen es sich nicht lohnt, dann bezieht sie eindeutig für das Apartheidregime Stellung».

Gegen Mrs. Thatchers hartnäckige Ablehnung von Wirtschaftssanktionen kam es dank dem gemeinsamen Vorgehen von Nehrus Enkel Rajiv Gandhi, von Dr. Kaunda und Robert Mugabe und den Premierministern Australiens, Kanadas und Neuseelands mit der Unterstützung des Commonwealthministers Sir Sonny Ramphal, auf dem Commonwealth-Treffen im Oktober schließlich doch noch zu einer Einigung: Die Regierung in Pretoria wurde aufgefordert, das Apartheidsystem zu beseitigen, den Ausnahmezustand zu beenden, Mandela und alle anderen politischen Häftlinge ohne Auflagen freizulassen, das Verbot des ANC und anderer politischer Parteien aufzuheben und die politische Meinungsfreiheit zu ermöglichen. Nur so könne die Gewalt ein Ende nehmen und ein Dialog im Hinblick auf die Schaffung einer nichtrassistischen und repräsentativen Regierung eingeleitet werden. Sollten diese Ziele mit Hilfe begrenzter Druckmaßnahmen innerhalb von sechs Monaten nicht erreicht werden, würden weitreichendere Wirtschaftssanktionen beschlossen werden.

Mrs. Thatcher hielt immer noch an ihrem Argument fest, daß Sanktionen den Schwarzen schaden würden. Winnie Mandela antwortete ihr erzürnt: «Daß Margaret Thatcher die Stirn hat, uns, dem unterdrückten Volk von Südafrika, zu sagen, daß wir mit unserer Forderung nach Sanktionen unrecht haben! Ich bin entsetzt darüber, daß ein weiblicher Premierminister so unsensibel auf Mütter reagieren kann, die ihre Zeit damit zubringen, die Leichen ihrer Kinder von den Straßen aufzulesen.»

An einem frühen Oktobermorgen gesellte sich Winnie zu Pauline Moloise vor den Toren des Gefängnisses von Pretoria. Mrs. Moloises Sohn, Benjamin, war soeben trotz weltweiter Appelle um Milde gehängt worden. Der sechsundzwanzigjährige ANC-Anhänger und

* *The Times*, 9. September 1985.

Dichter war am Tod eines Polizisten beteiligt gewesen, aber bei der Tötung selbst nicht dabeigewesen. Am Vorabend der Hinrichtung wachte seine Mutter mit Freunden in ihrem Heim in Soweto; die Polizei warf Tränengas ins Haus, um ihre Gebete zum Schweigen zu bringen. Und am nächsten Tag, als sie im Morgengrauen in der Hoffnung auf ein letztes Wort mit ihrem Sohn zum Gefängnis kam, wurde ihr diese Bitte abgeschlagen. «Diese Regierung», sagte sie, «ist grausam, sehr, sehr grausam.»

Als die Menschen nach einem Gedenkgottesdienst für Benjamin Moloise auf die Straßen von Johannesburg strömten, sahen sie sich einer riesigen Polizeistreitmacht gegenüber; sie fingen Feuer und tobten durch die «weißen» Straßen der Stadt. Weit weg in Kapstadt schworen Tausende von Schulkindern Rache für seinen Tod, und aus Lusaka drohte der ANC mit Rache «in jedem Winkel unseres Landes».

Einige Wochen davor war Winnie Mandelas Haus in Brandfort angegriffen worden. Sie war gerade in Johannesburg beim Arzt, als protestierende Mittelschüler im Location von Brandfort den Schulbesuch boykottierten. Die Straße abwärts marschierende Schüler wurden von der Polizei mit Schlagstöcken angegriffen und in Winnies Haus getrieben, wo sie mit Gummigeschossen und Tränengaskanistern bombardiert wurden. Winnies jüngere Schwester, Nonyaniso Khumalo, war im Schlafzimmer, wo sie eines ihrer Kinder badete, als das Tränengas explodierte. Sie wurde zusammen mit den Schülern verhaftet und ins Gefängnis gebracht, während Zindzis zwanzig Monate alter Sohn verschwand. Das Kind wurde später in der Obhut einer Nachbarin gefunden, und Winnie, die zusammen mit dem Familienanwalt Ismail Ayob und gefolgt von Zeni, herbeigefahren war, holte ihn zusammen mit den anderen Kindern, die im Haushalt lebten, und brachte sie nach Johannesburg, wo auch sie blieb. Einen Monat lang blieb Nonyaniso im Gefängnis von Brandfort in Haft.

Haus und Klinik wurden in der folgenden Woche durch eine Brandbombe verwüstet. Diesmal flog Winnie mit Zindzi und Ayob hinunter. Sie fanden ein Chaos von zerschmetterten Medizinfläschchen, medizinischen Geräten, zerstörten Dokumenten, Preisen für Mandela und verwüstetem persönlichem Hab und Gut vor. Das Lieblingskätzchen der Familie war tot. Für Winnie war die Klinik die erste Verwirklichung einer Hoffnung auf die Schaffung eines

Zentrums gewesen, wo Selbsthilfeprojekte, Web- und Töpferei-kurse, ja sogar ein Rechtsberatungsbüro hätten untergebracht werden sollen. «Bis jetzt», hatte sie gesagt, wenn sie von ihren Plänen sprach, «gibt es kein Gesetz gegen Träume.»

Als man sie angesichts der Verwüstung fragte, wen sie hinter dem Attentat vermutete, antwortete sie: «Ich vermute nicht, ich weiß. Es war die Regierung durch ihre Sicherheitspolizei.» Der Verbannung und den Bannbestimmungen trotzend, ließ sie sich wieder in ihrem Haus in Orlando, Soweto, nieder. Sie würde erst wieder nach Brandfort zurückkehren, «wenn die Regierung das Gefängnis wieder aufbaut, das sie für mich geschaffen hat, so daß es wieder bewohnbar ist».

Aus dem Ausland kamen Verurteilungen des Attentats und Sympathiebotschaften – unter anderen von UNO-Generalsekretär Pérez de Cuellar, der seine Hochachtung für ihren mutigen Widerstand ausdrückte; vierzehn Senatoren aus Washington sandten ihr ein Geschenk, das ihr helfen sollte, die Einrichtung von Haus und Klinik zu ersetzen.

Die «Laßt Mandela frei!»-Kampagne lief nun schon seit 1980. Davor hatte Percy Qoboza, der Herausgeber der *World*, darauf gedrängt, daß Premierminister Vorster Leute wie Nelson Mandela freilassen und mit ihnen reden sollte, ebenso wie Vorster ja erkannt hatte, daß es für Rhodesien klüger sei, sich mit den schwarzen Führern an den Verhandlungstisch zu setzen.

In allen Teilen der Welt nahmen Tausende von Bürgermeistern, Politikern, Gewerkschaftern und Kirchenleuten an der von Hunderttausenden von Einzelpersonen getragenen Kampagne teil. In Südafrika sprachen sich Geschäftsleute und weiße Bürgerrechtskämpfer, die Gespräche mit dem ANC geführt hatten, für Mandelas bedingungslose Freilassung aus.

1962 hatte die Regierung nach Mandelas Ergreifung alle Versammlungen und Demonstrationen verboten, die seine Freilassung forderten. Im Juni 1985 wurde eine Großveranstaltung anläßlich seines 67. Geburtstages in Johannesburg verboten. Danach plante man einen Marsch zum Pollsmoor-Gefängnis, um Mandela eine Botschaft zu überreichen. Allan Boesak, dessen Idee es war, befand sich unter den über 30 UDF-Führern, die verhaftet wurden. Im Laufe einer Woche wurden 28 Menschen getötet und 200 verletzt.

Zum erstenmal sprang der Protest von einer farbigen Township auf eine weiße Vorstadt über. Die Polizei verhaftete 235 Menschen. Hunderttausende Schüler aus der Kapprovinz schlossen sich dem landesweiten Schulboykott an. Aber am Sonntag, dem 5. August, machten sich 4000 Demonstranten, darunter 24 Universitätsprofessoren, Kirchenleute und Anwälte aller Rassen, auf den Weg zum Gefängnis, nur um von Ort zu Ort gejagt und schließlich mit Polizeiknüppeln und Tränengas auseinandergetrieben zu werden.

«Das Apartheitregime», lautete der Text, den sie Mandela überreichen wollten, «hat sich selbst durch seine eigene ideologische Zwangsjacke und die von ihm im Laufe der Jahre systematisch aufgebauten gesetzlichen Fangarme in die Falle begeben. Es steht nun vor dem politischen Bankrott. Seine Herrscher sind bar jeder Vision für die Zukunft und ohne Mut zur Veränderung.» Die Regierung könne «den Konflikt und das Chaos unseres Landes» nicht lösen, noch würde sie «den Mut und die Entschlossenheit unseres Volkes» brechen. «Du bist ein wahrer Führer unseres Volkes», sagte die Botschaft Mandela, «wir werden nicht ruhen, ehe du frei bist. Deine und die Freilassung aller politischer Gefangener ist eine unverzichtbare Forderung. Dein Opfer für dein Volk wird nicht vergessen. Wir verpflichten uns von neuem für ein freies Südafrika, in dem alle Macht vom Volk ausgeht.»

Präsident Botha setzte Mandelas fortdauernde Haftstrafe mit jener des Hitler-Stellvertreters Rudolf Heß gleich. «Grotesk», bemerkte der Kongreßabgeordnete Stephen Solarz, der «zutiefst pessimistisch» von einer Reise nach Südafrika zurückkehrte, wo er mit Botha zusammengetroffen war; während Mandela, sagte Winnie, über den Vergleich verärgert war: er respektiere die Muskelkraft des Präsidenten, seine Geisteskraft ließe allerdings zu wünschen übrig.

Tag für Tag verschärften die Aktionen von Präsident Botha und seiner Polizei und Armee den Zorn im Ausland und schürten die Rebellion in Südafrika. Wiederholt machte die Regierung den ANC für den landesweiten Aufruhr verantwortlich, der nun den Großteil der Farbigen in der Kapprovinz erfaßt hatte: Im Oktober zitierte die afrikaanssprachige Zeitung *Rapport* eine «hochgestellte Persönlichkeit», die gesagt hatte, daß die Unruhen schon längst verebbt wären, «hätte sich die Presse nicht vom ANC einschüchtern lassen». In der Zwischenzeit hatte der Tod von drei jungen Moslems in Kapstadt durch Polizeischüsse die konservativen Malaysier mobilisiert und beim riesigen Begräbnis, dem auch Christen beiwohnten, mischten sich zum erstenmal *Amandla!*-Rufe unter die islamischen Sprechgesänge an Allah.

Winnie vertrat weiter die Ansichten ihres Mannes. Auf einer Pressekonferenz im Johannesburger Büro ihres Anwalts erklärte sie, daß Bothas «arrogantes und unsensibles» Manifest «verheerende Folgen» nach sich ziehen könne. So gut wie allen UDF-Führern wurde der Prozeß wegen Hochverrats gemacht, oder sie waren im Gefängnis: «Wenn die Regierung weiterhin die Führung einsperrt, jedesmal, wenn sie eine Nationalversammlung fordert, dann wird es bald nur noch eine Frage geben, die zwischen dem Volk und den regierenden Afrikaandern besprochen werden kann, nämlich die Übergabe der Macht.»

Der Justizminister interpretierte ihre Worte als eine politische Botschaft Mandelas und warnte, daß die Regierung «die Art und das Ausmaß fortgesetzter Besuche» bei Gefangenen neu überdenken würde. «Es ist eine unverrückbare Bestimmung», sagte er, «daß Häftlinge keine öffentlichen Erklärungen abgeben dürfen ... Der Häftling Mandela ist da keine Ausnahme.»

Der methodistische Pastor, Reverend Dudley Moore, der bei den Häftlingen von Pollsmoor arbeitete, schrieb einen Brief an die *Weekly Mail.** Er hatte sich aufgrund seiner persönlichen Erfahrungen zu diesem Schritt entschlossen, sagte er, weil «ich glaube, daß die Menschen unseres Landes etwas über den Menschen Mandela erfahren sollten. Was ich geschrieben habe, wurde mir nicht von anderen berichtet. Es ist meine eigene persönliche Erfahrung mit dem Menschen Nelson Mandela.» Er hatte Mandela regelmäßig die Heilige Kommunion gegeben, erklärte er. «So auch vorgestern. An jenem Tag meditierte er einige Zeit über die Spannung, die Jesus in Ghetsemane empfunden haben mußte, als er wußte, daß er verhaftet und getötet werden würde.»

Im Jahre 1961 hatte Mandela am «Freiheitstag», dem 26. Juni, seinen Leuten aus dem Untergrund eine Botschaft geschickt: «Die Freiheit kann nur durch Entbehrungen, Opfer und militante

* Wochenzeitung, die seit der Einstellung des *Rand Daily Mail* am 27. September 1985 in Johannesburg herausgegeben wird.

Aktion errungen werden. Der Kampf ist mein Leben. Ich werde bis ans Ende meiner Tage fortfahren, für die Freiheit zu kämpfen.»

Während des Jahres 1985 gab sein Gesundheitszustand Anlaß zur Beunruhigung, und im September ergaben medizinische Untersuchungen eine vergrößerte Prostatadrüse. Die Behörden genehmigten Frau und Töchtern einen Besuch: Es war das erste Mal seit seiner Verhaftung im Jahre 1962, daß die ganze Familie zusammenkam. Zindzi, die sich auf ein Jurastudium an der Universität Kapstadt vorbereitete, war zu einer politischen Vertreterin der Familie in Südafrika geworden, während Zeni und ihr Mann Thumbumuzi die «Diplomaten» waren, internationale Reisende, die stellvertretend für ihre Eltern Ehrungen und Preise entgegennahmen.

Zwei Monate später kam die Familie neuerlich zusammen, nicht im Gefängnis, sondern im *Volkshospital* am Fuße des Tafelbergs. Dort wurde Mandela operiert. Winnie, die die Polizeianordnung, unverzüglich nach Brandfort zurückzukehren, ignorierte, quartierte sich in einem nahegelegenen Hotel ein. 45 Minuten täglich durfte sie ihren gutbewachten Mann besuchen, dessen Gesundheitszustand sich stetig verbesserte. Einer der Spezialisten, die Mandela untersuchten, bescheinigte ihm die körperliche Verfassung eines Fünfzigjährigen, ein anderer gab ihm noch gute zwanzig Jahre zu leben.

«Wenn Nelson freikäme», sagte Winnie, «dann würde er zu allererst durchs Land reisen, um sein Volk zu besuchen. Und er würde die Berge betrachten und die frische Luft atmen.»

In Soweto hat jemand einen Satz an die Mauer eines Hauses gesprüht: MANDELA IST IMMER NOCH UNTER UNS.

Text eines Briefes von Nelson Mandela, Robben Island Gefängnis, vom 22.4.1969 an den Justizminister, Kapstadt:

Auf Robben Island

Sehr geehrter Herr Minister,

meine Kollegen haben mich gebeten, Ihnen zu schreiben und Sie aufzufordern, uns freizulassen, beziehungsweise uns bis zu einer diesbezüglichen Entscheidung den Status von politischen Gefangenen zuzuerkennen. Wir möchten eingangs gleich betonen, daß wir mit diesem Ansuchen keineswegs um Gnade bitten, sondern das Recht aller jener Menschen für uns beanspruchen, die sich für ihre politischen Überzeugungen in Haft befinden …

Vor unserer Verurteilung und dem Antritt unserer Gefängnisstrafe waren wir Mitglieder einer bekannten politischen Organisation, die sich gegen politische und rassische Verfolgung einsetzte und die für die afrikanischen, farbigen und indischen Menschen dieses Landes volle politische Rechte forderte. Wir haben damals wie heute jede Form weißer Vorherrschaft und im besonderen die Politik der getrennten Entwicklung abgelehnt und ein demokratisches Südafrika gefordert, das frei ist von den Übeln der Unterdrückung aufgrund der Hautfarbe und in dem alle Südafrikaner, unabhängig von ihrer Rasse oder Religion, auf der Grundlage von Gleichheit in Frieden und Harmonie miteinander leben können.

Wir alle sind ausnahmslos für unsere politische Tätigkeit im Rahmen unseres Kampfes um das Selbstbestimmungsrecht unseres Volkes verurteilt worden, das in der ganzen Welt als unveräußerbares Recht aller Menschen anerkannt wird. Diese Tätigkeit war getragen vom Wunsch, Widerstand zu leisten gegen Rassenpolitik und ungerechte Gesetze, welche die grundlegenden Menschenrechte verletzten, die die Grundlage einer demokratischen Regierung bilden.

In der Vergangenheit hat die südafrikanische Regierung Personen, die für Vergehen dieser Art schuldig gesprochen wurden, als politische Gefangene behandelt, die bisweilen lange vor Ablauf ihrer Strafe freigelassen wurden. In diesem Zusammenhang beziehen wir uns auf die Fälle der Generäle Christiaan De Wet, J. C. C. Kemp und andere, die im Zusammenhang mit der Rebellion von 1914 des Hochverrats angeklagt waren. Ihr Fall war in jeder Hinsicht ernster als unserer. 12000 Rebellen griffen zu den Waffen, und es gab nicht weniger als 322 Tote. Städte wurden besetzt, Regierungseinrichtungen zerstört und die Schadensersatzforderungen aufgrund der Beschädigung von Privateigentum betrugen 500000 Rand. Diese Gewaltakte wurden von weißen Männern begangen, die volle politische Rechte genossen, die rechtmäßigen politischen Parteien angehörten, die über Zeitungen verfügten, in denen sie ihre Ansichten verbreiten konnten. Sie konnten sich frei im Land bewegen, ihre Sache vorbringen und für ihre Ideen werben. Sie hatten keinerlei Veranlassung, zur Gewalt zu greifen. Der Führer der Oranje-Freistaat-Rebellen, De Wet, wurde zu sechs Jahren Gefängnis und einer Geldstrafe von 4000 Rand verurteilt. Kemp erhielt eine Gefängnisstrafe von sieben Jahren und eine Geldstrafe von 2000 Rand. Alle anderen erhielten vergleichsweise geringere Strafen.

Trotz der Schwere ihrer Vergehen wurde De Wet sechs Monate nach der Urteilsverkündung freigelassen, der Rest nach einem Jahr. Dieser Vorfall ereignete sich vor etwas mehr als einem halben Jahrhundert, aber die Regierung von damals hat weit weniger Härte bei der Behandlung dieser Kategorie von Gefangenen an den Tag gelegt, als die heutige Regierung 54 Jahre später ihren schwarzen Politikern entgegenzubringen bereit scheint, deren Hinwendung zur Gewalt heute weit mehr gerechtfertigt erscheint als 1914. Denn diese Regierung hat unsere Hoffnungen konsequent zerstört, unsere politischen Organisationen unterdrückt und bekannte Aktivisten und Mitarbeiter schweren Repressionen ausgesetzt.

Sie hat unzählige Familien zerbrochen, indem sie Hunderte von unschuldigen Menschen hinter Gitter brachte. Schließlich hat sie eine in der Geschichte dieses Landes noch nie dagewesene Gewaltherrschaft errichtet und alle Wege des legalen Kampfes hermetisch abgeriegelt. In einer solchen Situation war die Gewalt die unvermeidbare Alternative der Freiheitskämpfer, die den Mut zur eigenen Überzeugung hatten. Jeder prinzipientreue und integre Mensch hätte so handeln müssen. Sich im Lehnstuhl zurückzulehnen hätte bedeutet, sich der Regierung der Minderheitsherrschaft zu unterwerfen, und wäre ein Verrat an unserer Sache gewesen. Die Weltgeschichte und besonders die Geschichte Südafrikas lehrt uns, daß der Schritt zur Gewalt in bestimmten Fällen durchaus legitim sein kann.

Indem sie die Rebellen bald nach ihrer Verurteilung freiließ, hat die Botha-Smuts-Regierung dieser Tatsache Rechnung getragen. Wir sind fest davon überzeugt, daß es sich bei uns in keiner Weise anders verhält, und bitten Sie deshalb, dieses Privileg auch uns zuteil werden zu lassen. Wie oben erwähnt, gab es bei der Rebellion 322 Tote. Im Gegensatz dazu lenken wir Ihre Aufmerksamkeit auf die Tatsache, daß wir bei unseren Sabotageakten immer besonders darauf geachtet haben, daß kein Menschenleben zu beklagen sei, ein Faktum, das im Rivonia-Prozeß sowohl vom Richter als auch von der Staatsanwaltschaft ausdrücklich hervorgehoben wurde.

Ein Blick in die angefügte Tabelle zeigt, daß jeder einzelne von uns schon auf freiem Fuß sein müßte, wenn wir vom Fall De Wet als Norm ausgehen. Von den 23 Personen, deren Namen darin aufgelistet werden, wurden acht zu lebenslänglicher Haft verurteilt, zehn haben eine Haftstrafe von zehn bis zwanzig Jahren und fünf zwischen zwei und zehn Jahren.

Von jenen, die lebenslänglich bekommen haben, haben sieben

vier Jahre und zehn Monate abgesessen. Der Mann mit der längsten Haftstrafe unter jenen, die zwischen zehn und zwanzig Jahre bekommen haben, ist Billy Nair, der schon ein Viertel seiner Strafe hinter sich hat. Joe Gqabi, Samson Fadana und Andrew Masondo, die ersten, die von dieser Gruppe verurteilt wurden, haben jeder schon sechs Jahre ihrer Haftstrafen von jeweils zwölf, acht und dreizehn Jahren abgedient. Die letzten Männer, die in dieser Gruppe verurteilt wurden, waren Jackson Fuzile und Johannes Dangala, die jeweils zwölf und sieben Jahre Gefängnis bekamen. Fuzile hat ein Viertel seiner Strafe abgedient, während Dangala am 19. März 1969 genau die Hälfte hinter sich hat. Jeder einzelne von jenen, die zu einer Strafe zwischen zwei und zehn Jahren verurteilt wurden, hat mindestens ein Viertel seiner Zeit abgebüßt.

Unser Anspruch auf Freilassung erscheint nur noch gerechtfertigter, wenn wir die Fälle von Robey Leibrandt, Holm, Pienaar, Strauss und andere zum Vergleich heranziehen. Leibrandt, ein Staatsbürger der Südafrikanischen Union, kam zu einer Zeit aus Deutschland, als dieses Land mit der Union im Krieg stand. Er baute dann eine paramilitärische Untergrundorganisation auf, mit dem Ziel des Sturzes der Regierung und der Errichtung eines Regimes nach dem Vorbild von Nazideutschland. Er wurde des Hochverrats schuldig gesprochen und zum Tode verurteilt, was später in eine lebenslängliche Haftstrafe umgewandelt wurde. Holm, Pienaar und Strauss wurden ebenfalls wegen Hochverrats eingesperrt, weil sie angeblich im Krieg gegen die Union und ihre Alliierten mit dem Feind zusammengearbeitet hatten. Als aber diese jetzige Regierung an die Macht kam, hat sie diese und andere wegen Hochverrats und Sabotage verurteilten Gefangenen freigelassen, ungeachtet der Tatsache, daß sie unter Bedingungen festgenommen worden waren, die sie vielen Südafrikanern als Verräter ihres eigenen Landes erscheinen ließen. Im Gegensatz dazu weisen wir darauf hin, daß unsere Aktivitäten zu allen Zeiten von den edelsten Idealen getragen wurden, denen sich ein Mensch verpflichten kann, nämlich vom Wunsch, dem Volk in seinem gerechten Kampf um seine Befreiung von einer auf Ungerechtigkeit und Ungleichheit aufbauenden Regierung beizustehen.

Wir möchten Sie ferner daran erinnern, daß Ihr Amtsvorgänger im Jahre 1966 Spike de Keller, Stephany Kemp, Alan Brooks und Tony

True freigelassen haben, die alle ursprünglich zusammen mit Edward Joseph Daniels (dessen Name in der Aufstellung aufscheint) wegen Sabotage vor Gericht standen. Wir wissen, daß De Keller nach Ableistung von etwa zwei Jahren oder weniger von seiner zehnjährigen Haftstrafe freigelassen wurde; auch Kemp, Brooks und True befanden sich vor Ablauf ihrer Strafen auf freiem Fuß.*

Es liegt uns fern, jenen, die das Glück hatten, freigelassen zu werden und die so den Entbehrungen des Gefängnislebens entkommen konnten und heute ein normales Leben führen können, ihr Schicksal zu neiden. Wir verweisen nur auf ihren Fall, um aufzuzeigen, daß unsere Forderung nicht unangebracht ist, und auch um zu betonen, daß man von einer Regierung eine gewisse Konsistenz in ihrer Politik und bei der Behandlung ihrer Staatsbürger erwartet.

Zwischen unserem Fall und dem von De Wet und Leibrandt gibt es einen wichtigen Unterschied. Sie wurden freigelassen, nachdem ihre Rebellion niedergeschlagen und Deutschland besiegt worden war, so daß sie zum Zeitpunkt ihrer Freilassung keine Bedrohung des Staates darstellten.

Man könnte argumentieren, daß in unserem Fall die Revolution erst für die Zukunft geplant wird und daß Sicherheitsbedenken eine andere Behandlung nahelegen. Dem kann man noch hinzufügen, daß sich unsere Überzeugungen nicht verändert haben und daß unsere Träume seit der Zeit vor unserer Verhaftung dieselben geblieben sind; was alles die Meinung verfestigen könnte, daß unser Fall sich von allen vorangegangenen unterscheidet. Wir sind uns aber sicher, daß Sie sich nicht verleiten lassen werden, diesen Gedankengang einzuschlagen, weil eine solche Argumentation unheilvolle Folgen hätte. Das würde nämlich bedeuten, daß, sollten sicherheitspolitische Erwägungen unseren fortgesetzten Gefängnisaufenthalt nahelegen, wir auch nach Abbüßung unserer Strafe nicht freikämen, wenn die gegenwärtige Lage unverändert bleibt oder sich gar noch zuspitzt. Die reine Wahrheit ist, daß der Rassenkonflikt, der unser Land heute zutiefst bedroht, ausschließlich auf die kurzsichtige Politik und die Verbrechen der Regierung zurückzuführen ist.

Die einzige Methode, eine Katastrophe abzuwenden, besteht nicht darin, unschuldige Menschen in den Kerker zu werfen, son-

* Sie waren alle weiß und Mitglieder von ARM (Afrikaner Reform Movement).

dern erfordert eine Abkehr von Ihrem provokanten Vorgehen und das Einschlagen einer vernünftigen und aufgeklärten Politik. Ob es in diesem Land gewaltsame Auseinandersetzungen und Blutvergießen geben wird, wird einzig und allein von der Regierung abhängen. Die fortgesetzte Unterdrückung unserer Hoffnungen und die ständige Ausübung von Zwang treiben unser Volk immer mehr der Gewalt zu. Weder Sie noch ich können den Preis voraussagen, den das Land am Ende dieses Kampfes wird bezahlen müssen. Die offensichtliche Lösung ist unsere Freilassung und eine Konferenz am runden Tisch, um auf dem Verhandlungswege zu einer Einigung unter Freunden zu gelangen.

Unsere Hauptforderung ist unsere Freilassung und unsere Behandlung als politische Gefangene, bis Sie diesbezüglich eine Entscheidung gefällt haben. Das bedeutet, daß wir gute Verpflegung, ordentliche Kleidung, Betten und Matratzen, Zeitungen, Radios, Filmvorführungen und besseren Kontakt mit unseren Familien im In- und Ausland erhalten sollten.

Die Behandlung als politische Gefangene bedeutet das Recht, alles Lesematerial zu bekommen, das nicht verboten ist, und Bücher zur Veröffentlichung zu schreiben. Wir würden uns erwarten, daß wir uns für eine Arbeit unserer Wahl entscheiden und auch ein Handwerk lernen können, das unseren Vorstellungen entspricht. In diesem Zusammenhang möchten wir darauf hinweisen, daß sowohl die Rebellen von 1914 als auch Leibrandt und Konsorten, die alle als politische Gefangene behandelt wurden, manche dieser Privilegien in Anspruch nehmen konnten.

Die Gefängnisbehörden weisen als Antwort auf unsere Forderung nach Behandlung als politische Gefangene darauf hin, daß wir vom Gericht für die Übertretung der Gesetze dieses Landes verurteilt wurden, daß wir uns also nicht von anderen Verbrechern unterscheiden und deshalb auch nicht als politische Gesetzesübertreter behandelt werden können.

Dieses Argument widerspricht aber allen Tatsachen. Denn so betrachtet, waren auch De Wet, Kemp, Maritz, Leibrandt und die anderen gewöhnliche Verbrecher. Hochverrat, Sabotage, Mitgliedschaft in einer verbotenen Organisation waren allesamt damals wie heute gewöhnliche Verbrechen. Uns erscheint der einzige Unterschied zwischen diesen beiden Fällen in der Hautfarbe zu liegen.

Unter den Weißen waren schwerwiegende Meinungsverschiedenheiten über eine bestimmte Frage entstanden, und jene, die in diesem Konflikt den kürzeren zogen, fanden sich hinter Gitter wieder. In allen anderen Fragen, namentlich in der Frage der Hautfarbe, waren sich Sieger und Besiegte einig. Nachdem der Konflikt beigelegt worden war, war es der Regierung möglich, eine Geste der Versöhnung zu machen und den Gefangenen alle möglichen Privilegien einzuräumen. Heute aber ist die Lage ganz anders. Diesmal kommt die Herausforderung nicht vom weißen Mann, sondern in erster Linie von schwarzen Politikern, die mit der Regierung in so gut wie allen Fragen unter der Sonne uneins sind. Der Sieg unserer Sache bedeutet das Ende der weißen Herrschaft.

In einer solchen Situation betrachtet die Regierung das Gefängnis nicht als eine Institution zur Rehabilitierung der Insassen, sondern als ein Instrument der Vergeltung, das darauf abzielt, uns nicht auf ein achtbares und fleißiges Leben nach unserer Entlassung vorzubereiten, uns nicht darauf vorzubereiten, unsere Rolle als der Gesellschaft würdige Staatsbürger einzunehmen, sondern vielmehr beabsichtigt, uns zu bestrafen und zu verkrüppeln, damit wir nie wieder die Kraft und den Mut aufbringen, unsere Ideale zu verfolgen. Das ist unsere Strafe dafür, daß wir unsere Stimme gegen die Tyrannei der Hautfarbe erhoben haben. Das ist die wahre Erklärung für die schlechte Behandlung im Gefängnis – ununterbrochene Schwerarbeit seit fünf Jahren, eine elende Verpflegung, die Verweigerung der nötigen kulturellen Nahrung und die Isolation von der Welt außerhalb des Gefängnisses. Das ist der Grund, warum Privilegien, die anderen Häftlingen normalerweise zugebilligt werden, einschließlich jenen, die wegen Mordes, Vergewaltigung und Betruges verurteilt wurden, uns, den politischen Gefangenen, vorenthalten werden.

Wir erhalten keine Strafverkürzung. Während die gewöhnlichen Häftlinge bei ihrer Einlieferung in die Kategorie C eingestuft werden, wird den politischen Gefangenen die Kategorie D zugewiesen, in der man die wenigsten Privilegien genießt. Jene unter uns, denen es gelungen ist, in die Kategorie A aufzusteigen, erhalten nicht dieselben Privilegien wie andere Häftlinge dieser Gruppe. Sie müssen weiterhin Schwerarbeit leisten, bekommen weder Zeitungen noch

Radios, sehen keine Filme und erhalten keine Kontaktbesuche, ja selbst Lebensmittel werden ihnen nur unwillig verkauft.

Wie bereits im zweiten Absatz oben erwähnt, schreibe ich diese Petition im Namen aller meiner Kollegen auf der Insel und in anderen Gefängnissen, und ich vertraue darauf, daß alle Konzessionen, die uns möglicherweise zuerkannt werden, ausnahmslos allen zugute kommen werden.

Das Gefängnisgesetz von 1959 gibt Ihnen die nötige Befugnis, uns die Erleichterung, die wir suchen, zu gewähren. Unter seinen Bestimmungen haben Sie das Recht, uns auf Bewährung oder Kaution auf freien Fuß zu setzen. De Wet und die anderen wurden nach der ersteren Methode freigelassen. Abschließend stellen wir fest, daß wir sehr schwere Jahre auf der Insel zugebracht haben. Fast jeder von uns hat so gut wie alles an Entbehrungen durchmachen müssen, denen nichtweiße Häftlinge ausgesetzt werden. Diese Härten waren manchmal das Ergebnis der offiziellen Gleichgültigkeit unseren Problemen gegenüber, andere Male ging es um schlichte Verfolgung. Aber die Lage hat sich etwas entspannt, und wir hoffen, daß uns die Zukunft noch bessere Zeiten bringen wird. Und schließlich wollen wir nur noch hinzufügen, daß wir darauf vertrauen, daß Sie bei der Prüfung dieses Ansuchens im Auge behalten werden, daß die Ideen, die uns beflügeln, und die Überzeugungen, die unseren Aktivitäten Form und Richtung geben, die einzige Lösung für die Probleme unseres Landes darstellen und sich im Einklang mit den aufgeklärten Vorstellungen der Menschheitsfamilie befinden.

Hochachtungsvoll

N. Mandela e. h.

Probleme der Dritten Welt

Michael Kidron/Ronald Segal
Hunger und Waffen
Ein politischer Weltatlas zu den Krisen der 80er Jahre. Großformat. 4726/DM 25,–
Die Armen und die Reichen
Hunger und Waffen 2. Der politische Atlas zu einer Welt im Umbruch
Großformat. 5445/DM 28,–

Pat R. Mooney
Saat-Multis und Welthunger
Wie die Konzerne die Nahrungsschätze der Welt plündern. 4731/DM 8,80

Awa Thiam
Die Stimme der schwarzen Frau
Vom Leid der Afrikanerinnen
frauen aktuell 4840/DM 7,80

Erika Runge
Südafrika – Rassendiktatur zwischen Elend und Widerstand
Protokolle und Dokumente zur Apartheid. 1765/DM 9,80

Ruth Weiss (Hg.)
Frauen gegen Apartheid
Zur Geschichte des politischen Widerstandes von Frauen (frauen aktuell 5914)

5626

Winnie Mandela
Ein Stück meiner Seele ging mit ihm
aktuell rororo

5533

Herausgegeben von Freimut Duve

C 2133/4a

Probleme der Dritten Welt

A. Mnouchkine/H.G. Berger u.a.
Der Prozeß gegen den Schriftsteller Wei Jingsheng
Herausgegeben von A.I.D.A. (5883)

Gisela Frese-Weghäft
Ein Leben in der Unsichtbarkeit
Frauen im Jemen (5645)

Rupert Neudeck (Hg.)
Radikale Humanität
Notärzte für die Dritte Welt (5743)

Philippinen - wenn der Bambus bricht
Herausgegeben von der Aktionsgruppe Philippinen (5739)

Paul Harrison
Hunger und Armut
«Inside the Third World» (4826)
Die Zukunft der Dritten Welt
«The Third World Tomorrow» (5243)

Anneliese Lühring
Bei den Kindern von Concepción
Tagebuch einer deutschen Entwicklungshelferin in Bolivien (4060)

Bahman Nirumand
Iran – hinter den Gittern verdorren die Blumen (5735)

5341

Anna-Maria Hagerfors
Thomas Michélsen
Giftexport
aktuell rororo
Pharmaka und Pestizide für die Dritte Welt

5436

Herausgegeben von Freimut Duve

C 2133/5

Mittel- und Lateinamerika

Anneliese Lühring
Bei den Kindern von Concepción
Tagebuch einer deutschen Entwicklungshelferin in Bolivien (4060)

Victor Jara
Chile, mein Land, offen und wild
Sein Leben erzählt von Joan Jara (5523)

Rodrigo Jokisch (Hg.)
El Salvador
Freiheitskämpfe in Mittelamerika – Guatemala, Honduras, El Salvador (4736)

Nicaragua – ein Volk im Familienbesitz
Hg.: «Informationsbüro Nicaragua» (4345)

Hermann Schulz
Nicaragua
Eine amerikanische Vision (5254)

Folter und Widerstand

Herausgegeben von Freimut Duve

C 1099/8

5252

5438